3X

スリーエックス

革新的なテクノロジーとコミュニティがもたらす未来

三菱総合研究所

ダイヤモンド社

はじめに

三菱総合研究所は２０２０年9月、創業50周年を迎えた。これを機に、次の50年を展望した「目指す未来社会」の姿と、その実現方策を明らかにする目的で記念研究を行った。本書はその研究成果に基づいている。

いまを遡ること50年、１９７０年には、日本万国博覧会、通称大阪万博が開かれた。大阪万博は、「人類の進歩と調和」をテーマに掲げ、「太陽の塔」や「月の石」などと並び、携帯電話、電気自動車、リニアモーターカーといった先端技術が実現する明るい未来社会を示し、子どもだけでなく大人にも大きな夢と感動を与えた。

同万博に三菱グループとして出展した三菱未来館では、50年後の未来、すなわち現在の世界がどうなるかを予想していた。「壁掛けテレビや電子頭脳の普及」や「がんの克服」「人間の働く時間は1日4時間に短縮され、肉体労働はまったく姿を消す」など、これまでに実現したもの、実現まで遠いものなど、さまざまである。

一方で、世界経済は米ドルの変動相場制移行と第一次石油ショックなどで、大きな曲がり角に差しかかっていた。万博から2年後の１９７２年に、ローマクラブから発表された

『成長の限界』は、人類が危機的な状況に陥るのを避けるには、持続可能な社会の実現が必要との警告を発した。

夢を与えた大阪万博のコンセプトは「規格大量生産型の近代社会」。高度経済成長を成し遂げ、優秀な工業製品を寸分たがわず大量につくり出し、物質的な豊かさを目指していた当時の日本を象徴するとともに、それは20世紀の世界全体の歩みでもあった。

いずれにしても、人々が未来に希望を持てる時代だったのだ。

その後50年を経て、このコンセプトは世界に広まった。これまでに先進国には物質的な豊かさが行きわたり、新興国も着実にキャッチアップしてきている。一方、気候変動、資源枯渇、社会の格差・分断の拡大など、未来に向けて地球規模の問題が顕在化、深刻化しつつある。

国連は、2030年をターゲットに持続可能な開発目標（SDGs：Sustainable Development Goals）を採択し、「だれ一人取り残さない」ことを宣言した。その理念は世界的に浸透しつつあるが、実現への道のりは平坦ではない。

これからの50年、世界人口は100億人に近づくと予想されている。平均寿命は延伸し、先進国では人生100年時代が到来する。SDGsの達成を目指すとともに、その先を見据えた豊かさと持続可能性をどのように実現するか。私たちの行動が人類の命運を担うと言っても過言ではないだろう。

２０２１年４月現在、世界は新型コロナウイルス感染症のパンデミックと、これがもたらした経済・社会への深刻な影響のまっただなかにいる。コロナ禍は、人々の価値観や行動様式、社会の仕組みの常識をきわめて短期間で様変わりさせた。人類にとって大きな転換点となるいまこそ、長期的な未来に向けた展望を描き、行動を始める時である。

人類発展の原動力であり続けてきた技術と人々のつながりは、これからの50年で大きく変容していく。当社は、目指す未来に向けたこれからの我々の歩みにとってのキーファクターとして、革新技術による社会変革である「３Ｘ（デジタル、バイオ、コミュニケーション）」と、新たなコミュニティである「共領域」を提案する。

未来を予測する最良の方法は、未来を創ることである。現在世界が抱える多くの困難のなかで、「地球」と「格差」こそが根源的な課題であると私たちは考える。使える資源が「地球一個分」に限られるなかで「成長の限界」を乗り越えるには、大阪万博時代の「規格大量生産型の近代社会」とは決別し、物的拡大ではなく質的な人間の欲求を、格差なく充足できるようにしていかなければならない。

これからの50年は、「豊かさ」と「持続可能性」を両立させる挑戦の期間となる。豊かさを、一人ひとりのウェルビーイングを追求するものへと質的に転換させる必要がある。

同時に、将来世代までの持続可能性を確実なものとすることが求められる。物的充足が自然な欲求であるのに対して、質的満足は意志から生まれる。人類は、意志で希望を創る時代に入るのである。

本書は、新たな「豊かさ」と「持続可能性」を両立させるための5つの目標を掲げるとともに、重要なファクターとして革新技術とコミュニティのあり方を示している。当社は「目指す未来社会」に向けて、皆様とともに踏み出したいと考えている。本書がそのきっかけとなれば幸いである。

2021年4月

三菱総合研究所 理事長　小宮山 宏

スリーエックス――革新的なテクノロジーとコミュニティがもたらす未来◉目次

序章

人類の繁栄に
欠かせない
2つの手段

技術とコミュニティを両輪に発展してきた人類

私たちの直接の祖先は、約20万年前にアフリカ大陸で誕生した「ホモ・サピエンス」だ。

それ以前に存在していた、原人や旧人と呼ばれる古い人類に比べると、華奢な体つきと長い脚、前方への張り出しの少ない頭を持ったこの新しい人類は、ゆっくりアフリカ全土に広がり、約10万年前までには紅海を越えてアラビア半島へ、そしてユーラシア大陸へ渡る。さらに一部はヨーロッパへ、一部はインドや東南アジアを経由してオセアニアへ——と、地球上に広く散らばっていった。日本列島にも3万年前ごろには定着したとされている。

いまよりかなり寒冷な氷河時代だったにもかかわらず、ユーラシア大陸を北上し、凍土が覆う極寒のシベリアに達した一群もある。彼らは地続きだったベーリング海峡を徒歩で越え、アラスカに渡った。北アメリカ大陸でも南にぐんぐん広がってゆき、やがて南アメリカ大陸の南端に達している。[1]

そしていま、ホモ・サピエンスは、地球上のあらゆる場所に生息域を広げ、文明を築き上げている。ほとんど雨が降らない砂漠にも、酸素の希薄な高地にも、吐く息すら凍る永久凍土の地にも適応してすみかをつくるという離れ業をやってのけ、78億もの個体数を誇るまでになった。遺伝子の98％がヒトと重なるチンパンジーの生息域が、アフリカの熱帯林を中心とした世界のごく一部に限られていることを思えば、私たちの生活圏はあまりに広く、その繁殖力において他の動物を圧倒している。

しかし、ホモ・サピエンスが動物として圧倒的に「強い」わけではない。敵を一撃できる牙や角もなく、肉食獣から逃げ切れる脚の速さも、空を飛べる翼もない。生のままの食べ物をしっかり消化できる長い腸も、寒さから身を守る毛皮すらない。むしろ多くの動物より明らかに「弱い」のだ。

では、なぜここまで繁栄することができたのか。カギは「技術」と「コミュニティ」にある。

変化の激しい環境においては、何世代もかかる形質変化を悠長に待っているうちに絶滅してしまうことも少なくない。そこで、ホモ・サピエンスは、技術を駆使することで、みずからの能力を前のめりに拡張し続けてきた。獲物を仕留める石器をみずからの手で生み出し、寒さをしのぐ衣服をつくり、火で加熱して調理することで食べられるものの範囲を大きく広げた。

とはいえ、器用な手先と発達した脳で技術を編み出し、道具をつくるのはホモ・サピエンスに限らず、それまでの人類にも共通する行動だ。アウストラロピテクスは250万年も前にすでに石器を使っていたと考えられているし、ホモ・ハイデルベルゲンシスは住居を建てた。ホモ・ネアンデルターレンシス（ネアンデルタール人）は槍のような道具を駆使してヤギやウマなどの大型の動物を狩っている。さらにいえば、ネアンデルタール人はホモ・サピエンスよりがっしりした体と発達した筋肉を持っており、脳すら私たちより大きい。しかし、そのネアンデルタール人を、ホモ・サピエンスが駆逐する形で絶滅に追いやっている。

約4万年前のヨーロッパを舞台にしたこの絶滅劇を、歴史学者ユヴァル・ノア・ハラリは『サピエンス全史』（河出書房新社、2016年）で以下のように描写している。

ネアンデルタール人はたいてい単独で、あるいは小さな集団で狩りをした。一方サピエンスは、何十人もの協力、ことによると異なる生活集団間の協力にさえ頼る技術を開発した。なかでもとりわけ効果的なのは、野生の馬などの動物を群れごとそっくり取り囲み、それから狭い峡谷に追い込むという手法で、こうすれば楽々一まとめに獲物を殺すことができた。万事計画どおりにいけば、複数の集団がある日の午後の間、協力するだけで、何トンもの肉と脂肪と皮を収穫し、大宴会を開いて肉をたいらげたり、後に食料とするために乾燥させたり、燻製にしたり、（北極地方では）凍らせたりした。

ネアンデルタール人は、自分たちの昔ながらの狩場が、サピエンスの支配する屠殺場に変わるのを目にして、愉快ではなかっただろう。だが、これら二つの人類種の間で暴力的な衝突が勃発した時には、ネアンデルタール人は野生の馬とたいして変わらず、勝ち目がなかった。従来の静的なパターンで協力する五〇人のネアンデルタール人は、融通が利く革新的な五〇〇人のサピエンスには、まったく歯が立たなかった。

サピエンスはいっしょになると、交易のネットワークや集団での祝典、政治的機関と言った、単独ではけっして生み出しようのなかった、整然としたパターンを生み出す。私たちとチンパンジーとの真の違いは、多数の個体や家族、集団を結びつける神話という接着剤だ。この接着剤こそが、私たちを万物の支配者に仕立てたのだ。

もちろん私たちは、道具を製作して使用する能力のような、他の技術も必要としていた。とはいえ、道具製作は、他の大勢の人々と協力する能力と組み合わさらないかぎり、その価値は非常に限られている。

技術の力に、「仲間との協力」というコミュニティの力をかけ合わせれば、パワーが何倍にも増す。身体性を拡張させるべく次々に生み出してきた有用な道具の数々と、それを受け入れ、活用し、伝播させてきたコミュニティ。この2つの社会基盤が両輪としてかみ合うことで、ホモ・サピエンスは現在の繁栄を手に入れたといえる。

それは現在も変わらない。ホモ・サピエンス＝我々人類の歴史を概観すれば、社会変革のトリガーとなる技術と、それを成長させ、発展させるコミュニティのシナジーこそが社会の進化を駆動してきたことがはっきりと見えてくる。

社会変革のトリガーとしての「技術」

アメリカの未来学者、アルビン・トフラーは、1980年の著書『第三の波』（日本放送出版協会）において、紀元前に起きた「農業化」と、18世紀末に勃興した「工業化」を、人類史に大きな変革をもたらした第一の波、第二の波と見なしたうえで、やがて「情報化」が第三の波として社会の形を大きく変えることを予言した。

人類はこれまで、大変革の波を二度経験している。それぞれの波は、変革以前の文化、あるいは文明を大幅に時代おくれにしてしまい、前の時代に生きていた人間には想像すらできなかった生活様式を一般化した。第一の波による農業革命は数千年にわたってゆるやかに展開された。産業文明の出現による第二の波の変革は、わずか三〇〇年しかかからなかった。今日では、歴史の進行はさらに加速されており、第三の波はせいぜい二、三〇年で歴史の流れを変え、その変革を完結するのではないだろうか。
そして、その変革の波は必然的にコミュニティのあり方にも大きな影響を及ぼした。

農業を主体とする地域ならどこでも、おじ、おば、義父、義母、祖父母、いとこなど、幾世代もの家族がひとつ屋根の下に暮らし、経済的にも、みんながひとつの生産単位としていっしょに働く大家族主義が一般的だった。（中略）そして家族は移動せず、土地に根を張っていたのである。

第二の波が第一の波の社会を席巻するようになると、家族は変容を迫られることになった。各家庭の内部で第一の波と第二の波が衝突し、家庭内の紛争、家父長の権威への挑戦がはじまった。（中略）家族はもはや、ひとつの生産単位として、いっしょに労働するということがなくなってしまった。

大きな社会変革には、必然的に革新的な技術が関与する。「農耕・牧畜社会」における作物の栽培技術、「工業化社会」における蒸気機関、「情報化社会」におけるコンピュータがそれだ。このように、国家規模、あるいは地球規模の影響を及ぼす技術は、「汎用技術（GPTs：General Purpose Technologies）」と呼ばれている。

経済学者リチャード・リプシーらは2006年に、汎用技術を4つの特徴を持つものと定義した。①単一の、それ自体として認識可能であり、②生み出された時点では改良や洗練の余地が大きかったが、のちに幅広く使われるようになり、③さまざまな用途を持ち、④多数のスピルオーバー効果（波及効果）をもたらす技術だ。それらは、複数の作業をひとまとめにした「プロセス」の場合もあれば、物理的な「プロダクト」、あるいは「組織」の形式を取ることもある。

この定義に基づいて、人類史における汎用技術としてリプシーらが選定した24の技術を図表に示す。このように時系列に並べた時に見えてくるのは、汎用技術がまず家族や村落などの地域共同体を基盤とした生存手段として萌芽し、工業化を進展させ物質的な豊かさを生むツールとして発達し、さらに一人ひとりの能力や可能性を高めるものへと発展して

No.	汎用技術（GPT）	時期	区分
1	植物の栽培化（Domestication of plants）	紀元前9000-8000	プロセス
2	動物の家畜化（Domestication of animals）	紀元前8500-7500	プロセス
3	鉱石の製錬（Smelting of ore）	紀元前8000-7000	プロセス
4	車輪（Wheel）	紀元前4000-3000	プロダクト
5	文字（Writing）	紀元前3400-3200	プロセス
6	青銅（Bronze）	紀元前2800	プロダクト
7	鉄（Iron）	紀元前1200	プロダクト
8	水車（Waterwheel）	中世初期	プロダクト
9	3本マストの帆船（Three-masted sailing ship）	15世紀	プロダクト
10	印刷（Printing）	16世紀	プロセス
11	蒸気機関（Steam engine）	18世紀後期～19世紀初期	プロダクト
12	工場（Factory system）	18世紀後期～19世紀初期	組織
13	鉄道（Railway）	19世紀中期	プロダクト
14	鉄製汽船（Iron steamship）	19世紀中期	プロダクト
15	内燃機関（Internal combustion engine）	19世紀後期	プロダクト
16	電気（Electricity）	19世紀後期	プロダクト
17	自動車（Moter vehicle）	20世紀	プロダクト
18	飛行機（Airplane）	20世紀	プロダクト
19	大量生産の連続工程と工場（Mass production, continuous process, factory）	20世紀	組織
20	コンピュータ（Computer）	20世紀	プロダクト
21	リーン生産方式（Lean production）	20世紀	組織
22	インターネット（Internet）	20世紀	プロダクト
23	バイオ技術（Biotechnology）	20世紀	プロセス
24	ナノテクノロジー（Nanotechnology）	21世紀中	プロセス

図表｜24の汎用技術（GPTs）

出所：Richard G. Lipsey, Kenneth I. Carlaw, and Clifford T. Bekar,（2006）. Economic Transformations: General Purpose Technologies and Long Term Economic Growth., Oxford University Pressより三菱総合研究所作成

きた大きな流れだ。

人類は、核となる汎用技術に無数の関連技術を組み合わせて、労働や活動に伴う負荷や危険を減らしながら、そのために最適化されたコミュニティを構築し、そこからさまざまな価値を生み出してきた。

では、それぞれの汎用技術は、具体的にどのように社会に変革をもたらしてきたのか。アルビン・トフラーの3つの波をあらためて、「農耕・牧畜社会」「工業化社会」「情報化社会」という3つのフェーズに分けて概観してみよう。[2]

●生き延びるための技術——農耕・牧畜社会

狩猟や採集によって、食べ物をひたすら探し求める生活を送ってきた人類が、最初に手にした汎用技術が【(1)植物の栽培化】と【(2)動物の家畜化】だ。長かった氷河時代が終わりを告げた約1万年前。ホモ・サピエンスは誕生から実に19万年の時を経て、農耕・牧畜社会への転換を果たしたことになる。どちらの技術も、たゆまぬ改良が重ねられ、現在も私たちの大切な生存基盤となっている。

狩猟・採集生活では、その日の食料すらなりゆき任せにならざるをえないが、農耕・牧畜生活を送るようになった人類は食料生産を主体的にコントロールできるようになり、貯蔵も可能になった。人口は飛躍的に増大し、古代文明の勃興につながっていく。

最初に農耕と牧畜が始まったメソポタミアでは、【⑶鉱石の製錬】も同時期に発祥し、まず銅が使われるようになっている。紀元前4000年から3000年ごろには【⑷車輪】が発明され、紀元前3000年代半ばごろには粘土板に言葉を刻む【⑸文字】として楔形文字が生まれた。

【⑹青銅】や【⑺鉄】の冶金技術の進化は、石器時代に代わる青銅器時代（紀元前4000～1500年）、鉄器時代（紀元前1500～500年）の訪れをもたらした。これらの金属加工技術は、農耕や牧畜のためのさまざまな道具を生み出した半面、人間同士が争うための武器も発達させている。

古代社会では、技術の多くは家族や地域コミュニティ、あるいは国が生き延びるためのものだった。前掲の表を見れば、古代文明がひと通り登場した後、中世まで技術の発展がすっかり停滞しているように見える。この停滞の理由は、労働力と資本の関係のあり方や、科学的な発見と技術が結びつかなかったこと、技術が限られた範囲での利用に留まり、汎用性を持たせるスピルオーバー効果が起きなかったことなどさまざまな説がある。

長い空白期間をはさみ、7～10世紀には人力や畜力に代わる動力源として【⑻水車】の普及が進み、さまざまな産業に活用されるようになっている。15世紀には、大型の【⑼3本マストの帆船】が開発されて大航海時代を支えた。グーテンベルクが実用化した【⑽印刷】は16世紀にヨーロッパに広がり、宗教改革やルネサンスの大きな力となっている。

●経済価値を生む技術――工業化社会

産業革命は、石炭を燃料とする【⑾蒸気機関】の発明から始まった。ただし、初期の変化はごくゆるやかだった。1675年に開発された初期の蒸気機関には水を汲み上げるポンプとしての用途しかなく、生産現場の動力として活用するには、ジェームズ・ワットが改良型の「ワット機関」を開発して実用化する1784年まで100年以上も待つ必要があった。18世紀末には蒸気機関がさまざまな産業に応用されるようになり、それまで家庭や集落に限定されていた生産の場が【⑿工場】へ移っていった。

蒸気機関は、輸送革命も引き起こした。1830年に、イギリスの貿易港リヴァプールと工業都市マンチェスター間の約50キロメートルを蒸気機関車の定期運行でつなぐ【⒀鉄道】が開通。50年後の1880年には、イギリスの鉄道網の総延長は2万5000キロメートルまで延びている。海上輸送でも蒸気船が木造から【⒁鉄製汽船】に移行して大型化し、大量輸送が可能になった。

20世紀に入ると大油田が次々に発見され、燃料の主役が石炭から石油に移行する。【⒂内燃機関】が発達し、発電技術の進化で【⒃電気】が大量に生み出されるようになり、社会インフラが急速に充実した。新たな移動手段として【⒄自動車】や【⒅飛行機】も誕生し、その周囲に巨大な産業エコシステムが形成された。１９１０年代には、フォードが「T型フォード」を１５００万台以上も売り上げてアメリカのモータリゼーションを牽引し、きらびやかな消費を伴う【⒆大量生産の連続工程と工場】時代の到来を告げた。戦後の日本でも、家電製品や自動車の大量生産と大量消費がＧＮＰを大きく引き上げている。

工業化の進展は、人を物質的に豊かにした。しかし同時に、経済史家のケネス・ポメランツが『大分岐』（名古屋大学出版会、２０１５年）で指摘したように、グローバルな地域間、あるいは階層間の貧富の格差を決定づけた。また、工業の大規模化に伴う公害や環境破壊が顕在化したのもこの時代だ。人類は工業化によって、持続可能性を強く問いかけられることになった。

●個に最適化する技術――情報化社会

20世紀半ばに登場した【⒇コンピュータ】と、その後の【㉒インターネット】の普及は、社会にきわめて大きな価値転換を引き起こし、マスからパーソナルへの流れを決定づけた。1977年にはアップルがパーソナルコンピュータの元祖となる「Apple II」を発売。ムーアの法則に従って、半導体の集積度がどんどん高まっていくとともに、コンピュータの高度化と普及が目覚ましく進んだ。21世紀に入ると、スマートフォンのようなモバイル端末も爆発的に普及。だれでも、どこからでも世界につながれるネットワーク社会が実現した。

消費者のニーズは多様化し、製造業においては、生産現場のIT化を武器に、フォード式の大量生産から、多品種を必要な分だけ生産するトヨタ式の【㉑リーン生産方式】がスタンダードとなっていく。

また【㉓バイオ技術】と【㉔ナノテクノロジー】の進展は、エネルギー、ライフサイエンス、エレクトロニクスなどさまざまな産業領域に影響を及ぼし、再生医療や遺伝子治療といった従来にないアプローチの医療の実用化も進んでいる。

そして現在、さまざまな領域でＡＩ、ＩｏＴ、ビッグデータによるデジタル革新（ＤＸ：デジタル・トランスフォーメーション）が進行中だ。

ダボス会議の創設者であるクラウス・シュワブは、蒸気機関の発明に端を発する18世紀末以来の機械化を第1次産業革命、20世紀初頭の大量生産を第2次産業革命、１９７０年代からのＩＴ化を第3次産業革命とし、ＩｏＴやビッグデータ、ＡＩなどが駆動する現在進行中の革新を第４次産業革命とする見方を２０１６年に示している。[3] 私たちは、いままさに人間と技術の新たな関係性の再構築の渦中にあるといえる。特に、今後の新たな汎用技術として有望視されるＡＩをどのように社会に実装し、活用していくかは未来に向けた大きな課題となる。

あらゆるものには光と影、正と負の側面があり、技術においてもそれは同様だ。これまで見てきた技術による変革の歴史も、技術が宿命的に合わせ持つ功罪の歴史といっていい。先に引いたトフラーの『第三の波』においては、正と負の正、功罪の功に着目した場合の情報化がもたらしうる未来社会のあり方が先見的に示されている。

第三の波は、まったく新しい生活様式をもたらす。その基盤となるのは、多種多様な、再生可能なエネルギー資源であり、大半の流れ作業《アセンブリーライン》による工場生産を時代おくれにしてしまう新しい生産方式である。また、核家族とは異なった新しい家族形態、「エレクトロニック住宅《コテッジ》」とでも言うべき新しい職住一致の生活、様相を一変する未来の学校や企業などもその基盤となる。来るべき文明は、われわれの新しい行動規範を打ち立て、第二の波の社会の特徴である規格化《スタンダーダイゼーション》、同時化《シンクロナイゼーション》、中央集権化《セントラライゼーション》といった産業社会の制約を乗り越え、エネルギー、富、権力の集中化《コンセントレーション》を越える道を拓いてくれる。

技術がもたらす制約を乗り越え、いかに創造的かつ持続的な発展に至る道を拓いていくか。私たちにはいま、「ホモ・サピエンス（賢い人類）」という名にふさわしい賢明さを発揮していく意志が問われているといえる。

社会発展の基盤となる「コミュニティ」

これまで見てきたように、人間社会のコミュニティは、技術の発達とともに形を変えてきた。

古代の農耕・牧畜社会では、食料の生産と貯蔵を行う自給自足的な共同体が形成された。それは、地理的に近い範囲で成立する、地縁と血縁に基づくコミュニティである。メンバーの同質性は高く、村の掟のような共通ルールを守ることが求められる。

18世紀末の産業革命によって出現した工業化社会では、社会全体で分業化が進み、生産活動は地域コミュニティから切り離されて工場に集約された。そして、効率よく経済価値を生み出す仕組みとして「会社」が発達する。社縁に基づくコミュニティだ。特に日本では高度経済成長期に終身雇用と年功序列を特徴とする雇用慣行が定着し、固定的なメンバーが強い忠誠心で結ばれた内向きの人間関係が形成された。

1980年代以降の情報化社会では、パーソナルデバイスとインターネットが普及し、地理的な制約や組織の壁を越えて、簡単に世界じゅうの人と人がつながることが可能になった。

すでにインターネットは身のまわりのさまざまなモノをつなぎ合わせ、モノのインターネットと呼ばれるIoT（Internet of Things）化が進展している。今後はモバイルデバイスやウエアラブルセンサーによって、人間の行動や状態も常時インターネットにつながるようになり（IoH：Internet of Human）、さらには、IoE（Internet of Everything）と呼ぶにふさわしい状態へと発展していくと予測される。人間が利用するさまざまなサービス、暮らしている環境、起きている現象、過去の記録や未来の予測など、すべてがデジタル化されてインターネットにつながり、把握可能になっていくのである。

そうなれば、もはや他者とのつながりなどは不要になり、私たちはたった一人でも自足し、快適に、豊かに生きていけるようになるのだろうか。

コミュニティ論に先鞭をつけた社会学者のR・M・マッキーヴァーは、1917年に発表した論文において、コミュニティを「ある地域において営まれている共同生活」と定義した。[4]それは生活をまるごと包括する共同体であり、地域ごとに自然発生的に形成される。地域を要件としているが、必ずしも農村や大家族のようなものだけが想定されているわけではなく、国家、あるいは世界といった規模まで含む概念だ。同時にマッキーヴァーは、特定の目的のために人為的に形成される結合体、つまり、学校、教会、企業、組合といった多種多様な組織を「アソシエーション」と呼び、コミュニティに対置させている。

近年の考え方として、たとえば京都大学の広井良典は、コミュニティを「人間が、それに対して何らかの帰属意識を持ち、かつその構成メンバーの間に一定の連帯ないし相互扶助(支え合い)の意識が働いているような集団」と定義している。[5]ここには、マッキーヴァーがいうところのコミュニティとアソシエーション双方の意味が含まれていると同時に、必ずしも地域性に限定されない自由なつながりが想定されている。

情報化の進展によって、地域や組織の壁はどんどん崩れ、自然発生する共同体も、人為的に構築される結合体も、距離や時間を超えた多層化が進む。これは、人類が初めて手にする刺激的な可能性に満ちた状況といえる。こうした未来に接しているいま、やはり私たちホモ・サピエンスは、分断よりも新たなつながりの構築を志向していくべきだろう。

人類学者の長谷川眞理子は、人間と動物を分ける最大の特徴として、「『超』向社会性」を挙げている。[6]

> トマセロ（※引用者注　ドイツの認知心理学者）らは、ヒトの2歳児とチンパンジーとオランウータンのおとなとを、同じ課題で実験した。そうしたところ（中略）物理的な事象の理解では、ヒトの2歳児と類人猿とにさしたる違いはなかったが、他者に関する社会的理解に関しては、ヒトの2歳児が類人猿を大きく引き離す結果となった。ヒトは、社会的知能が高いのである。
>
> ヒトは他者との協力的関係について非常に敏感であり、関係者のだれもが満足することを目指す。それは、自己利益の追求が得だという状況を認識しているおとなにおいても、そんなことは到底理解していない幼児においても、基本的に同じである、と

いうことだろう。確かにヒトは「超」向社会性の動物なのである。

人間は、まだ言葉もおぼつかない幼児のころから、それが自分に何ら利益をもたらさない場合でも、困っている人がいれば助けたがり、正義に反する行動を見れば正したがる。協力行動は他の動物にも見られるが、このような利他的行動は人間にしかないものだ。そして、この人間特有の行動パターンこそが、ホモ・サピエンスを現在の繁栄に導いてきたといえる。

人と人の共感やつながりは、食料や水のように1日の必要量の目安があるわけではない。また、金融資産や実物資産のように金銭的な価値に換算できるものでもない。しかし、「超」向社会性の動物である人類にとっては、生存に欠かせない重要なものだ。

アメリカの政治学者ロバート・パットナムは、イタリアの地方自治体やアメリカ各州の比較調査を通じて、他者との信頼関係、互恵的な規範、対等で開放的な市民参加といった特色に恵まれた社会ほど、行政の運営がスムーズで信頼性も高くなることを実証した。そして、こうしたつながりを「資本」としてとらえる「社会関係資本（ソーシャルキャピタル）」という概念を提唱している。

今後のコミュニティの構築においては、こうした社会関係資本がもたらす正の影響を最大化することがポイントになるだろう。それは、社会的な価値を増大させると同時に、個人の幸福感や生きがいにもつながるものだ。

本書の目的は、「技術」と「コミュニティ」という2つの手段を賢明に使いこなすことで、望ましい未来社会構築のための方策を示すことにある。そのために、まず第1章で、私たちが直面している課題を見据え、これからの50年で達成すべき具体的な目標を掲げる。そして、第2章と第3章では、目標達成のための2つの手段「技術」と「コミュニティ」のアウトラインをそれぞれ示す。さらに、第4章から第8章では、目標達成に至る道筋について具体的に考察していきたい。

1　旧石器時代の年代については諸説あり。本稿の年代は『ＮＨＫスペシャル 人類誕生』（学研プラス、２０１８）に拠っている。
2　技術導入の年代などについて、カール・Ｂ・フレイ『テクノロジーの世界経済史』（日経ＢＰ、２０２０）の記述を参考にした。
3　『第四次産業革命』（日本経済新聞出版、２０１６）
4　「Community: A Sociological Study」(1917)。邦訳は『コミュニティ』（ミネルヴァ書房、２００９）。
5　『コミュニティを問いなおす』（筑摩書房、２００９）
6　「進化心理学から見たヒトの社会性（共感）」（２０１６）
https://www.jstage.jst.go.jp/article/ninchishinkeikagaku/18/3+4/18_108/_article/-char/ja/

第1章

「なりゆきの未来」へどう挑むか

100億人・100歳時代の到来

現在約78億人の世界人口は、これからの50年で100億人に達すると予想されている。平均寿命も現在は約72・0歳[1]（世界平均）であるが、今後さらに延伸し現在の先進国を中心として人生100年時代が到来する。約1万年前の農耕・牧畜革命以降発展してきた人類は、いまや地球に重大な影響を与える存在となり、人新世と呼ばれる地質年代が提唱されるまでに至った。さらにこの先、人類はどのような未来社会を築いていくのであろうか。

2015年、国連は2030年をターゲットにした「持続可能な開発目標（SDGs：Sustainable Development Goals)」を採択し、「だれ一人取り残さない」ことを宣言した。17の目標と169のターゲットから構成される目標は、世界的に浸透しつつある。実現への道のりはきわめて険しいが、私たちはSDGsが示すゴールを着実に達成しなければならない。

さらに先の50年後、来るべき100億人・100歳時代をよりよいものにするには何が必要だろうか。本書は、「革新的な技術」と「新しい人のつながり（コミュニティ）」がそのカギを握るという認識に立ち、具体的な方法論をさまざまな角度から示していくものである。

もちろん、技術とコミュニティが社会を形成する、という構図そのものは目新しいものではない。序章でも示した通り、人類はこれまでも技術とコミュニティを社会の発展のために活用してきた。過去に人類が経験した3つの大きな変革（農耕・牧畜革命、工業化革命、情報化革命）は、いずれも両者の革新があったからこそ実現したといえる。では、これから目指すべき未来においては、何を革新し、何を新たな社会の拠り所としていくべきか。それは人類が目指すべき豊かさの定義そのものの見直しである。

近代社会において、人類は一貫して経済成長を志向することで発展してきた。経済的な成長や物質的な充足こそを豊かさと見なし、より大量に、より効率よく経済価値を生み出すためにあらゆる資源とエネルギーを集中投下してきた。結果的に、20世紀以降の近代において最も発達したコミュニティは会社といえる。現在のような経済的繁栄は、効率性と生産性の向上を至上とするコミュニティである会社に人々が集い、経済価値の創出にいそしんだ賜物なのだ。

しかし、これからもこれまで通りの方法で豊かな未来を創造していけるかといえば、答えは否だ。20世紀的な物質的な豊かさの追求は、その負の側面として地球規模の課題を顕在化させ、もはや持続不可能な状態に陥っているからだ。

平均寿命が100歳に近づき、世界人口が100億人に向かって増え続けていくなかで人々が同じ豊かさを志向していけば、水、食料、エネルギー、鉱物といった資源の消費量も増えていく。限りある資源は、当然のことながら濫用すれば枯渇に向かい、その過程で深刻な環境破壊と気候変動をもたらす。南極や北極の氷を溶かし、熱帯林を減少させ、生物多様性を低下させるだけでなく、異常気象の常態化による自然災害の頻発や大規模化、感染症の拡大などを引き起こし、ますます社会に甚大な被害を与えるようになるのだ。このような地球環境の消耗が続けば、長期的には人間にとってかけがえのない生存基盤が損なわれ、人類の存続そのものがおびやかされる。

変わりゆく豊かさ

1972年、さまざまな分野の有識者が集うシンクタンクとして活動していたローマ・クラブが発表した報告書『成長の限界』（ダイヤモンド社）は、世界に大きな衝撃を与えた。この報告書において、ドネラ・H・メドウズ、デニス・L・メドウズ、ヨルゲン・ランダースは、世界人口や工業投資がこのままのペースで増え続ければ100年以内に資源を使い果たし、成長の限界と深刻な環境問題に見舞われると予測したのだ。

その後、人類はさまざまなイノベーションを駆使し、成長の限界を超えようとしてきた。しかし、気候変動、格差・分断などのウィキッドプロブレム（地球規模の社会課題）は深刻化している。『成長の限界』の著者の一人であるランダースは、その40年後に発表した『2052』（日経BP、2013年）において、あらためて未来への警告を発している。

この本のなかで生態経済学者ハーマン・デイリーは「経済成長はすでに終わっており、現在の成長は不経済な成長だと考えている。生み出される価値よりも生み出すための費用のほうが上回っているため、世界は豊かになるどころか、貧しくなっている」と述べている。

「富の偏在」も、経済成長の負の側面だ。いま、世界の富裕層の上位1％の資産は、それ以外の99％の人々のそれを上回るというほど格差は激烈になっている。そして、現代の格差を特徴づけるのが中間層の停滞だ。格差社会研究の第一人者である経済学者のブランコ・ミラノヴィッチは『大不平等』（みすず書房、2017年）において、これを「エレファントカーブ」として可視化している（図表1－1）。

グラフの横軸は、世界人口の所得ごとの分布を並べたものだ。右へいくほど富裕層、左にいくほど貧困層となる。そして、縦軸には1988～2008年の20年間における各層の一人当たりの実質所得の伸びが示されている。すると、グラフはちょうど象が鼻を高く持ち上げた姿を横から眺めたような形を描く。

　目を引くのは、鼻の先（超富裕層：C）と頭の頂点（中央値付近：A）の突出した高さと、その間にあるBの凹みの落差である。2つのピークにおける所得は70％前後も増加しているのに対して、上位80％付近は平均的な成長から取り残され、ほぼゼロ成長に留まっている。この「底」に該当するのは、主に先進国の下位中間層である、とミラノヴィッチは主張する。グローバル化の進展は、世界の超富裕層と新興国の中間層に大きな成長をもたらした一方で、先進国の中間層を押し潰して格差を拡大させた、というのだ。

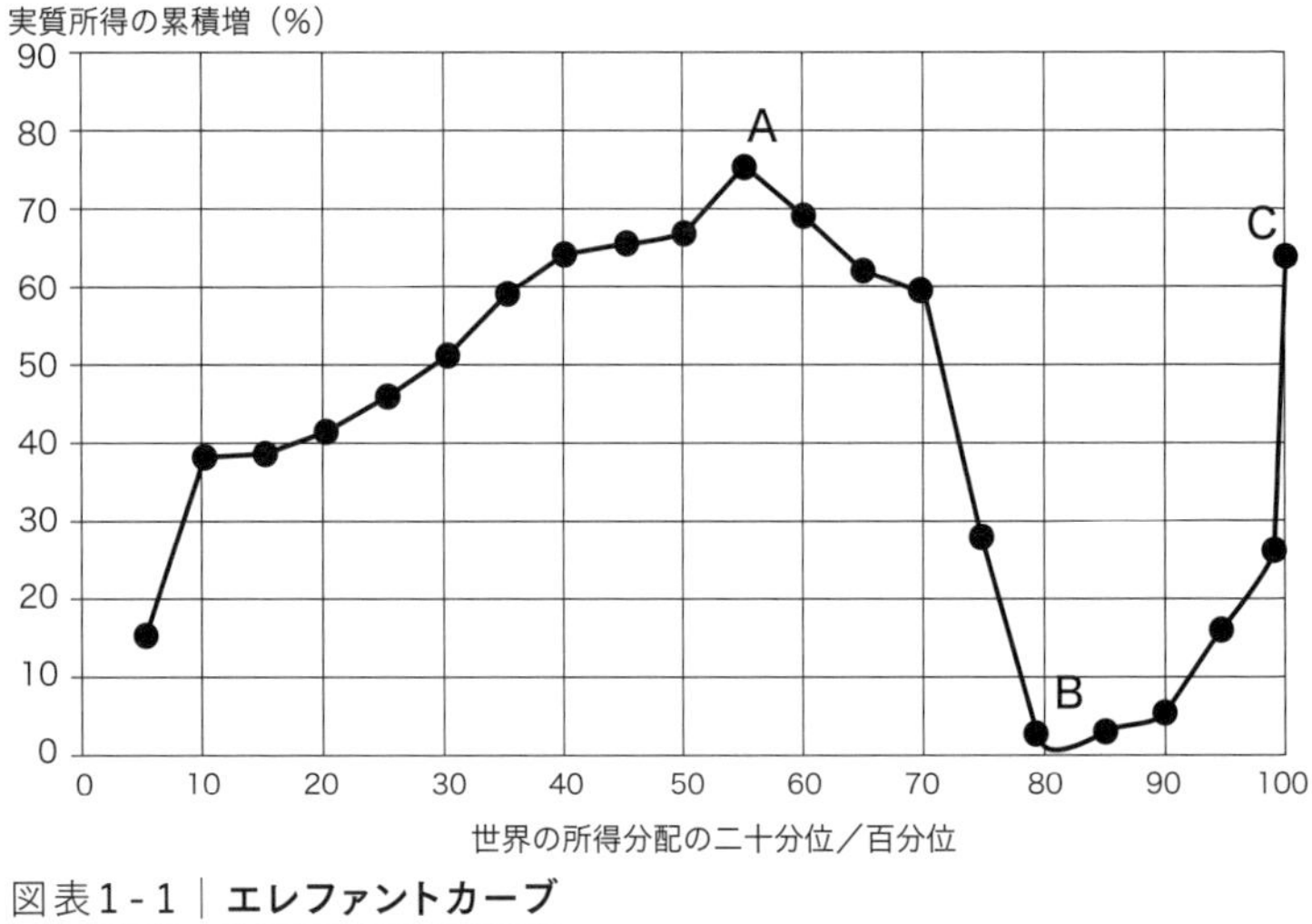

図表1-1｜**エレファントカーブ**

出所：『大不平等』（みすず書房）p.13

一方、象のなだらかな背中に当たるのが下位10~40%の層だ。これは主に新興国の中間層だ。経済成長によって彼らの所得は増え、貧困が改善されていることがわかる。しかし、今後の社会発展により中間層が増えることにより、先進国と同様の状況にもなりうる。地球環境の持続可能性の危機と、社会的な格差や分断の拡大。経済成長を志向し続ける限り、このような負の側面はどんどん大きくなっていき、未来は暗黒世界と化す――。そんな想定の下、人類の先行きを危惧する未来論も少なくない。

歴史学者のユヴァル・ノア・ハラリは、世界的なベストセラーとなった『ホモ・デウス』（河出書房新社、2018年）において、技術やデータを独占することで神のような存在に上り詰めた特権階級（ホモ・デウス）と、彼らに支配される家畜のような被支配階級に二極化する未来を描いているが、こうしたディストピア的な未来像が説得力を持つに十分な要素は、目の前に確実に存在しているといえる。

「本当の豊かさとは何か」という古くて新しい問題

とはいえ、経済的な成長と、社会の豊かさや個人の幸せが必ずしも比例しないことは、何も昨日今日に指摘され始めた新しい問題ではない。

日本が戦後、猛烈な勢いで高度経済成長を成し遂げ、世界第2位の経済大国として繁栄を謳歌《おうか》していた1970年代には、すでに経済学者のリチャード・イースタリンによって「経済成長が一定のラインを超えると、もはや幸福感と比例しなくなる」という「イースタリン・パラドクス」（**図表1－2**）が指摘されているし、バブル経済が絶頂期を迎えていた1989年には、経済学者の暉峻《てるおか》淑子が、西ドイツでの在住経験を基に日本の経済至上主義に疑問を投げかけた『豊かさとは何か』（岩波新書）がベストセラーになっている。

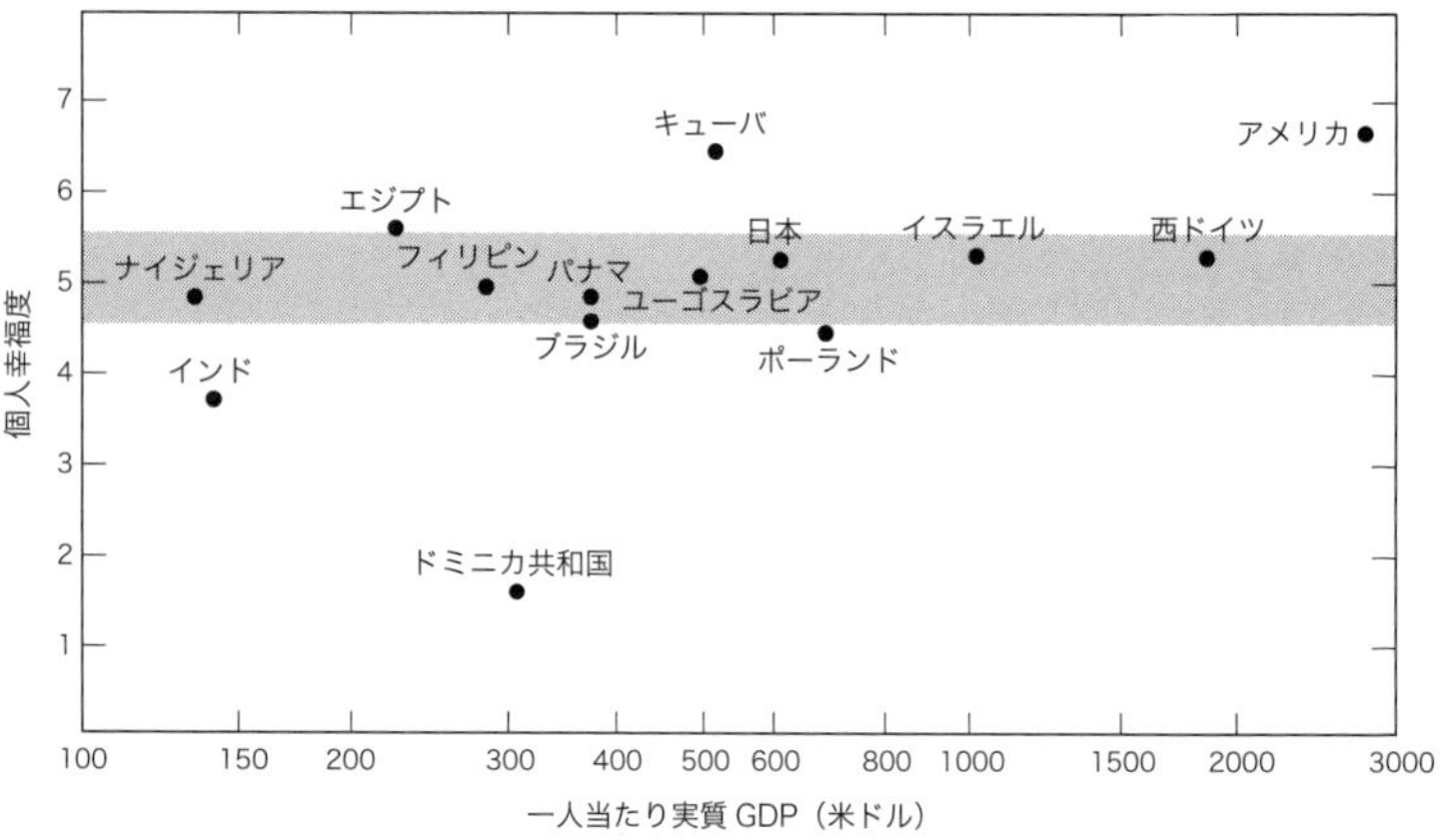

図表1-2 | **イースタリン・パラドクス**[2]

出所：Richard A.Easterlin（1974）Does Economic Growth Improve the Human Lot? Some Empirical Evidence.FIG.1. Personal happiness rating and GNP per head,14 countries,ca.1960. (Source:Table 6.)

暉峻は、この本のなかで1980年代の日本の現実を以下のように描写している。

いま私たちを駆り立てている金銭至上主義、効率万能主義の時代精神は、いったい何から由来するのだろうか。立ちどまることを許さないほどに加速した日常生活を、豊かさとかんちがいしているのではないだろうか。

効率競争社会が、家族をバラバラにひき離し、友情を忘れさせ、人びとが共有する未来について、あるいは自然とともに生きる人間の生き方について、考える時間を奪い去ってしまったのである。

ひとは経済戦士となるべく育てられ、企業戦士として生き、老後や病気は、自己責任で始末しなければならない。

もともと経済活動は、人間を飢えや病苦や長時間労働から解放するためのものであった。経済が発展すればするほど、ゆとりある福祉社会が実現されるはずのものであった。

それなのに、日本は金持ちになればなるほど、逆である。人びとはさらに追い立て

られ（先進国で最も長い労働時間）、子どもは偏差値で選別され（中略）、自然はなおも破壊されていく。（中略）

そんな社会では、人間の能力は、経済価値をふやすか否か、で判定され、同じように社会のために働いている人であっても、経済価値に貢献しない人は認められることが少ない。

『豊かさとは何か』が出版される2年前の1987年に生まれた経済思想家の斎藤幸平は、2020年に上梓した『人新世の「資本論」』（集英社新書）で、「人新世」における、資本主義の限界を説いている。

近代化による経済成長は、豊かな生活を約束していたはずだった。ところが「人新世」の環境危機によって明らかになりつつあるのは、皮肉なことに、まさに経済成長が、人類の繁栄の基盤を切り崩しつつあるという事実である。

気候変動が急激に進んでも、超富裕層は、これまでどおりの放埒な生活ができるかもしれない。しかし、私たち庶民のほとんどは、これまでの暮らしを失い、どう生き延びるのかを必死で探ることになる。

資本主義は人類史上、前例を見ないような技術発展をもたらし、物質的に豊かな社会をもたらした。そう多くの人が思い込んでいるし、たしかに、そういう一面もあるだろう。

だが、現実はそれほど単純ではない。むしろ、こう問わないといけない。99％の私たちにとって、欠乏をもたらしているのは、資本主義なのではないか、と。

比較的裕福な中流層ですら、マンハッタンに住むことは極めて難しい。家賃を支払うためだけに、過労死寸前まで働かねばならない。また、ニューヨークやロンドンの中心地で個人事業主がオフィスを構えたり、店を開いたりするのはもはや至難の業だ。そういった機会は、大資本にしか開かれていない。

果たして、これを豊かさと呼ぶのだろうか。多くの人々にとって、これは欠乏だ。そう、資本主義は、絶えず欠乏を生み出すシステムなのである。

この30年間のグローバリゼーションの進展を反映して、暉峻は主に日本社会、斎藤は主にグローバル社会を論評の対象にしているという違いはあるものの、両者の問題意識は、時を超えて共通するものだ。

強い成長原理の下では、経済成長も、経済成長につながる技術革新も、ともに豊かさや人間の価値を向上させるよきものであり、その手段としての企業の存在も無条件に前提とされがちだが、人間の価値は、むろん生産性としての価値だけに還元できるものではない。自然環境や文化を味わい、みずからの人生をゆとりとともに楽しみ、人や社会との関係性のなかで評価や感謝、愛情や尊敬をやりとりするつながりや関わりも含めた営みにこそ、普遍的で本質的な人間性が宿るのではないだろうか。

こうした視点を持てば、経済成長は豊かさの手段に過ぎず、格差や生命倫理の問題も含めて、実に多面的な影響を人と社会に及ぼす可能性がある。

本当の豊かさとは何か。人間らしい豊かさをいかに実現するか——。この古くて新しい課題に、いまこそ技術とコミュニティという人間の叡智を持って正面から向き合い、本気で解決を目指さなければ、100億人・100歳時代にふさわしい新たな未来を創造することはできないだろう。

本書ではその解決策をできるだけ具体的に提示したいと考えているが、その前に、もし豊かさを再定義することなく、これまで通りの論理で技術とコミュニティの拡大発展を推し進めたとしたら、はたして未来がどのような姿になるのかを確認しておいたほうがよいだろう。

豊かさが迷走する「なりゆきの未来」

これまでのような経済成長を優先し続けた場合、現在の延長線上にありうる未来はどうなるか。この節では、そんな「なりゆきの未来」について、「技術」「社会」「環境」の3つの面から考察してみたい。

①技術革新がもたらす新たな格差と葛藤

経済分野の技術革新は企業主導で進む。特にアメリカのGAFA、中国のBAT[3]に代表される巨大プラットフォーマーやグローバル企業は、技術とデータを特権的に握ることで、ますますその力を増していく。国家権力の強い国では、国家が強いプラットフォーマーと結びつき、中央集権化が加速する。

文明評論家のジェレミー・リフキンは、『限界費用ゼロ社会』(NHK出版、2015年)において、技術の進歩で生産性が極限まで高まれば、新たな製品やサービスを生み出すコスト(限界費用)がゼロに近づき、あらゆる製品やサービスは無料化、共有化されると予言した。しかし、それは健全な競争原理が働いた場合である。プラットフォーマーが革新技術やデータを独占してしまえば、むしろモノやサービスの価格は高止まりする可能性もある。

医療分野においても革新技術の導入は進む。予防医療や治療の高度化は健康長寿という大きな恩恵をもたらすが、こうした高度医療は、特に日本においては、導入期には保険適用外の高額治療にならざるをえない。生死を左右する治療が富裕層しか受けられないとなれば、生命の価値においても新たな格差問題が発生する。また、遺伝子治療のように生命の根幹に関わる技術は、生命倫理という難題を突きつける。

ロボット工学と生命工学の融合が進み、遠隔地のロボットを自分の身体のように自由自在に動かせるようになったり、ロボット義手やロボット義足といった人工の精密な身体パーツが多種多様に登場するなど、生体と機械の境界が曖昧になっていく。人間は身体能力を大きく拡張できる可能性を手に入れるが、高度医療と同様に、この恩恵を享受できるのも富裕層に限られる。一方、軍隊や警察のように高い身体能力が求められる専門職には、職務上の条件として本人の意志とは関係なく能力拡張が強いられる可能性もあり、働き手に葛藤をもたらすだろう。

いく。

②さまざまな分断が起き、不安定化する社会

革新技術の進化と浸透は、社会活動における地理的な制約をさまざまな形で取り払っていく。

物流にまつわる作業は高度に自動化され、自動運転車やドローンの活用が進むことで、受注から配送までカバーする無人の商流・物流網が世界じゅうにくまなく形成される。VR（仮想現実）やAR（拡張現実）といった情報技術と、5Gなど大容量高速通信システムも普及し、観光やレジャー、スポーツ、ゲームなどのエンターテインメントサービスの多くが仮想空間上で提供されるようになるだろう。医療分野や教育分野でも、離島にいながら都心の病院の遠隔手術を受けたり、自宅から塾や学校の授業を受けたりといったことが当たり前になる。

また、リモートワークやアバターによるウェブ会議の一般化、工場ラインの無人化、重機の遠隔操作、3Dプリンターの普及などでビジネスの拠点も分散化し、場所に縛られず働くことが可能になる。しかし、こういった技術が一部の大企業に独占されたり、富裕層のみが享受できるような状況は、格差・分断を招くこととなる。

AIやロボットによる労働代替は、主にそれまで中流階層と位置づけられていた人々から職を奪い、失業者が増加する。富裕層とそれ以外という二極化が鮮明となり、社会不安

が膨らんでいくだろう。経済格差の拡大で国に再分配機能の強化を求める声が高まれば社会保障費は上昇し、財政が圧迫されて国家も不安定になっていく。

国際経済においても、ビジネスプロセスの多くが自動化、無人化されるため、先進国の企業はこれまで国外に置いていた製造・物流拠点を国内に回帰させていく。同時に自国のマーケットの囲い込みを強め、結果として発展途上国は先進国という外部市場を失って経済成長が伸び悩み、先進国との格差が拡大する。グローバル企業は低税率国に租税回避するため、税率の高い主要国は利益を吸い上げられるだけの存在となり、グローバルな巨大企業の存在が国家財政のリスク要因となっていく。

国家戦略としてイノベーションを推し進めた一部の国家が台頭し、国家間の技術競争が広範囲で激化する。主要国間の勢力バランスが崩れ、国際情勢は不安定化する。

③環境負荷の増大と資源をめぐる国家対立

気候変動対応を中心とした環境保護のための政策は国際的に広がり、先進国から発展途上国への技術支援も行われる。しかし、経済を優先する論理の下では強制力を持たず、世界全体としてエネルギー源の転換や効率化は進まない。

主に発展途上国の人口増加に伴って都市開発が進むとともに、自給用作物の需要が増え、

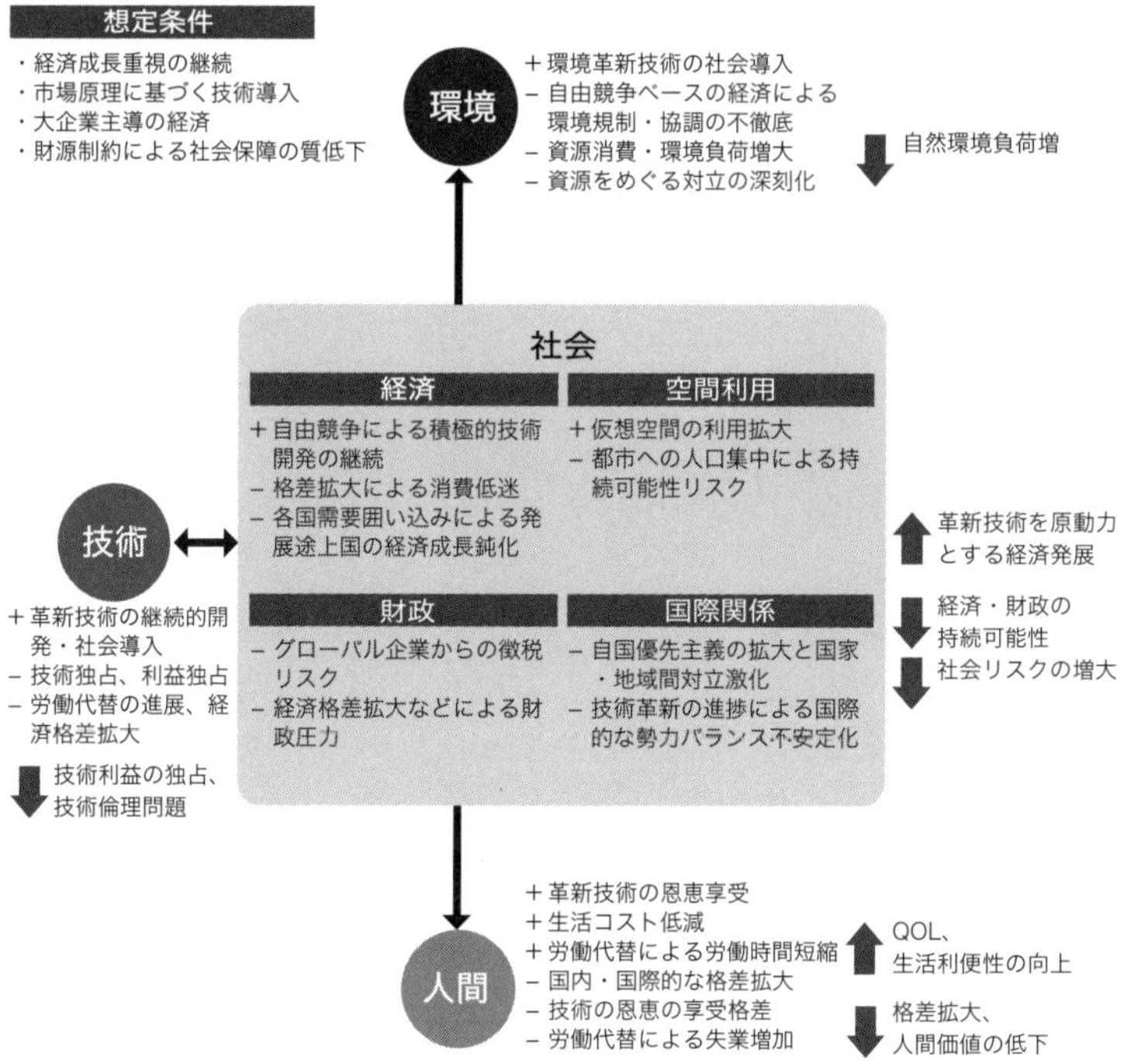
想定条件
・経済成長重視の継続
・市場原理に基づく技術導入
・大企業主導の経済
・財源制約による社会保障の質低下
環境
＋環境革新技術の社会導入
－自由競争ベースの経済による環境規制・協調の不徹底
－資源消費・環境負荷増大
－資源をめぐる対立の深刻化
自然環境負荷増
社会
経済
＋自由競争による積極的技術開発の継続
－格差拡大による消費低迷
－各国需要囲い込みによる発展途上国の経済成長鈍化
空間利用
＋仮想空間の利用拡大
－都市への人口集中による持続可能性リスク
革新技術を原動力とする経済発展
技術
＋革新技術の継続的開発・社会導入
－技術独占、利益独占
－労働代替の進展、経済格差拡大
技術利益の独占、技術倫理問題
財政
－グローバル企業からの徴税リスク
－経済格差拡大などによる財政圧力
国際関係
－自国優先主義の拡大と国家・地域間対立激化
－技術革新の進捗による国際的な勢力バランス不安定化
経済・財政の持続可能性
社会リスクの増大
人間
＋革新技術の恩恵享受
＋生活コスト低減
＋労働代替による労働時間短縮
－国内・国際的な格差拡大
－技術の恩恵の享受格差
－労働代替による失業増加
QOL、生活利便性の向上
格差拡大、人間価値の低下

図表1-3 ｜ **なりゆきの未来社会における主な課題**

出所：三菱総合研究所

輸出のための商品作物も増産されることで農地も拡大される。これに伴って森林破壊がさらに進み、生物多様性が損なわれるとともに森林に蓄積されていた炭素が大気中に放出される。温室効果ガスの排出量は当然のように増え続け、気候変動は抑制することができない。災害の頻度や規模の増加、人が活動可能な地域の変化など、社会や経済により深刻な影響を与えるようになる。

人口増加は、食料以外にも水、素材、鉱物資源などの需要を増加させる。しかし、国際的な対立構造のために相互支援が困難になれば、資源の獲得をめぐって国家間の衝突は常態化する。国際社会の不安定化がますます進むことになる。

以上、なりゆきの未来社会で起こりうる課題をまとめると図表1－3のようになる。

人間らしい豊かさを構成する2つの柱

革新的な技術が進展すると同時に分断や格差が広がる「なりゆきの未来」においては、さまざまな意味で人間らしさの喪失が避けられない。

医療技術が高度に進歩しても、その恩恵を享受できる層とできない層が二極化すれば、本来、だれもが平等であるはずの「生存」において格差が生じてしまう。AIやロボットによる労働代替が進めば、労働からやりがいや幸福感を得ることは難しくなる。地域や企業をはじめとするコミュニティの希薄化と相まって、居場所を失う人も増えるだろう。データ駆動型社会の進展は生活の利便性を高め、商品やサービスの価格低下をもたらす。しかし、物質的な満足感はやがて飽和し、豊かさの実感は薄らいでいく。このような幸福感や充実感の喪失によって、自死や犯罪の増加も懸念される。

技術革新がもたらす経済的、あるいは社会的な格差は、自国優先主義を招き、社会の分断と対立につながっていく。それにくわえて、気候変動の影響で災害や感染症が頻発化、広域化すると、社会の安全がおびやかされ、人の行動が大きく制限される可能性もある。

こうした人間性の喪失を食い止めるには、私たち人類は経済的な成長だけでなく、「人間らしい豊かさ」を志向しなければならない。目指すのは、一人ひとりが人間らしさを維持・発揮できる未来だ。同時に、安全安心な社会と多様性に富んだ地球環境という生存基盤の維持も不可欠だ。言い換えれば、「一人ひとりのウェルビーイング」と「環境と社会の持続可能性」の両立が、人間らしい豊かな未来を実現するための柱となるのである。

SDGsにも掲げられているように、「量的な成長」から「質的な成熟」へ、いまこそ、豊かさの概念を転換していく必要がある。それと同時に、経済的にも量的にもまだまだ豊かさを求める国があることを理解して、深刻化する貧困問題に対して、真剣に格差の是正に取り組むことが求められている。

一人ひとりのウェルビーイング

ウェルビーイングとは、もともと1948年にWHO（世界保健機関）憲章の前文に使われた言葉であり、「身体的だけでなく、精神的にも、社会的にも良好な状態」を指すものだ。現在は、人のQOLや幸福まで含むより広い概念として使われている。

たとえばOECD（経済協力開発機構）は、2011年に「よりよい暮らし指標（BLI：Better Life Index）」と呼ばれるウェルビーイング指標を公表している（図表1－4）。BLIは、所得と富、住宅、雇用と仕事の質、健康状態、知識と技能、環境の質、主観的幸福、安全、仕事と生活のバランス、社会とのつながり、市民参画の11項目で構成され、経済的な指標ではこぼれ落ちてしまう個人の主観まで包含するものとなっている。そして、OECD加盟37カ国にブラジル、ロシア、南アフリカをくわえた40カ国の指標の比較が可

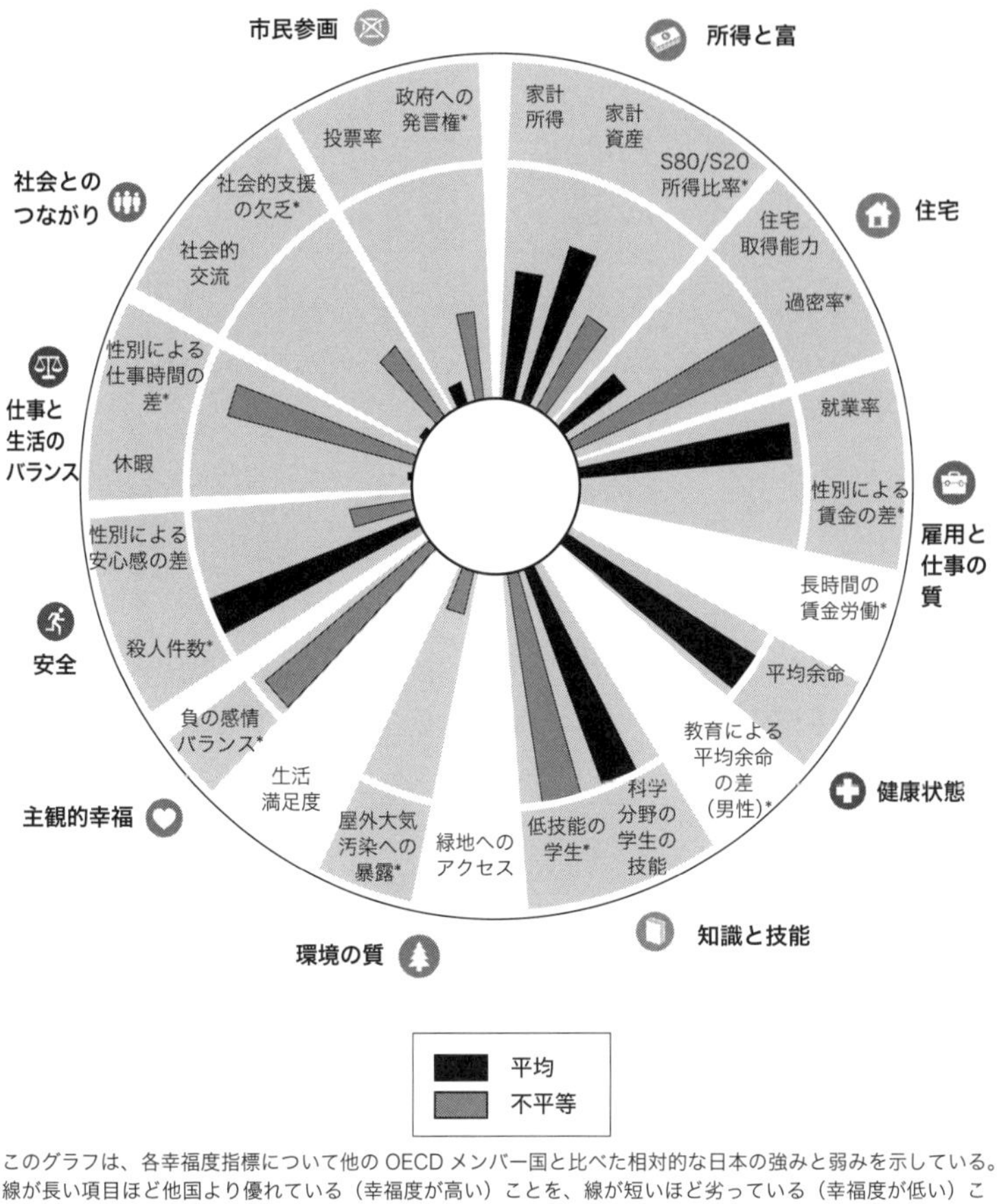

このグラフは、各幸福度指標について他のOECDメンバー国と比べた相対的な日本の強みと弱みを示している。線が長い項目ほど他国より優れている（幸福度が高い）ことを、線が短いほど劣っている（幸福度が低い）ことを示す（アスタリスク＊がつくネガティブな項目は反転スコア）。不平等（上位層と下位層のギャップや集団間の差異、「剥奪」閾値を下回る水準の人々など）はグレーで表示され、データがない場合は白く表示されている。

図表1-4 | OECDによるウェルビーイング指標（日本の場合）

出所：OECD報告書「幸福度白書2020」より三菱総合研究所作成

能だ。

日本のデータを見ると、[4] 平均寿命はＯＥＣＤ加盟国中で最も高く、雇用も他国に比べて安定しているが、社会とのつながりが低調で、主観的幸福度は相対的に低い傾向がある。

こうした世界的な議論も踏まえつつ、本書においては、「なりゆきの未来」において喪失される「人間らしさ」の維持や発揮に関連の深い要素を中心に、実現すべきウェルビーイングを３つの要素で定義したい。

第一の要素は「健康」だ。ウェルビーイングの基盤が健康であることは当然だが、ここでいう健康とは、ただ「病気のない状態」を意味するわけではない。年齢や障がいの有無にかかわらず、だれもが心身に潜在する能力を、生涯にわたって活かし切れる状態を指すのだ。その実現には、これから次々に実用化される革新技術が大きな役割を果たす。同時に、革新技術が実現する新たな生き方を、社会で受容するための文化や制度として構築していくことも重要だ。

第二の要素は「他者とのつながり」だ。地縁や血縁、さらには社縁に基づく旧来のコミュニティは総体的に弱体化が進んでいる。たしかに、ゲーテッドコミュニティのような特定地域に超富裕層の住まいが集中したり、世界的な華僑ネットワークなどの地縁に基づくコミュニティが拡大するような例外は一部にある。だが、ボーダレス化により国家や行政の役割が変質し、人々の価値観が多様化するなかで、あらゆる制約の希薄化が進み、デジタル化の進展とともに現実空間と仮想空間をまたぐ新たなコミュニティが無数に誕生しつつある。これから技術が進展すれば、人と人はもちろん、動物や植物など、種を超えたつながりも広がっていくだろう。ただし、適切な社会制度がなければ、豊かなつながりの恵みを享受できるのは一部の特権的な層に限られてしまう。社会全体が健全なつながりを維持するためには、技術の進展に任せるだけでなく、望まぬ孤立や孤独を防ぐ仕組みを積極的に社会実装していくことが求められる。

第三の要素が「自己実現」だ。ＡＩやロボットによる労働代替が進み、医療技術の進歩で健康長寿が実現すれば、未来の人類は、かつてなく多くの自由な時間を手にすることになる。これを人間にしかできない創造的な活動に充て、自己実現を図ることができれば、個人のウェルビーイングは大きく向上する。これまで当たり前だった「少年期・青年期の教育→壮年期の就労→老後の余生」という単線の人生だけでなく、学びと就労を自由に行き来し、個人に潜在する多様な能力を人生のあらゆるフェーズで開花させていく複線的な生き方がスタンダードになる社会に転換しなくてはならない。

健康、他者とのつながり、そして自己実現。この３つの要素の同時実現こそが、これからの50年で私たちが目指すべき人間らしい豊かさにつながっていくと考える。

環境と社会の持続可能性

「一人ひとりのウェルビーイング」とともに実現しなくてはならないのが「環境と社会の持続可能性」の確保だ。しかし、これは難度の高い課題である。

地球温暖化を防ぐためには、工業化以前からの人為起源のCO_2の累積排出量を抑える必要がある。IPCC（気候変動に関する政府間パネル）によれば、パリ協定で世界が合意した「世界的な平均気温上昇を産業革命以前に比べて2℃より十分低く保つ」ことを66％以上の確率で達成するためには、2011年以降の人為起源の累積CO_2排出量を約1兆トンに抑えることが必要となる（**図表1－5**）。さらに、50％の確率で気温上昇を1・5℃に留めるには、もはや許容可能なCO_2排出量は約5800～7700億トンしか残されていない。しかし、IEA（国際エネルギー機関）の予測によれば、すでに建設されている設備やインフラを耐用年数分稼働するだけで累積7500億トンものCO_2を排出することになるという。つまり、残されたカーボンバジェットは、既存のインフラだけで多くを食い潰してしまうのだ。

気候変動は、農作物の収穫量を減らすだけでなく質も低下させ、食料の安定供給をおび

・1861年-1880年からの気温上昇を66%以上の確率で2℃に抑えるには、2011年以降の人為起源の累積CO_2排出量を約1兆トンに抑える必要がある（=「カーボンバジェット」）。
・「カーボンバジェット」は、「人類の生存基盤である環境が将来にわたって維持される（環境基本法第3条）」ことに向けて「環境保全上の支障が未然に防がれる（環境基本法第4条）」ための根幹となる考え方。

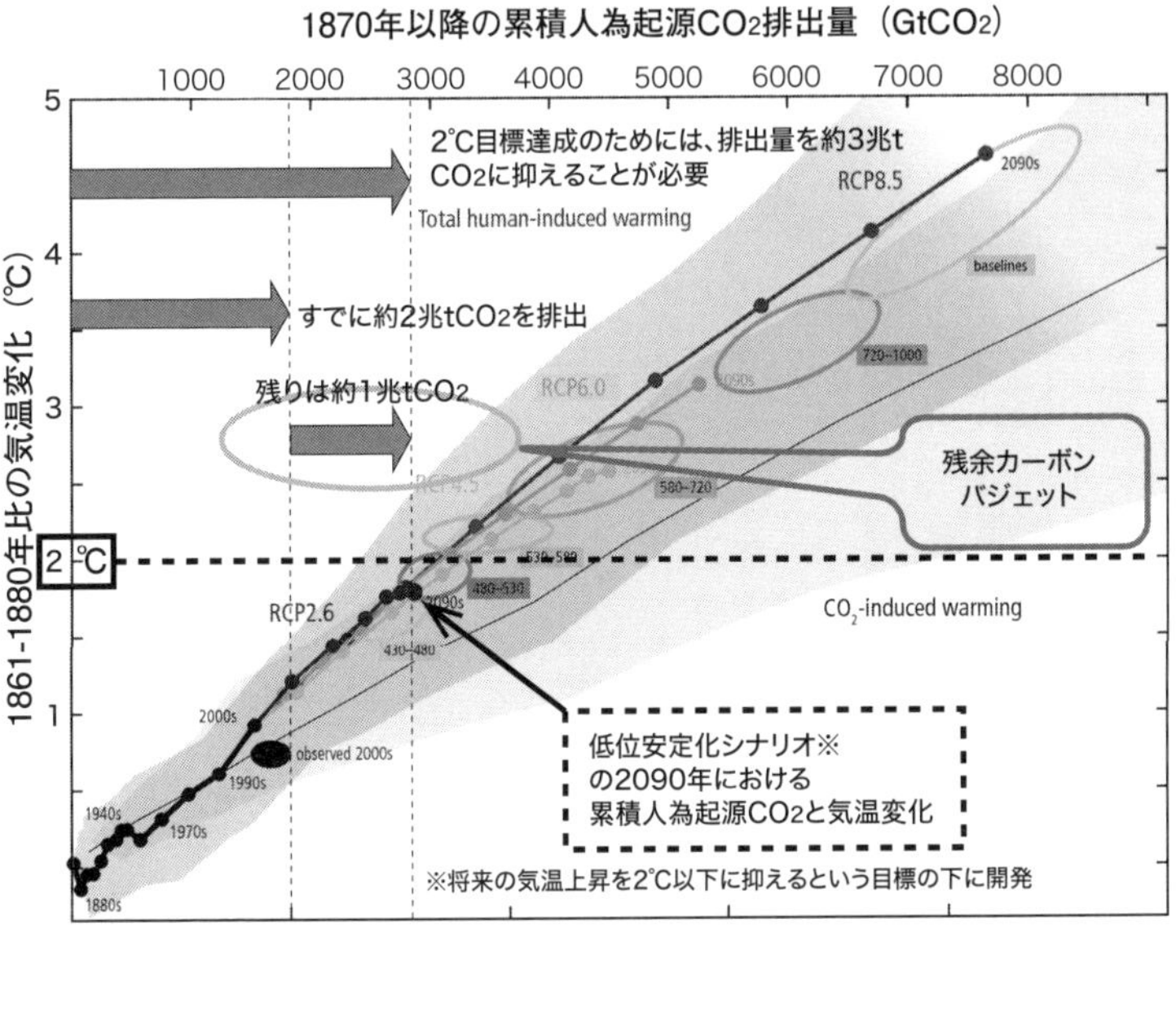

図表1-5 ｜ **2℃上昇までに残されているCO_2排出量（カーボンバジェット）**

出所：「カーボンプライシングのあり方に関する検討会」取りまとめ 参考資料集
https://www.env.go.jp/council/06earth/y0618-22b/mat03_2.pdf

やかす。自然災害の規模や発生数も増やし、人間が暮らせる地域はどんどん狭まっていく。新型コロナウイルスのような感染症のパンデミックが誘発されるリスクも高まり、人や社会の活動は大きく制約されることになる。

資源消費がもたらす環境負荷の大きさを評価する指標に「エコロジカルフットプリント」がある。人間が食料や物資を生産するために要する農地や森林などの面積（グローバルヘクタール）と、社会・経済活動を通じて排出するCO_2を吸収するために要する生態系サービスの総量を面積に換算したものだ。世界のエコロジカルフットプリントは、1970年に地球の環境容量（バイオキャパシティ）

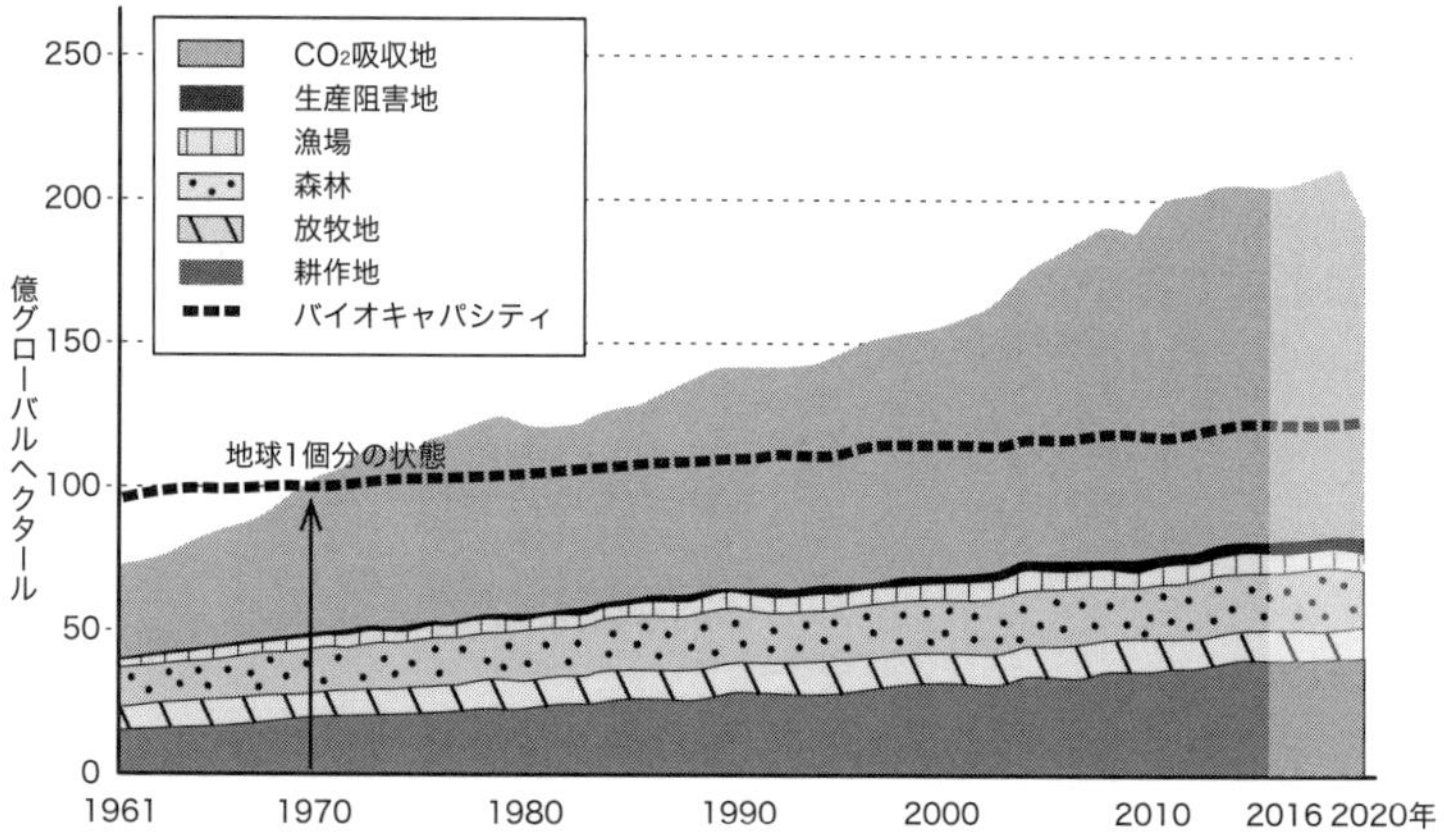

図表1-6｜**エコロジカルフットプリント、バイオキャパシティの推移（世界）**

出所：Global Footprint Network. National Footprint Accounts, www.footprintnetwork.orgのデータより三菱総合研究所作成

を超え、2016年の時点で、バイオキャパシティの約1・69倍に当たる205億グローバルヘクタールに達している（図表1－6）。地球は、50年前から持続不可能な状態に陥っているのだ。

これを持続可能な状態に戻すには、大量生産、大量消費、大量廃棄型社会から脱却し、資源消費を「地球一個分」に引き戻さなくてはならない。しかし、そのために利便性や快適性を損ない、人々に我慢を強いるとしたら、過去への退行になってしまう。革新技術を最大限に活用して生活の質を上げげつつ、経済や社会システム、ライフスタイルを変革し、環境負荷の少ない持続可能な成長を目指すことが重要だ。

日本では、菅義偉《すがよしひで》首相が2020年10月の所信表明演説において、2050年までに温室効果ガスの排出を全体としてゼロにすること、つまり「カーボンニュートラル」を宣言した。世界を見渡せば、2050年までのカーボンニュートラルには、124の国と地域が賛同している（2021年1月20日時点）。世界と連携しながら人類の目標として達成を目指さなくてはならない。

グローバルな持続可能性という観点で、もう一つ大事なことは、自然災害や感染症、あるいはその他の社会的リスクへの備えだ。リスクが顕在化した時にも、社会や生活が継続できるという「安全安心」は、社会の持続可能性を担保する要素として重要な意味を持つ。

2021年1月に世界経済フォーラムがまとめた「グローバルリスク報告書2021年版」[5]によれば、今後10年で発生する可能性が高いグローバルリスクのトップ3は「極端な気象現象」「気候変動対策（緩和と適応）の失敗」「人為的な環境損害」と、いずれも環境問題が占めている。そして、4位に「感染症」が入り、6位以降には「デジタルパワーの集中（偏り）」「デジタル不平等」「国家間の亀裂・緊張の高まり」「雇用や生活の危機」など、格差や社会的分断にまつわる項目が並ぶ。

環境問題は人類の存続に関わるきわめて大きな課題だが、コロナ禍によってより鮮明になった社会的格差は、足元の問題として人々の生活の安定を揺さぶっている。こうした社会的課題を解消できなければ、環境問題に対する取り組みもなおざりになりかねない。

「なりゆきの未来」に挑む5つの目標

では、一人ひとりのウェルビーイングと環境と社会の持続可能性を実現するには、具体的に何が長期的な未来への目標として必要だろうか。

「なりゆきの未来」がもたらす人間性の喪失を回避し、私たち一人ひとりのウェルビーイングを実現していくためには、①健康維持・心身の潜在能力発揮、②多様性の尊重とつながりの確保、③新たな価値創出と自己実現、という3つの要素を満たすことが重要だ。同時に、人々の生活や活動の場である社会や、生存基盤である地球環境を将来世代においても安定して存続させるためには、④安全安心の担保、⑤地球の持続可能性の確保が必要だ。

豊かで持続可能な社会を実現するためには、これらの「5つの目標」を掲げ、それぞれをしっかり目指す未来社会に向けて達成することが必須条件になるのだ（図表1－7）。

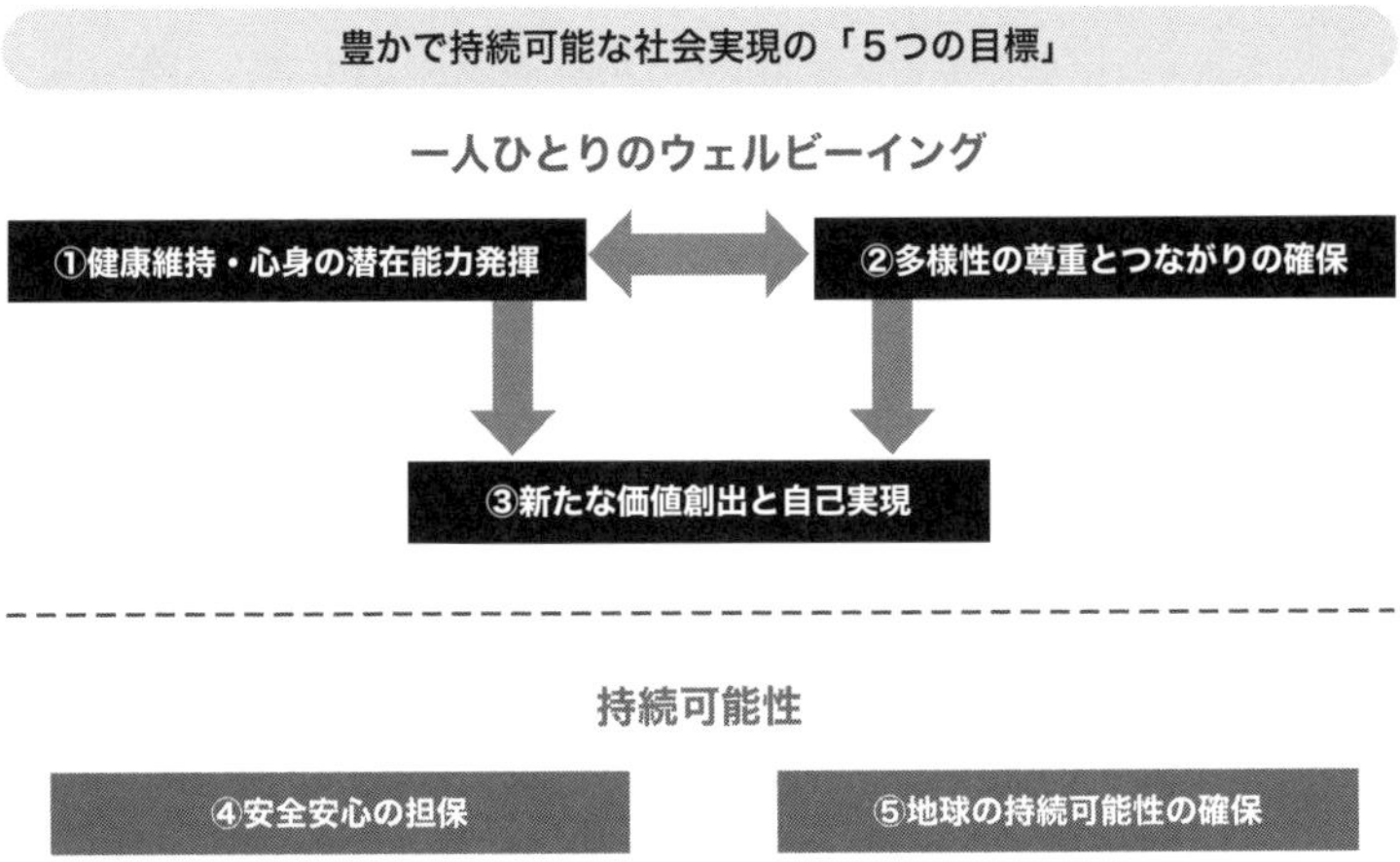

図表1-7｜目指す未来社会への「5つの目標」

出所：三菱総合研究所

①健康維持・心身の潜在能力発揮

経済的あるいは社会的な格差を生むことなく、革新技術の恩恵をだれもが平等に享受できる社会を目指す。

病気の予防や超早期発見、遠隔医療、身体拡張などの革新技術を社会に取り入れて、新たなヘルスケアインフラを構築し、だれもが心身の潜在能力を発揮して健康な生活を送れる。さらには、社会保障制度改革によって制度の持続可能性を高める。

②多様性の尊重とつながりの確保

コミュニケーション・テクノロジーの進化を背景に、個人の多様性や地域の特性、文化を尊重し、人と人、人と社会のつながりを維持・発展する社会を目指す。

仮想空間の拡大やコミュニケーション技術の進化は、他者とのつながりの形を大きく変えている。一人ひとりが生涯を通じて豊かなつながりを保ち、共創による社会全体の活力を向上する。また、「つながり弱者」の孤立を生じさせない。

③新たな価値創出と自己実現

労働代替、仮想空間での活動による移動時間の削減など、革新技術によって生み出された新たな時間を活用し、一人ひとりが能力や意思に応じてさまざまな形態で自分の価値を実感し、自己実現を果たせる社会を目指す。

人はＡＩやロボットと競合するのではなく協調し、人ならではの価値を発揮できる労働や社会と関わる活動に取り組む。革新技術が生み出した余剰時間や付加価値も適切に配分され、一人ひとりが望み通りに多様な価値を創出しながら、自己実現を達成する。

④安全安心の担保

既存のリスクだけでなく、将来的に生じる新たなリスクに備えることで社会の破綻を回避し、安全安心な社会を目指す。

地球環境の急激な変化によって、自然災害や感染症などのリスクが高まっている。また、仮想空間の急拡大で、サイバー攻撃やプライバシー侵害などの新たなリスクも社会問題となっている。こうした新たなリスクに対する安全安心を担保する。

⑤地球の持続可能性の確保

地球資源の収支ゼロを実現し、地球から享受できる豊かさが将来世代にわたって担保された社会を目指す。

現世代の経済成長のために未来に負債を残してしまう現状の構造を変え、「地球一個分」での成長を実現し、将来世代にわたって地球から豊かさを享受し続けられる状態を達成する。

この5つの目標は、それぞれが独立したものではなく、相互に深く関連し合う。一人ひとりが「健康」を保つことができれば、よりよい働き方・生き方を選択できる可能性が高まり、「自己実現」にもつながる。多様な「つながり」の確保も、「健康」や「自己実現」につながり、さらに「つながり」のなかでの共助・互助を通して格差や分断が是正され、個人の「安全安心」が向上する。個人のウェルビーイングが確保されることで、人々はより社会に対する関与を深める余裕ができ、自然に優しい行動様式への転換などを通じ、「持続可能性」に貢献することができる。同様に、社会全体としての「安全安心」の取り組みが進むことで、将来世代への希望を持てる社会となる。このように5つの目標の達成への挑戦は、相互に好影響を及ぼし合いながら、目指す未来の実現につながっていく。

人と自然のストック価値を最大化する

もう一つ重要な点は、5つの目標の実現が、人間や自然に本来備わっている価値（ストック価値）の回復と向上につながるということだ。前に述べた「なりゆきの未来」はその逆で、経済成長だけを優先して、人や自然のストック価値が損なわれた未来像といえる。

人間に備わっている健康や知恵、社会性。自然に備わっている山や大地や海などの環境と、それらが育む生物多様性――。こうした人間や自然のストック価値を浪費せず、その本質を引き出せるように配慮した経済活動に切り替えるための指針が5つの目標なのである（**図表1－8**）。

こうして回復される、あるいは新たに創造される人や自然の価値は、経済価値にも好影響を及ぼし、結果として社会全体の価値を大きく成長させることにつながるのだ。

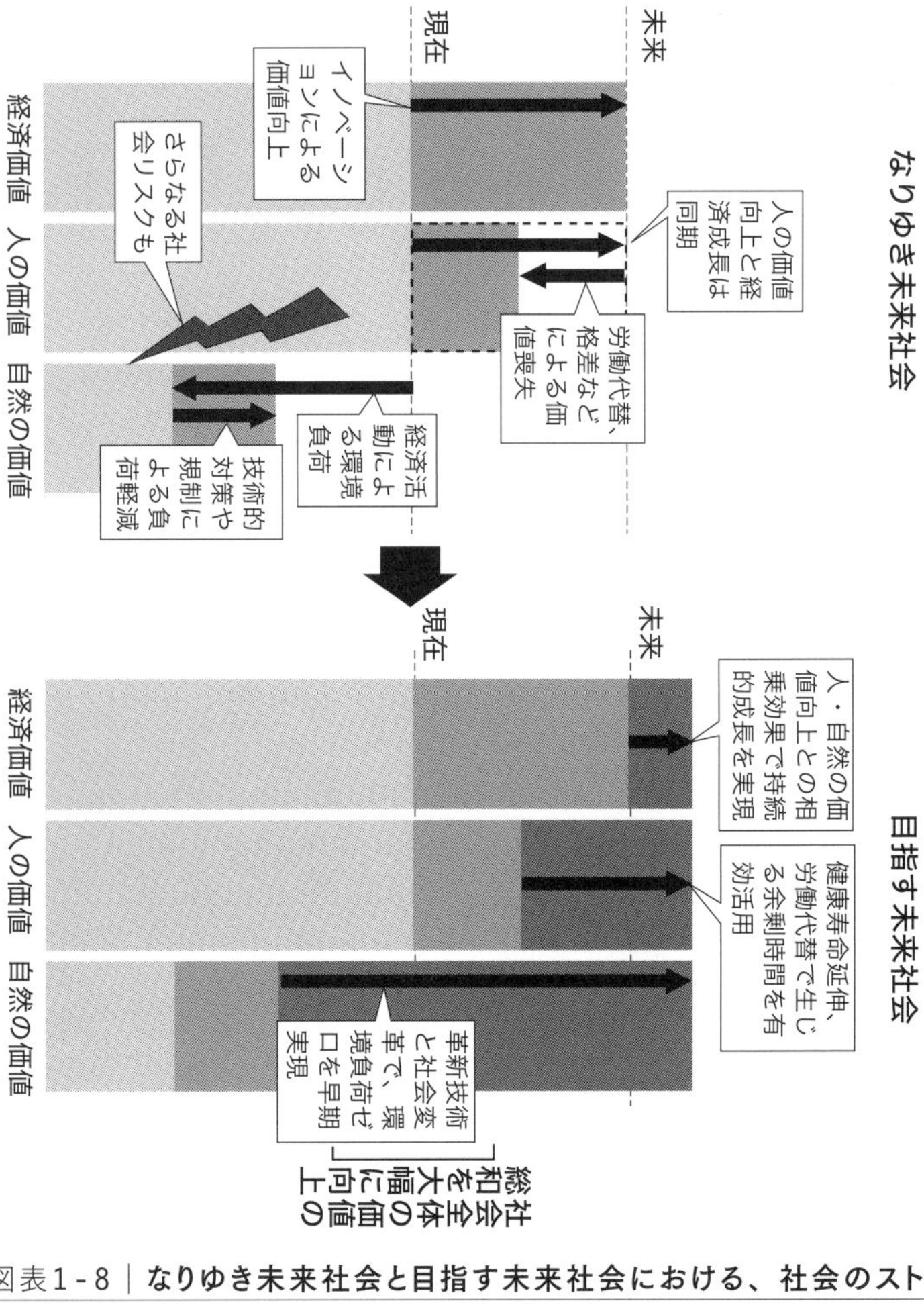

図表1-8｜**なりゆき未来社会と目指す未来社会における、社会のストック価値の比較イメージ**

出所：三菱総合研究所

一極集中を脱して自律分散・協調へ

５つの目標を同時に達成して好循環を生み出すには、いままでの社会の仕組みや、あり方そのものの見直しとアップデートが必要不可欠だ。

カギは「自律分散・協調」への転換である。近代以降の社会は、「集中」を駆動力として発展してきた。経済合理性に基づいて大都市に人口と社会インフラを集中することで産業を集積し、中央集権かつヒエラルキー型の社会システムを洗練させることで、同一規格の製品の大量生産・大量供給を可能にした。規模の力と、集中の効率性をテコにして経済成長を果たしてきたのだ。

しかし、目指す未来社会の実現には、量の成長ではなく質の成熟が求められる。１００億人・１００歳時代の持続的かつ豊かな未来創造のためには、集中から分散、競争から協調へのシフトチェンジを速やかに進めていく必要がある。

図らずも、コロナ禍によって、これまで合理的とされてきた社会システムの脆さが露わになった。ポストコロナのニューノーマルを模索するなかで、企業は一極集中型のビジネスモデルやサプライチェーンの見直しを余儀なくされ、個人の働き方や暮らし方も否応なく分散に向かっている。

それを後押ししたのが、オンラインコミュニケーションをはじめとするデジタル技術の普及の加速だ。デジタル技術はあらゆる場所に分散した個人と個人を容易に結びつけ、それぞれが自律して活動する場を大きく広げる。自律した人やコミュニティが自由につながり、協調して価値を生み出すことの重要性はこれからますます高まっていくだろう。

平常時の経済合理性のみを追求した社会は、ひとたび非常事態が起きれば、柔軟な対応力を欠き、本来の機能を失ってしまう。コロナ禍を契機として、自律分散・協調を本質とするネットワーク型社会へとかじを切らねばならない。

集中から自律分散・協調への転換は容易ではない。5つの目標の達成とともに、どのように社会全体のアップデートを実現していけるのであろうか。

次章以降では、これを実現するための手段となる、革新的な技術と新しいコミュニティについて説明していく。

1　WHO世界保健統計2020
World Health Statistics (who.int)

2　この図はイースタリンが最初期に経済的豊かさと幸福の非線形性を指摘した論文の図表であり、近年はデータの集計方法や質問設計についての反論もあることには留意されたい。

3　中国の巨大ＩＴ企業3社（バイドゥ、アリババ、テンセント）を表す略称

4　How's Life is Japan 日本の幸福度（２０１８年またはデータが利用可能な直近年）
https://www.oecd.org/statistics/Better-Life-Initiative-country-note-Japan-in-Japanese.pdf

5　グローバルリスク報告書２０２１年版
https://jp.weforum.org/press/2021/01/jp-healing-of-social-fractures-seen-as-key-to-brighter-future

第2章

3X——革新技術による変革

3Xによる社会変革

革新技術は、人、社会、地球の姿を大きく変えていく。

特にこれからの50年で注目すべきは、デジタル、バイオ、コミュニケーションの3つの領域の革新技術による社会変革（トランスフォーメーション）だ。当社では、これらの3つの変革を「3X」と名づけ、未来創造の強力なドライバーとして位置づけた。

デジタル領域の技術群によるDX（デジタル・トランスフォーメーション）が、現在進行形でビジネスや生活を大きく変えていることは周知の通りだ。同様に、人の健康、農業や自然、動植物など、生命活動を広く扱うライフサイエンス領域における技術の進歩も目覚ましい。これがBX（バイオ・トランスフォーメーション）だ。さらに、デジタルとバイオが融合した新たな技術領域では、言葉を使わないテレパシーのような意思疎通や、物理的に離れた相手との感覚の共有といった夢のような技術が盛んに研究されている。こうした技術が変革するのは、人のつながり方や、コミュニケーションの形であり、CX（コミュニケーション・トランスフォーメーション）と呼ぶにふさわしい（図表2－1）。

3Xには、既存の価値観から飛翔し、新時代にふさわしい新たな価値やつながりを創出

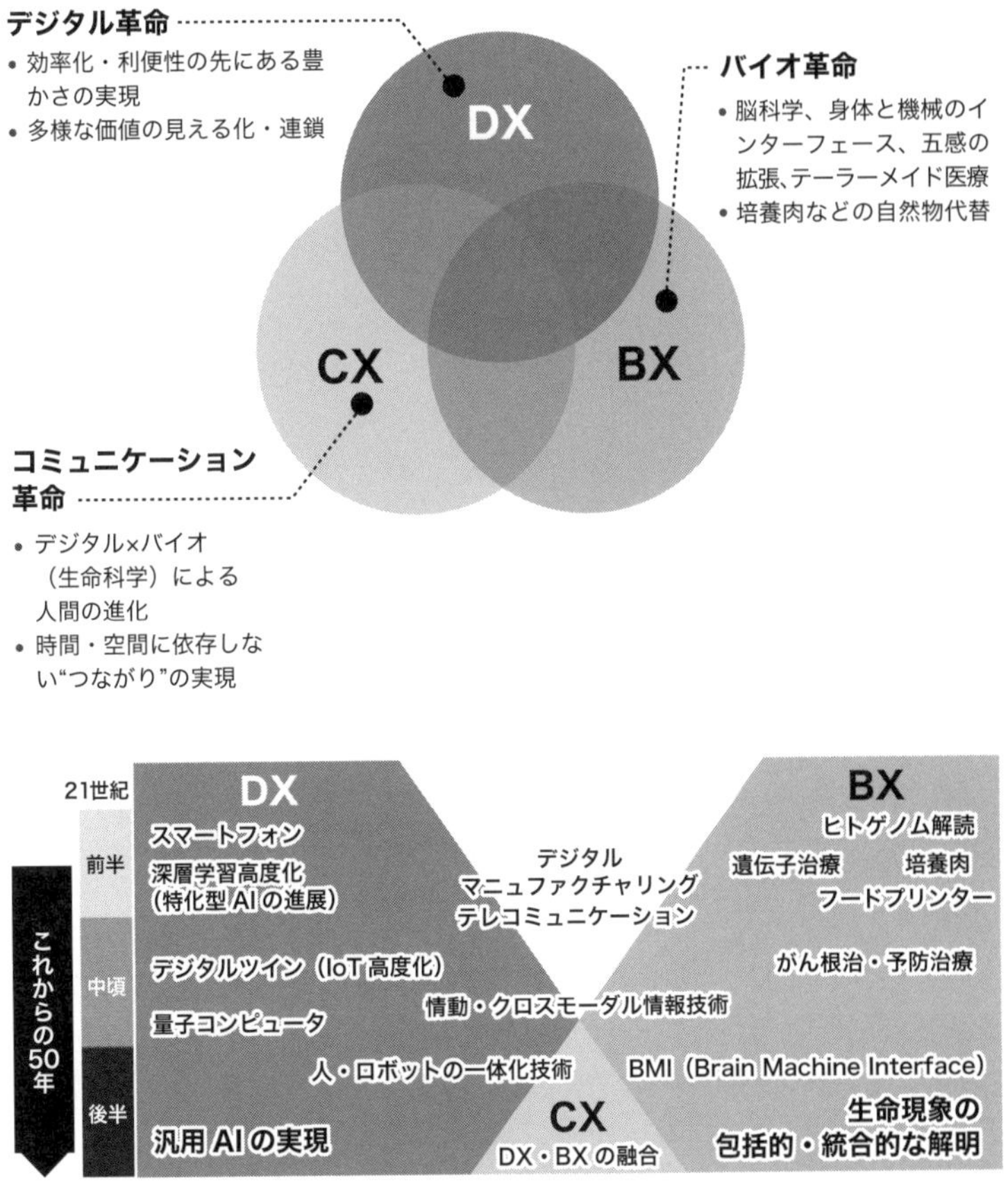

図表2-1 | 人と社会を変革する3X

出所：三菱総合研究所

するエネルギーがある。そして、一人ひとりの自律性を高め、人間を未知のフェーズに引き上げるポテンシャルを持つ。また、生活・社会インフラの変革とともに、新たな産業を創出する原動力ともなる。

しかし、その不用意な導入は、孤立や分断を加速させる作用もある。さらに、社会実装が進むにつれて、生命そのもののあり方に対するセンシティブで倫理的な問題を、さまざまな形で提起することにもなるだろう。こうした負の側面も踏まえたうえで、私たちは、より創造的で、より豊かで、あらゆる人を包摂した夢のある未来を描くことができるだろうか。人間の意志が問われているといえる。

ビジネスから社会へ広がるDX

デジタル技術とビッグデータを活用した社会変革がDXだ。

DXの中核技術としては、AIやIoT、ブロックチェーン、通信関連技術が挙げられることが多いが、本書では50年先を見据え、量子コンピュータやロボティクスのように未来社会に大きな影響を及ぼすと考えられる革新技術もDXに含めて考察していく。

ＡＩは、すでにさまざまな分野で活用されており、私たちの日常生活でもなじみ深いものになっている。ただし、現在活用されているＡＩは、利用目的が限定された特化型ＡＩと呼ばれるものだ。これからは、より広い用途に対応できる汎用性とともに、みずから考え、判断できる自律性をも備えた汎用ＡＩの開発と実用化が期待されている。

ロボティクスにおいてもそうした進化の方向性は同様で、センサーやアクチュエーターの技術発展とともに、それらがＡＩやＩｏＴと連動することで性能が向上し、特化型から汎用型へ進化していくと考えられる。高度なＡＩやロボティクスの普及が進めば、人は面倒な作業から解放されてゆく。そして同時に、より深い思考力、広い想像力、高度な判断力など、人間らしい能力の発揮がこれまで以上に求められるようになるだろう。

また、いずれセンサーが生活空間にあまねく普及し、一人ひとりのライフログ（生活・行動・体験の記録）がすべて保存できる時代を迎える。ＤＸとは、企業が生産性向上のためにデジタル技術を導入して業務を変革するだけでなく、デジタル技術を用いて新たなビジネス変革を起こす取り組みを指す。しかし将来的には、データを活用して一人ひとりが持つ多様な価値を可視化したり、さまざまなデータを連携させて社会の新たな豊かさを生み出すといった、創造のための営みへと進化させなくてはならない。目指す未来社会づくりの基盤となるのがＤＸなのだ。

では、現在そうした可能性につながるDXはどのような進化を遂げているのか。キーとなる技術に注目してみよう。

●人間の活動を多方面からサポート――AI

顧客からの問い合わせに自動的に対応したり、スーパーで仕入れの際に売れ筋商品を細かく予測したり、顔認証でビルの利用者の入退館を自動的にコントロールするなど、特定の目的に対応する能力を備えた特化型AIはすでに社会のさまざまな場面で活躍中だ。一方、みずから情報を収集し、多様な問題に柔軟に対応できる汎用AIはまだ開発途上であり、今世紀半ばから後半に実現するといわれている。

AIの認識モデルの構築手法は、人間が大量の学習データ（教師データ）を与えて学習させる「教師あり学習」が現在の主流だ。しかし、分野によっては大量の学習データの準備が難しく、準備できたとしてもAIが学習できる形にデータを変換するコストが膨大になるケースも多い。今後は学習データが少なくて済む「半教師あり学習」や、学習データのない状態から特徴を学習する「教師なし学習」の技術が進展するだろう。その他、別の領域の学習済みモデルを活用する「転移学習」や、学習方法そのものを学習する「メタ学習」など、より効率のよい学習技術も研究されている。

　自動運転や医療診断のように、人命に関わるような重大な判断をＡＩに任せる場合は、ＡＩが完全なブラックボックスになってしまっては責任が担保できない。いかにＡＩの判断を人間が理解可能な状態にするか、という論点もＡＩの社会実装において重要だ。この問題に関しては「説明可能なＡＩ（ＸＡＩ：Explainable AI）」というテーマで、すでに国際的に議論されている。

　ただし、技術が進展してもＡＩ自身が意識を持たない限り、人間の補佐という位置づけは変わらない。労働代替が進むといっても、ＡＩが完全に人間の代わり

特化型AI	汎用目的AI	汎用AI	（超知能？）
• 現在実装されているAI • 特定用途のみに対応可能（想定外の用途には対応不可）	• 人間ほどではないが、ある程度多様な用途に対応可能 • 汎用性，自律性は限定的なレベル	• 人間と同程度の知的能力を持ち、未知の環境でも複雑な用途に対応可能 • 汎用性，自律性は人間と同程度のレベル	• 汎用AI以上の知的能力を持ち、AI自身がさらに高い能力のAIを構築 • 有識者がさまざまな実現シナリオを提示

図表2-2｜**AIの発展段階**

出所：三菱総合研究所

をするのではなく、人間と協働しながら必要とされるタスクを担っていくことになるだろう。

ＡＩの社会浸透の時期的な目安を示すと、特化型ＡＩは２０３０年ごろまでに生活のあらゆる場面に普及するだろう。路線バスやタクシーなどはＡＩによる自動運転になり、ウエアラブルデバイスから収集した生体情報（バイタルサイン）に基づいてＡＩが病気を未然に防ぐ情報を提供するサービスも一般化する。

２０５０年以降には、人間の思考を代替したり、発明のような創造的な活動を担える汎用ＡＩがいよいよ登場する。現在、多くの企業に導入されているＲＰＡ（Robotic Process Automation）のような単純作業の代替ではなく、事業設計やプロダクトデザイン、さらには経営における意思決定まで、企業活動に深く関わる機能やサービスでも盛んに活用されるようになる（図表2-2）。

●人や都市からビッグデータを生成――IoE（Internet of Everything）

車、住宅や企業の設備、家電など、生活空間に存在するさまざまなデバイスにセンサーが搭載されてインターネットにつながるようになった。こうしたＩｏＴ（Internet of

Things：モノのインターネット）の進展で、デジタルデータとして取得できる情報は種類も量も飛躍的に増えた。こうして、日々生成され続ける各種のビッグデータは、産業や行政、人々の暮らしなど広範囲にわたって活用されており、データ駆動型社会が本格化しつつある。

２０７０年までには、センサーが特定のデバイスだけでなく、生活空間にあまねく設置され、生活者一人ひとりのライフログや都市・生活空間、環境の情報などがすべて保存される時代が到来するはずだ。ＩｏＥ（Internet of Everything：すべてのインターネット）の実現である。ウエアラブルデバイスを経由して、心拍や体温、血圧といった生体活動を常時記

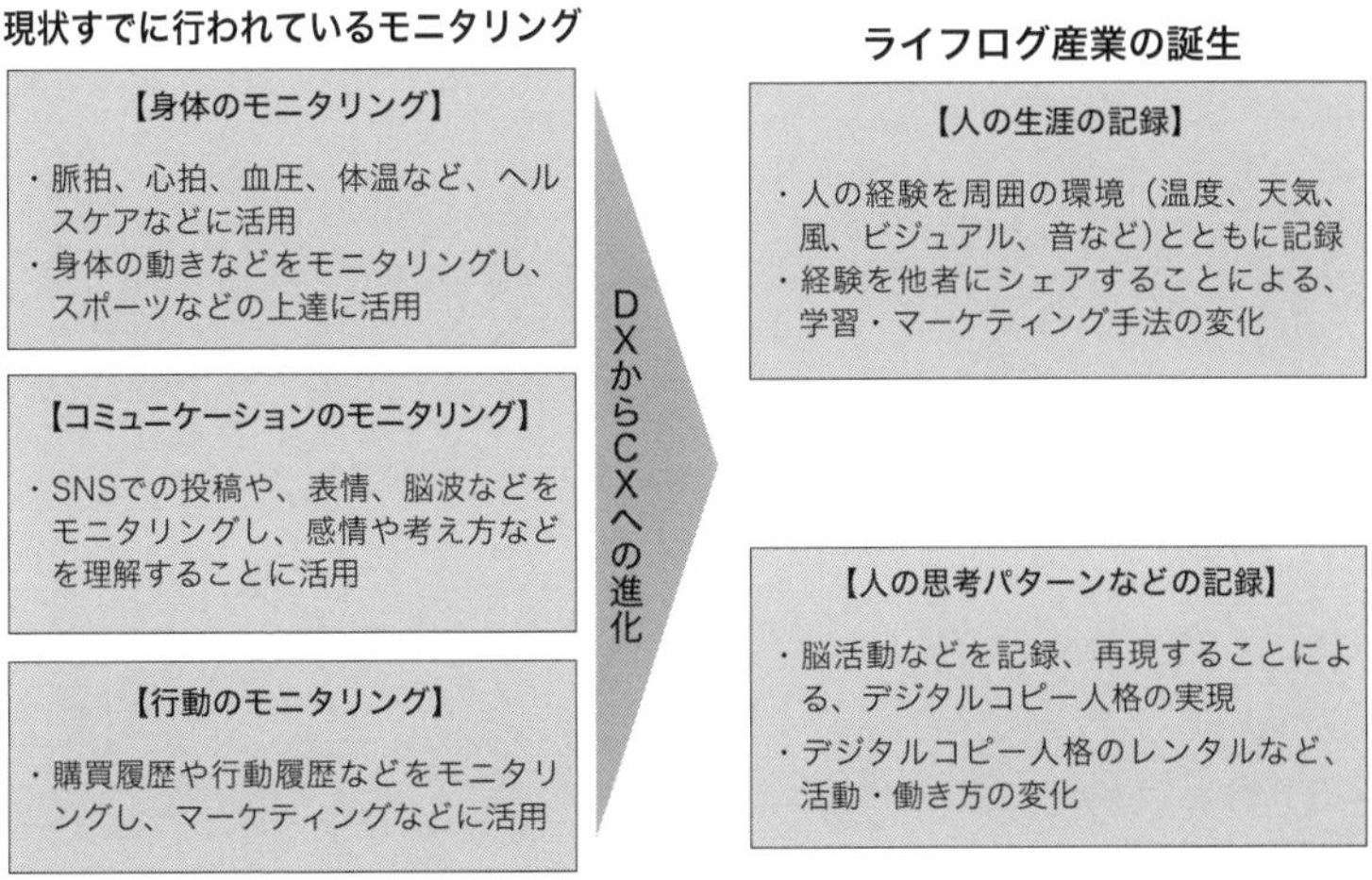

現状すでに行われているモニタリング
【身体のモニタリング】
・脈拍、心拍、血圧、体温など、ヘルスケアなどに活用
・身体の動きなどをモニタリングし、スポーツなどの上達に活用
【コミュニケーションのモニタリング】
・SNSでの投稿や、表情、脳波などをモニタリングし、感情や考え方などを理解することに活用
【行動のモニタリング】
・購買履歴や行動履歴などをモニタリングし、マーケティングなどに活用
DXからCXへの進化
ライフログ産業の誕生
【人の生涯の記録】
・人の経験を周囲の環境（温度、天気、風、ビジュアル、音など）とともに記録
・経験を他者にシェアすることによる、学習・マーケティング手法の変化
【人の思考パターンなどの記録】
・脳活動などを記録、再現することによる、デジタルコピー人格の実現
・デジタルコピー人格のレンタルなど、活動・働き方の変化

図表2-3｜ライフログ産業の誕生

出所：三菱総合研究所

録できるのはもちろん、どこに行き、だれと話し、何を着て、何を買ったかなど、あらゆる活動ログの保存が可能になる。膨大なライフログを保存したり活用したりする新たな産業も生まれるだろう（図表2－3）。

IoEにより、都市をまるごと仮想空間のなかに再現する「デジタルツイン」も実現する。デジタルツイン空間では、リアルな都市空間ではできないようなシミュレーションが可能だ。人の活動や都市オペレーションの可視化、自然災害や感染症発生時のリスク分析や予測などにも役立てられる。

●イノベーション高速化の切り札――量子コンピュータ

量子コンピュータは、省エネルギーで高速計算を実現する次世代コンピュータだ。古典的なコンピュータが扱うビットは0か1しか表せないが、量子コンピュータが扱う量子ビットなら0と1の「重ね合わせ」が可能であり、同時に多数の演算を処理できる。つまり飛躍的な高速化が実現するのだ。

量子コンピュータは、膨大な量の計算を必要とする量子化学、機械学習、構造・流体解析、金融計算、暗号解読などの分野での活用が期待されている。これまでにない機能を有

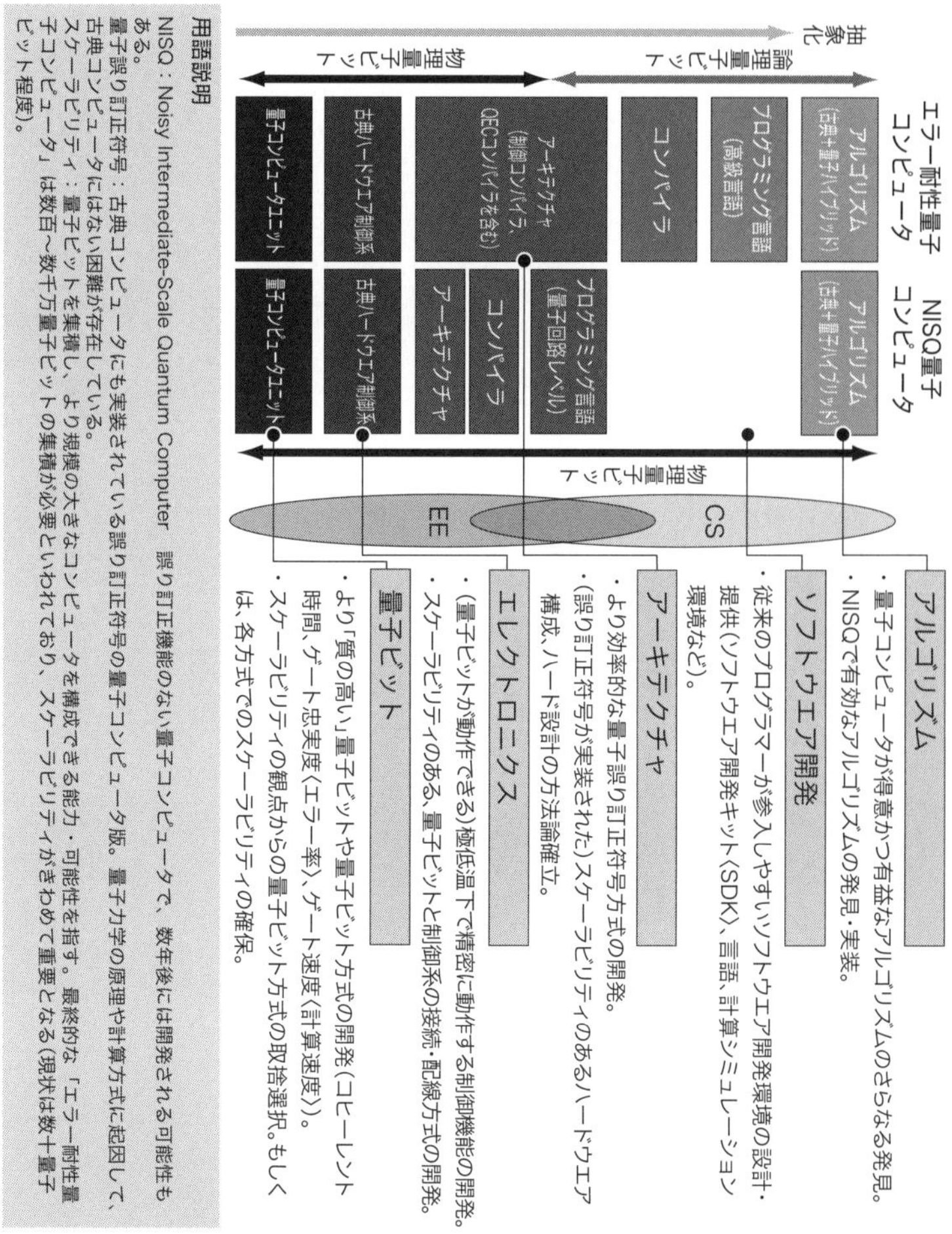

図表2-4│量子コンピュータのレイヤー別課題

出所：科学技術振興機構『戦略プロポーザル　みんなの量子コンピューター』(2018) より三菱総合研究所作成

用語説明

NISQ：Noisy Intermediate-Scale Quantum Computer　誤り訂正機能のない量子コンピュータで、数年後には開発される可能性もある。

量子誤り訂正符号：古典コンピュータには存在しない困難が存在している。量子コンピュータ版。量子力学の原理や計算方式に起因して、古典コンピュータでは実装されている誤り訂正符号の量子コンピュータ版。量子力学の原理や計算方式に起因して、スケーラビリティ：量子ビットを集積し、より規模の大きなコンピュータを構成できる能力。可能性を指す。最終的な「エラー耐性量子コンピュータ」は数百～数万量子ビットの集積が必要といわれており、スケーラビリティがきわめて重要となる（現状は数十量子ビット程度）。

81

する新素材や新薬の開発、多様なデータを組み合わせて超高速で判断できるＡＩ、市場リスクを最小限に抑える金融ポートフォリオ構築などの領域でも、さまざまなイノベーションの創出が期待できる。

とはいえ、社会実装に向けては、アルゴリズム、ソフトウエア開発、アーキテクチャ、エレクトロニクス、量子ビットなどあらゆるレイヤーで課題が山積しているのが現状だ（図表２－４）。

量子コンピュータは、大きく「量子アニーリング型」と「量子ゲート型」に分けられる。いずれも量子の性質を利用する点では同じだが、前者は扱える課題が「組み合わせ最適化問題」に限定された特化型、後者は汎用型という大きな違いがある。量子アニーリング型では商用化されたマシンがすでに存在しており、企業での実応用例も見られるが、量子ゲート型のマシンの社会普及は２０５０年ごろまで待たねばならないだろう。

量子コンピュータがこれからどのように展開していくかを、方式別に図に表した（図表２－５）。各要素技術の開発が進み、量子ビットの集積が進むにつれて、高度な量子計算が扱えるようになり、応用可能な社会課題の分野が広がっていくことがわかる。

量子アニーリング型は特化型なので、課題をいかに「組み合わせ最適化問題」に落とし込んで使いやすくできるかが普及のポイントになる。一方、量子ゲート型はエラーに対す

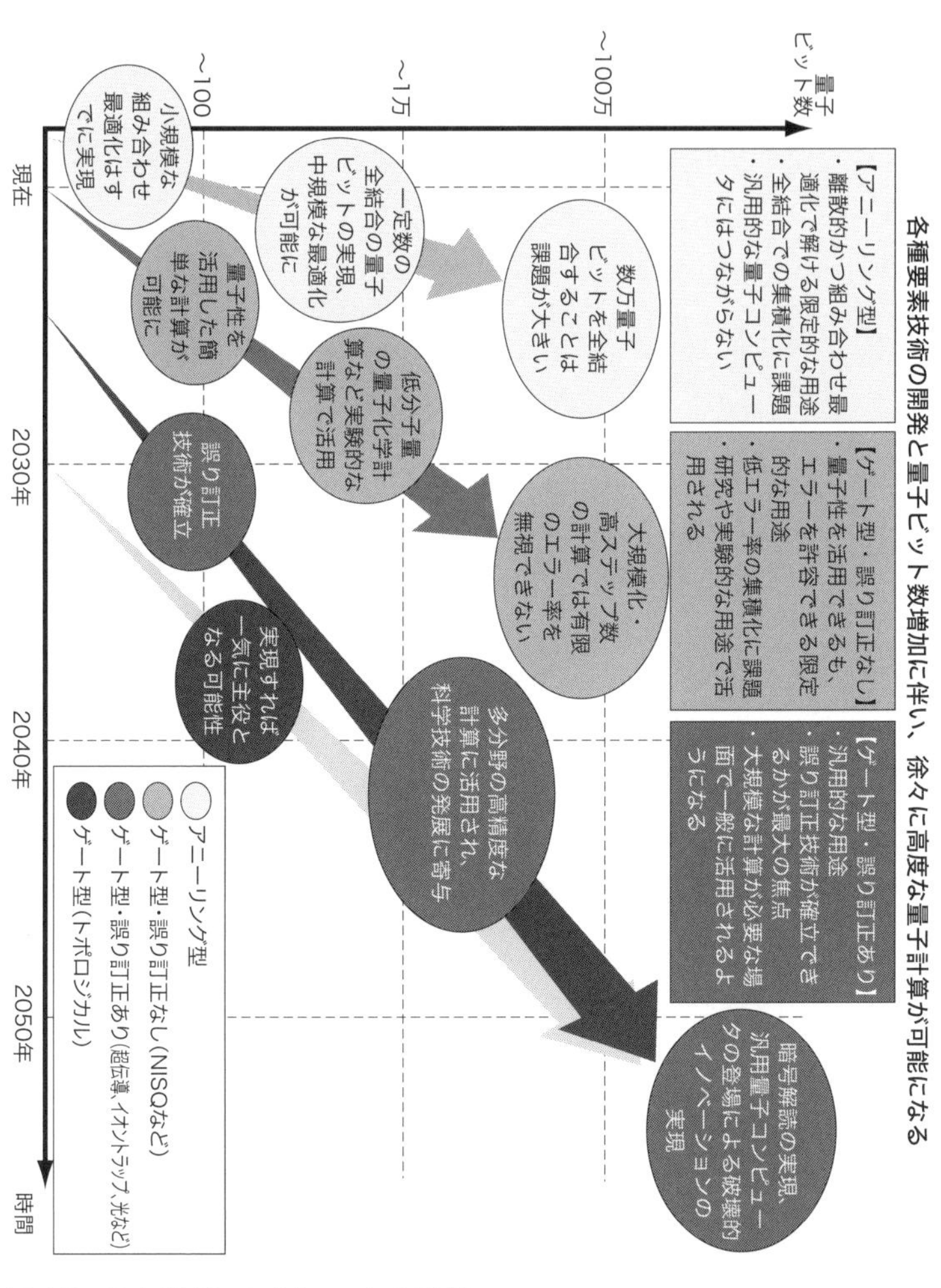

図表2-5 | **量子コンピュータの展開**

出所:三菱総合研究所

る脆弱《ぜいじゃく》性の克服、量子ビットの集積の大規模化をいかに実現するか、という大きなハードルを乗り越えなければ社会実装は難しい。

しかし近年、量子ゲート型における大きな飛躍があった。理想的な量子コンピュータ実現に向けての大きなマイルストーンである「量子超越性」の実証が相次いで発表されたのだ。量子超越性とは、現在使われている古典コンピュータ（家庭で使われているPCから、理化学研究所の「富岳」までここに含まれる）より、量子コンピュータのほうが高速に計算できる能力を持つことを指す。理論的にはほぼ明らかとされているが、その具体的根拠が示されつつあることの意味は大きい。

２０１９年にはGoogleが、２０２０年には中国科学技術大学らのチームが量子超越性の実証を発表している。同じ量子ゲート型でも、前者は超伝導を用いたもの、後者は光子を用いたものであり、異なる方式で実証されたことも非常に大きな成果だ。今後、さらに多くの方式、多様な計算問題での量子超越性の実証が進めば、実用に耐えうる汎用量子コンピュータマシンの実現も見えてくるだろう。

●進化する人間のパートナー——ロボティクス

産業用ロボットは現在、世界じゅうで約270万台が稼働しているといわれる。開発がスタートしたのは1960年代で、日本では産業用ロボットアームの第1号が1967年に輸入されている。以来、製造現場を中心に急速に普及し、溶接や塗装、組み立て、仕分け、運搬などさまざまな作業をこなすようになり、多くの産業で欠かせないものとなっている。センサー、モーター、AIなど、ロボティクスを構成する要素技術が急速に進化していることを考えれば、活用範囲は今後もさらに広がっていくだろう。

かつてはロボットを現場に導入しようとすれば、稼働環境に対応させるための細かいチューニングが必要だった。しかし現在は搭載されたAIがみずからチューニングできるようになってきている。さらに、多数のロボットの動作データをクラウド上に集積してAIに学習させたり、ロボットが扱うモノを3Dモデル化して動作シミュレーションを繰り返したり、データの活用で、より高度な動作制御ができるようになりつつある。

人間のような繊細な感覚を実現するために、近接覚、接触覚、圧覚、力覚、すべり覚といったさまざまな触覚を感知するセンサー技術や、さらにそれを統合する技術も進化している。動きに関しても同様だ。現在のマニピュレータ（いわゆる腕型ロボット）はモーターとギアで動かすのが主流だが、この機構ではどうしてもギアのかみ合わせ部分に非連続なすき間が残ってしまう。そこで、導電性高分子材料などを使って連続的に動く人工筋肉が開発されている。たとえば豊田合成とアドバンスト・ソフトマテリアルズ社が開発した、通電すると伸縮する次世代ゴム素材「e-Rubber」がある（図表2－6）。「e-Rubber」を使った人工筋肉はゴムそのものが伸縮するため、ロボットアームとして活用した場合、電動モーターなどに比べて滑らかで柔らかい動きが可能となる（開発中）。社会におけるロボットの活動領域は飛躍的に広がるだろう。

　しかし、ロボットの機能を高めるという方向

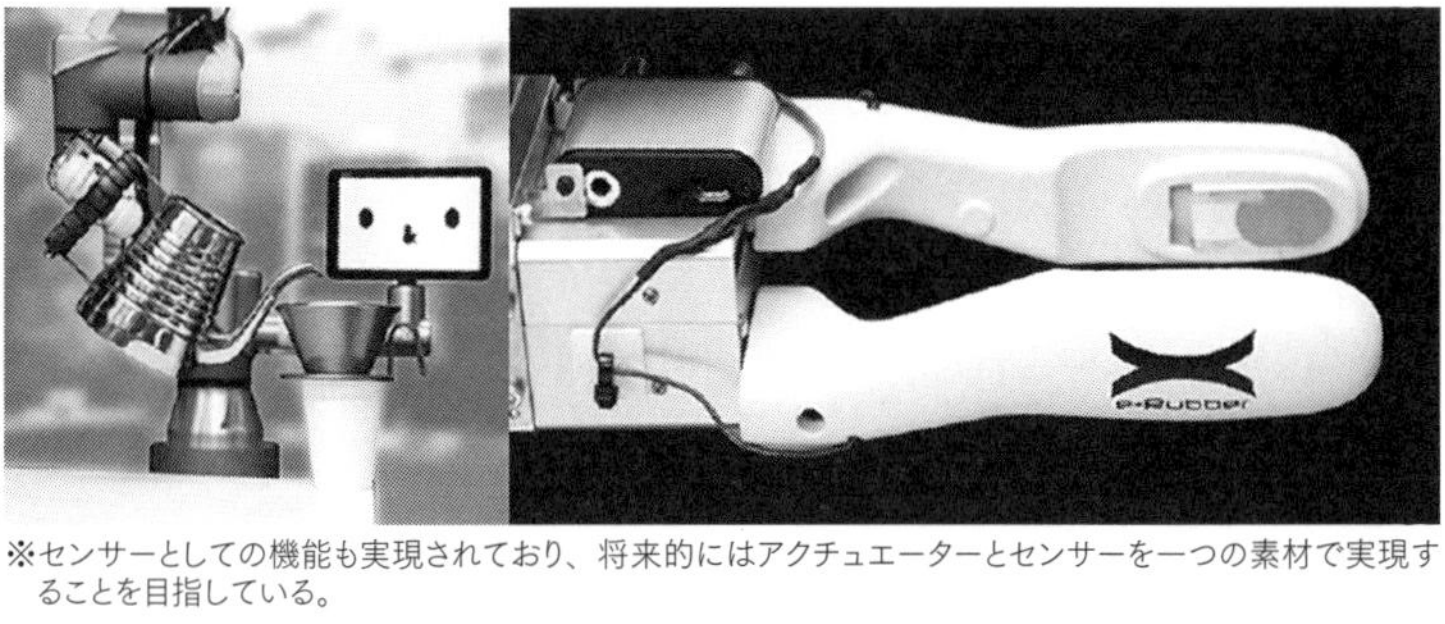

※センサーとしての機能も実現されており、将来的にはアクチュエーターとセンサーを一つの素材で実現することを目指している。

図表2-6｜「e-Rubber」を用いたバリスタロボ（圧力センサーとして用いた例）

画像提供：豊田合成

性だけでは社会普及は頭打ちとなる。ロボットのコストダウンとともに、建物や施設側にセンサーを設置したり、ロボットが稼働しやすい施設・インフラ設計を行うなど、全体最適化を図り、ロボットの活動領域を広げる必要がある。

●人間の活動の場が仮想空間に拡大――xR（VR／AR／MR）

VR（Virtual Reality：仮想現実）やAR（Augmented Reality：拡張現実）の技術は、エンターテインメントを中心として、すでに私たちの生活に浸透している。VRは、仮想空間上にリアリティ（実在感）を構築する技術であり、仮想空間のみで構成され、VRヘッドセットを利用することで仮想世界のなかに利用者が没入することができる。また、ARは、現実空間の物体などに情報を重ねることで、新たな認識を与える技術だ。位置情報ゲームアプリ「ポケモンGo」をきっかけとしてスマートフォンでも急速に普及してきた。将来は、メガネあるいはコンタクトレンズ型のスマートグラスが普及して、より日常的に装着できるようになるだろう。現実空間と仮想空間を混合することでリアリティを構築するMR（Mixed Reality：複合現実）も含めたxR（x Reality）技術が人々の活動の場を拡張する（図表2－7）。

ARで現実空間にルートやビル内の店舗などの新たな情報をくわえて歩行者を支援したり、MRで複数の医師が患者の臓器の3D画像を一緒に見ながら手術方法を確認するなど、社会のさまざまな場面で活用されつつある。Facebookは、2014年に買収したOculusから、低価格で高性能なVRヘッドセットを発売し、FacebookコミュニティをVR空間でつなげる取り組みも進めている。後述のCXの観点からも今後の展開に注目したい。

現在実用化されているxR技術は、視覚や聴覚に働きかけるものが中心である。今後は、嗅覚、味覚、触覚も加わり、仮想空間でも五感がフル活用できるように

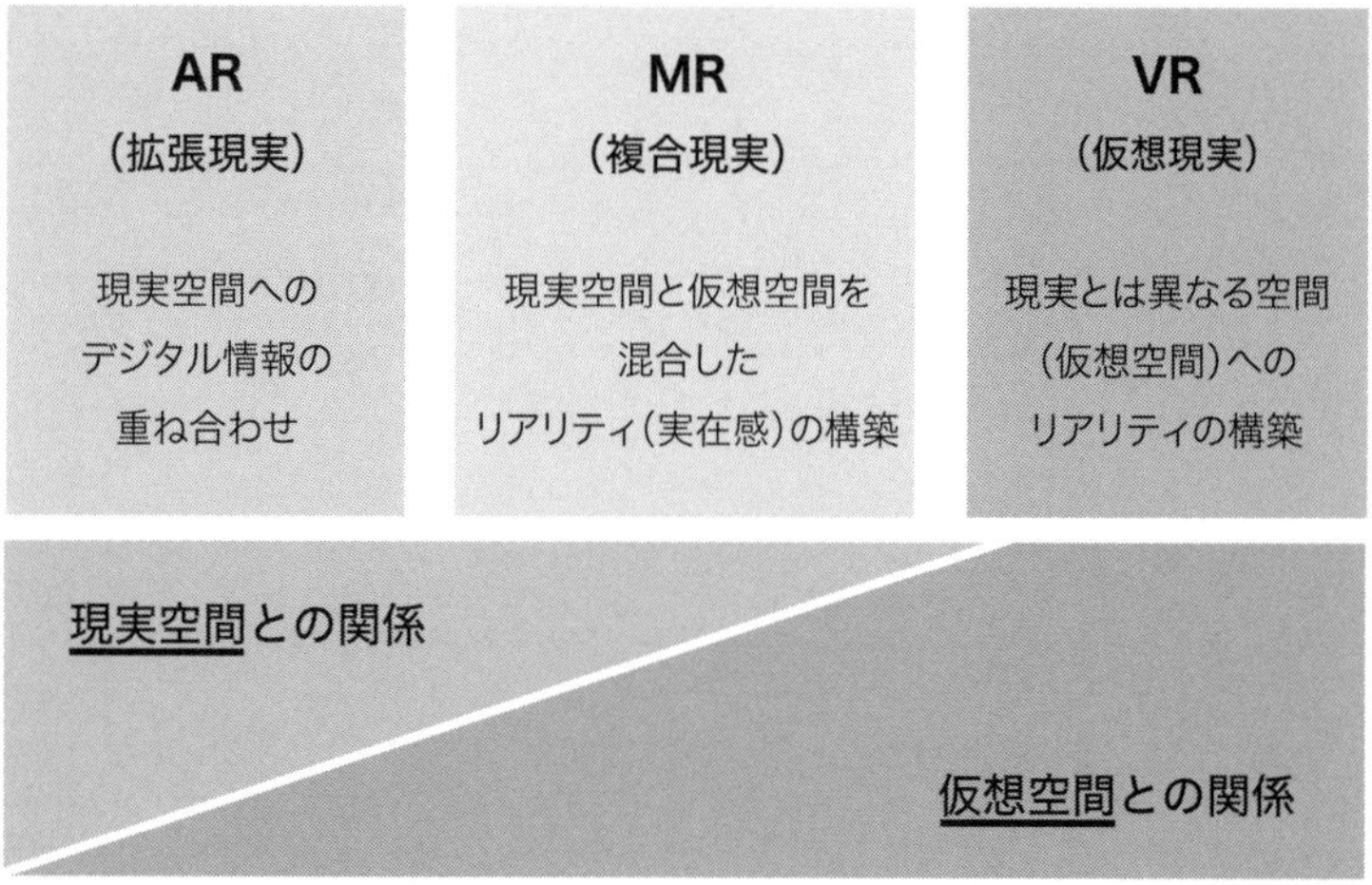

図表2-7｜xR技術の関係

出所：三菱総合研究所

なり、没入感や臨場感は現実に限りなく近づいていく。現実空間においても、仮想空間との情報の重ね合わせ、あるいは融合が進む。汎用AIとの組み合わせにより、映画『アイアンマン』で主人公のパートナーとして活躍する人工知能ジャービスのような存在の実現も夢ではなくなる。

また、テレイグジスタンス技術（遠隔存在技術）の普及が進むことで、仕事や買い物、レジャー、コミュニティへの参加など、さまざまな活動やコミュニケーションが、仮想空間上のアバターや、離れた現実空間でのアバターロボットなどの自分の分身を介して行われるようになるだろう。

人間の能力を拡張するBX

ライフサイエンスやバイオ技術を活用した人間の健康状態、能力の変革がBXだ。病気の予防や治療のほか、老化防止（アンチエイジング）や寿命延伸などもここに含まれる。

これからの50年で、平均寿命は確実に延びていく。加齢で衰えた運動機能や知覚機能を補完する技術が進化し、健康寿命も延びていくだろう。新薬開発や遺伝子治療、病気のメカニズムの解明が進めば、現在は治療法がない多くの病気も治療可能になるはずだ。

現在日本人の死因の第1位であるがんも、超早期発見や精密医療、免疫療法などの進展次第では30年以内に克服できる可能性がある。一方、克服の道筋がいまだ明らかになっていないのが認知症だ。将来的には、身体は健康だが認知機能が衰えた高齢者が増加する可能性がある。

BXを飛躍的に加速させる革新的技術の一つが、2012年に登場した第3世代のゲノム編集技術「クリスパー・キャスナイン：CRISPR-Cas9」だ。この技術によって、いままで多くの工程と時間、高度な熟練技術を必要とした遺伝子改変が、短時間で、かつ簡単にできるようになった。病気のメカニズム解明のスピードが大幅に上がり、遺伝子治療や再生医療の臨床研究も加速している。

脳科学の研究成果に技術を融合させたブレインテックも、今後の進展が期待される分野だ。治療のために脳を刺激するといった医療用途だけでなく、ソフトウエアやデバイスと組み合わせて脳の活動状態を可視化しようとする研究開発が盛んになっている。こうした研究は人と人のコミュニケーションを革新する可能性を秘めており、CXにも大きな影響を与えるだろう。

広く生命現象を扱うBXが革新するのは、人間の健康面に留まらない。ゲノム編集技術を使った品種改良で、バイオ燃料の生産効率を上げるなどのほか、栄養豊富な農作物や筋肉量の多い家畜を生み出したり、細胞培養で培養肉を生産したりするなど、環境負荷を抑えながら豊かな生活を実現する手段を開発するという面でも期待できる。

●希少疾患の治療の可能性を開く――遺伝子治療

希少疾患とは、筋ジストロフィーなど、患者数が少ない病気を指し、日本では患者数が5万人未満の疾患と定義されている。疾患ごとの患者数は少ないものの、希少疾患全体で見れば世界で約3億5000万人にも上る。患者の約50％を小児が占めていることも特徴だ。

希少疾患の多くは遺伝子の変異が原因で起きる。これまでは遺伝子を直接治療する手だてがなかったため、治療といっても、進行を遅らせたり、症状を和らげたりといった対症療法に留まっていた。しかし、近年では遺伝子治療が進展し、根本治療できる可能性が高まっている。

遺伝子治療とは、病気の治療や予防のために、健全な遺伝子、あるいはその遺伝子を導入した細胞を投与するものだ。従来の遺伝子治療は、異常遺伝子を残したまま、導入した遺伝子を体内で発現させることになるので、コントロールは困難だがリスクは低い。一方、近年活発に開発されているのがゲノム編集による遺伝子治療だ。ゲノム編集では、異常遺伝子そのものを修復するため根本治療になる可能性は高いが、意図せぬ変異を引き起こすリスクもある。

遺伝子治療のアプローチとしては、患者の細胞を体外に取り出して遺伝子を改変し、培養して再び体内に戻す「ex vivo」という技術と、改変したい遺伝子を無害なウイルスを運び屋にして体内に注入し、細胞の遺伝子を改変する「in vivo」の2種類があり、どちらの技術にも多様な進展が見られる（図表2－8）。

遺伝子治療薬のような希少疾患用の医

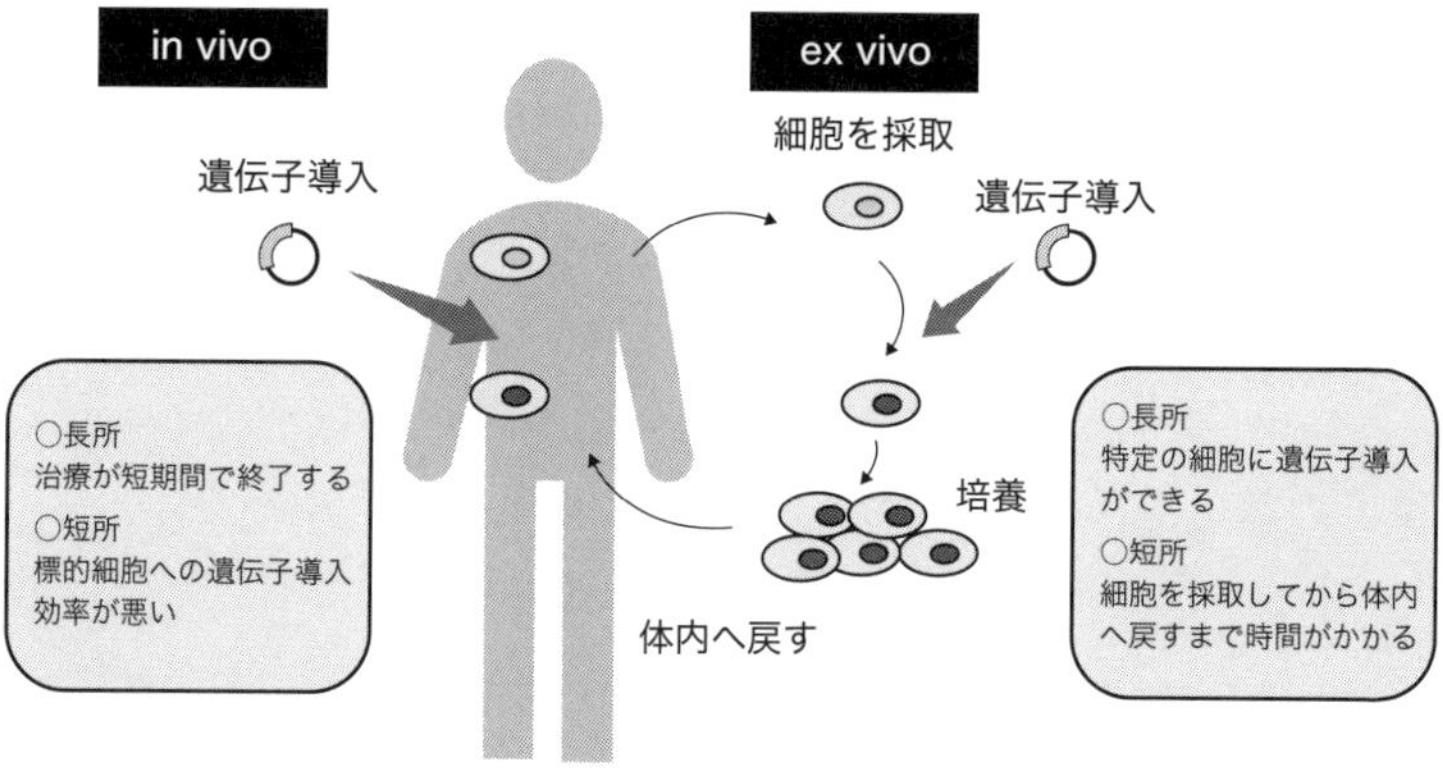

図表2-8｜**遺伝子治療技術**

出所：三菱総合研究所

薬品（オーファンドラッグ）は、どうしても通常の医薬品より少ないデータで評価しながら開発することになり、そのなかでできるだけ早期の治療法提供を目指しつつ、有効性や安全性を確保しなければならない。患者数が少ないので薬価も高額になりがちだが、企業の開発意欲とのバランスを取りながら、公的な医療制度で適切に補助していく必要がある。

●がんの早期発見と高度治療の進展――分子標的薬・免疫療法

日本人の死因の第1位であり、日本人の2人に一人がなるといわれるがんだが、検査技術や治療技術は着実に進化しており「治せる病気」になりつつある。データを見ても、1993～1996年にがんと診断された人の5年生存率が53%であるのに対し、2006～2008年に診断された人の同生存率は62%と大幅に向上している。

早期発見のための検査として実用化が期待されているのが、わずか一滴の血液や尿からがんを診断するリキッドバイオプシーだ。たとえば、胃がんならエックス線検査や、内視鏡などで検体を採取して診断する方法が一般的だが、リキッドバイオプシーなら、検体採取における身体の負担はほとんどない。さまざまな種類のがんについて研究が進んでおり、実用化は近い。

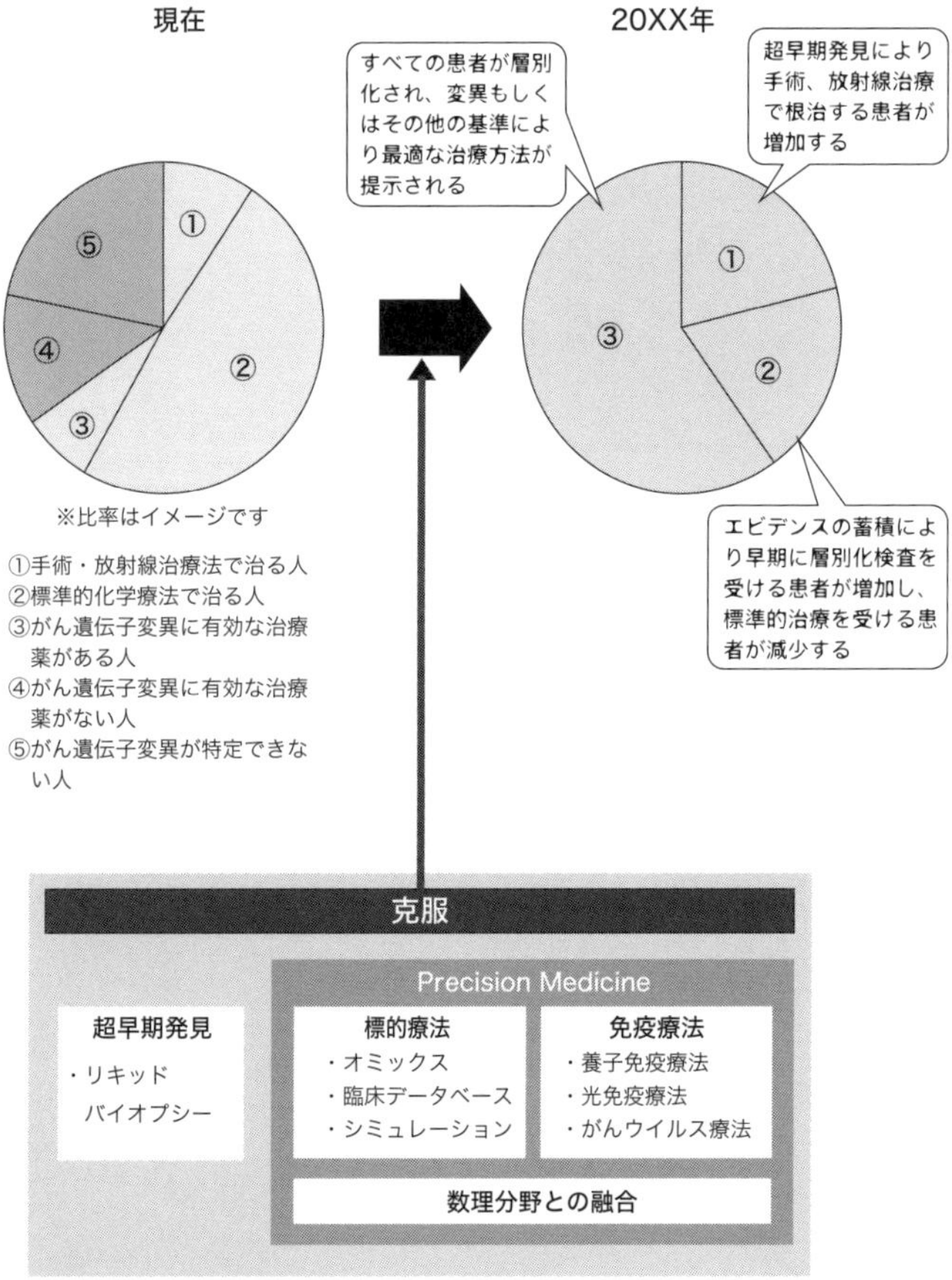
現在
20XX年
すべての患者が層別化され、変異もしくはその他の基準により最適な治療方法が提示される
超早期発見により手術、放射線治療で根治する患者が増加する
①
②
③
④
⑤
※比率はイメージです
①手術・放射線治療法で治る人
②標準的化学療法で治る人
③がん遺伝子変異に有効な治療薬がある人
④がん遺伝子変異に有効な治療薬がない人
⑤がん遺伝子変異が特定できない人
エビデンスの蓄積により早期に層別化検査を受ける患者が増加し、標準的治療を受ける患者が減少する
克服
Precision Medicine
超早期発見
・リキッド バイオプシー
標的療法
・オミックス
・臨床データベース
・シミュレーション
免疫療法
・養子免疫療法
・光免疫療法
・がんウイルス療法
数理分野との融合

図表2-9｜未来のがん治療像

出所：三菱総合研究所

がんの特定の分子を狙い撃ちする分子標的薬の開発も進んでいるが、がん細胞の遺伝子変異は多様性が高く、薬の効果の個人差が大きい。患者の遺伝子配列を解析し、一人ひとりに最適な薬剤の種類を選択して投薬のタイミングや期間を決めるオーダーメイド治療の提供が今後ますます増えていくだろう。２０１８年にはがんゲノム情報管理センターが設立され、がんゲノムプロファイリング検査によるゲノム情報と臨床情報を蓄積する取り組みが始まっている。また、自身の免疫システムでがん細胞を攻撃する免疫療法などの遺伝子治療の普及も、治療効果の向上に貢献すると考えられる（図表２－９）。

●認知症の根本治療薬に向けて――メカニズム解明

「世界アルツハイマー病レポート２０１５」（国際アルツハイマー病協会）によると、認知症患者は２０３０年までに７４７０万人、２０５０年までに1億３１５０万人まで増えると予測されており、認知症や脳疾患の治療法や新薬の開発は急務となっているが、克服の道筋はいまだ明らかになっていない。

２０１９年時点で、アセチルコリン（神経伝達物質の一種）の減少を抑える薬や、グルタミン酸が脳に与える刺激を抑える薬は使われているが、いずれも根本治療薬ではない。

根本治療薬としては「脳内に蓄積したアミロイドβの凝集が脳神経細胞を破壊することでアルツハイマー病が起こる」というアミロイドカスケード仮説に基づいて、アミロイドβを標的とする抗体薬などの開発が進められている。ただし、アミロイドβの蓄積は発症の15~20年も前から始まるものであり、その分子生物学的メカニズムはまだ未解明な部分が多い。抗体薬だけでなく、グリア細胞や免疫細胞を活性化する薬の開発、遺伝子治療でアミロイドβを蓄積しにくくする研究、iPS細胞由来の神経細胞を投与して認知機能を回復させる治療法など、さまざまなアプローチが試みられているが、根治療法の確立にはまだ時間を要する。

早期発見技術として、血液からアミロイドβの異常を測定するリキッドバイオプシーの研究も進んでいる。2019年2月に国立長寿医療研究センターは、血液マイクロRNA(miRNA)の発現情報から認知症の発症リスクを予測するモデルを構築したことを発表した。こうした測定技術と分子生物学的メカニズムの解明が進めば、いずれは認知症も、予防や治療が可能な病となるだろう。

生活習慣と認知症発症の因果関係は明らかではないが、統計的には相関関係が確認されている。根治療法ができるのを待つのではなく、DX及び後述のCXも活用した生活習慣の行動変容を促し、認知症の発症リスクを下げる社会的な取り組みも必要といえる(図表

予防に関する項目	概要	エビデンスの質	推奨グレード
運動	身体を動かすことは成人及びMCI患者において、認知機能低下のリスクを軽減させる。	中	強
禁煙	禁煙は、ほかの健康に対する好影響に加え、認知機能低下のリスクを軽減させる。	低	強
栄養	地中海性の食事は成人及びMCI患者において、認知機能低下及び認知症リスクを軽減させる。	中	条件付き
	健康的で栄養バランスの取れた食事はすべての成人に推奨される。	低〜高	強
	ビタミンBとビタミンE、多価不飽和脂肪酸は、認知機能低下や認知症リスクを軽減させるとはいえない。	中	強
飲酒への介入	有害なほどの飲酒を止めることは、ほかの健康に対する好影響に加え、成人及びMCI患者において、認知機能低下や認知症リスクを軽減させる。	中	条件付き
認知機能への介入	認知機能トレーニングは認知機能に問題のない高齢者及びMCI患者において、認知機能低下や認知症リスクを軽減させる場合もある。	極低〜低	条件付き
社会活動	社会活動が認知機能低下や認知症リスク低下に寄与するという証拠はない。	–	–
	社会参加は人の一生を通じて健康やよき生に強く関与しており、生涯にわたって社会包摂が求められる。	–	–
体重管理	肥満の解消は認知機能低下や認知症リスクを軽減させる場合もある。	低〜中	条件付き
高血圧管理	高血圧の管理は、認知機能低下や認知症リスクを軽減させる場合もある。	極低	条件付き
糖尿病管理	糖尿病の管理は、認知機能低下や認知症リスクを軽減させる場合もある。	極低	条件付き
脂質異常症管理	脂質異常症の管理は、認知機能低下や認知症リスクを軽減させる場合もある。	低	条件付き
鬱病管理	抗鬱剤が、認知機能低下や認知症リスクを軽減させるという証拠はない。	–	–
難聴管理	聴力低下に対する治療が、認知機能低下や認知症リスクを軽減させるという証拠はない。	–	–

図表2-10 | **認知症の予防に関するWHOのガイドライン**

出所：“Risk reduction of cognitive decline and dementia WHO Guidelines”（WHO）より三菱総合研究所作成

2－10）。

●老化を食い止める――アンチエイジング

老化を食い止め、若返りを実現する。そんな人類の夢をかなえる技術研究も進む。現状ではさまざまなアプローチの研究による試行錯誤の段階であり、これからの技術であるが、研究事例を紹介したい。

細胞の老化のメカニズムに関わるのがテロメアだ。細胞は分裂するたびに染色体が複製されるが、染色体の端にあるテロメアという塩基配列だけはすべて複製されず、分裂のたびに少しずつ短くなっていく。テロメアが一定の短さに達すると、細胞は分裂をやめて老化し、やがて細胞死に至るのだ（図表2－11）。

ヒト体細胞の分裂は50～60回が限界といわれるが（ヘイフリック限界）、テロメア減少のスピードには個人差があり、これが老化と関連していることがわかってきている。

細胞老化を食い止めるアプローチは2つある。一つは、細胞の分化を維持しつつ分裂回数の上限を超えること。もう一つは、細胞がケガや異物からの攻撃で傷ついても、状態が維持できるようにすることである。ＥＳ細胞やｉＰＳ細胞、エピジェネティクス、ｍＲＮ

Aなどの研究が進んだことで、実験室レベルでは細胞や動物の寿命を大幅に延ばすことに成功している。

今後は、まず安全性が高いサプリメントから研究開発が進むだろう。成分としては、希少糖やポリアミン、抗老化遺伝子（サーチュイン遺伝子）を活性化するという説があるレスベラトロール（ポリフェノールの一種）などが注目されている。

たとえば希少糖は、自然界に約50種類あるといわれる糖類だ。体内に摂取してもエネルギー源として使用されないので実質的に0カロリーで、砂糖などと一緒に摂取すると糖の吸収を抑制し、血糖値の急激な上昇を抑える効果があるとされている。希少糖の一種であるD－プシコ

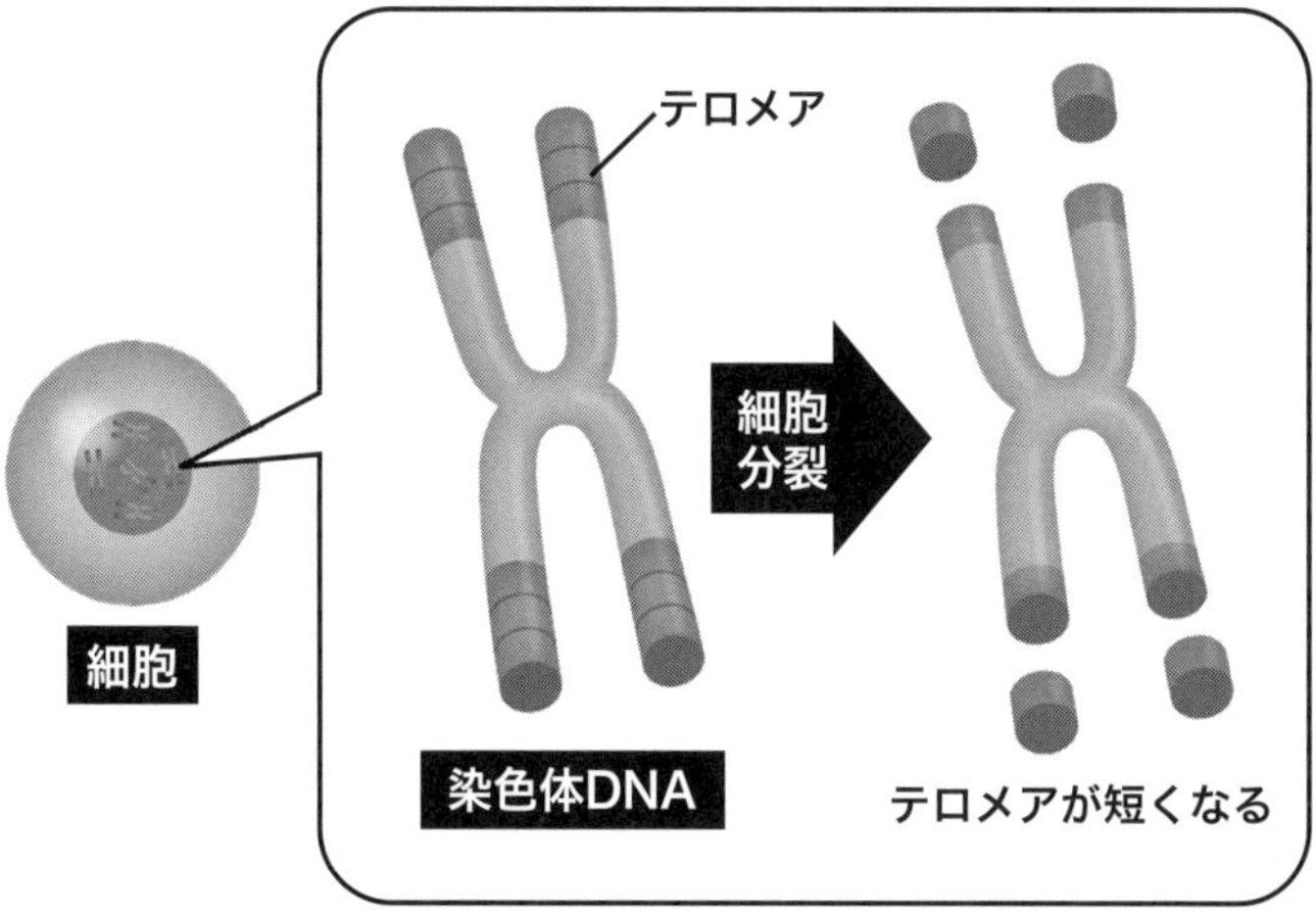

図表2-11｜細胞の老化の仕組み

出所：三菱総合研究所

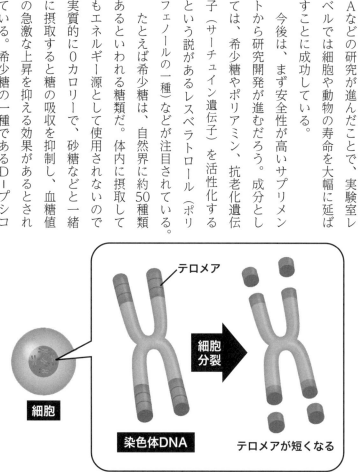

ースを線虫に与えた実験では、体脂肪の減少や抗酸化酵素の発現が観察され、抗肥満やアンチエイジングの効果が示唆されており、寿命も約20％延びることが確認されている。ポリアミンは、豆類やキノコ類、かんきつ類などに含まれる成分で、こちらもアンチエイジング効果が報告されている。

糖尿病治療薬としてポピュラーなメトホルミンや、免疫抑制剤として使われるラパマイシン、抗生物質ドキシサイクリンなどには、細胞のステータスを巻き戻す効果が期待されている。なかでも、メトホルミンは2015年に、アメリカ食品医薬品局（FDA）に「老化防止薬」という世界初の目的で臨床実験が承認されている。糖尿病治療薬として70年近い歴史があり、薬価も安いことから、効果が確認されれば非常に使いやすい薬になるだろう。

●領域を超えていく脳の技術――ブレインテック

ブレインテックは、脳科学を活用した技術の総称だ。

これまでは、脳卒中後のリハビリや失語症の治療のために脳を磁気で刺激するTMS（磁気刺激治療）のような医療用技術が中心だったが、近年では新たなアプローチの研究が盛んになっている。たとえば、ソフトウエアやデバイスで脳の状態を可視化することで、言葉を介さないコミュニケーションを可能にしたり、脳や心の意識的なコントロールを可能にするといったものだ。

ブレインテックに必要な技術は、脳を電気的または化学的に刺激する入力技術、脳波を読み取って脳活動を把握する計測技術、計測された脳波のデータを行動制御に活かすニューロフィードバック技術の3つのフェーズがある。まず計測技術が進歩して、詳細かつリアルタイムに脳の活動状態を把握できるようになれば、現状では必ずしも明らかになっていない脳への入力やニューロフィードバックの

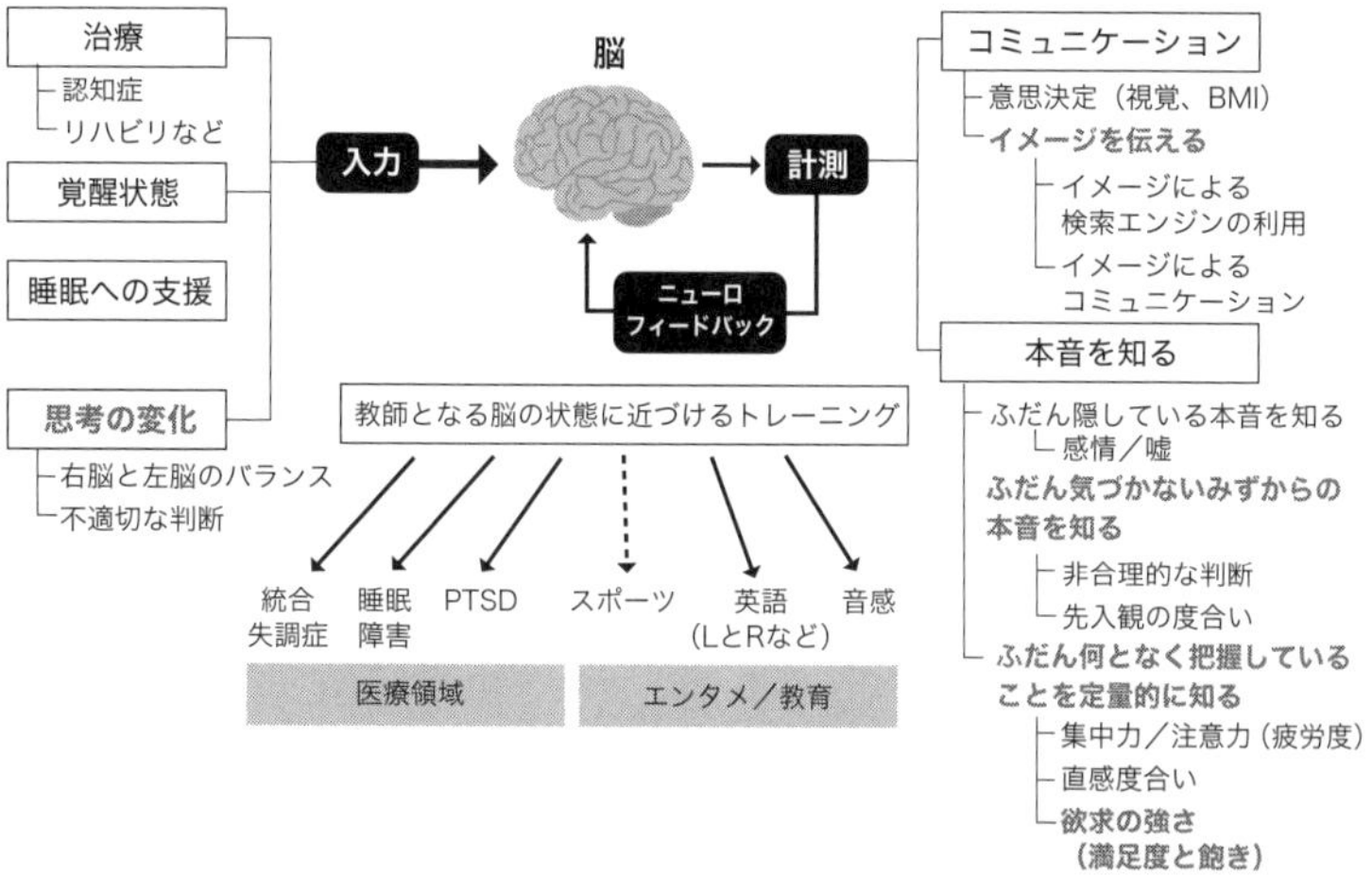

図表2-12　**ブレインテックの活用領域**

出所：三菱総合研究所

効果についても解明されていくだろう。

小型の簡易型脳波計などの機器が普及すれば、認知症や睡眠障害、統合失調症など脳と深い関係のある疾患の治療や予防のほか、病後のリハビリ、スポーツなどのメンタルトレーニングなど、さまざまな形で活用が広がるはずだ（図表2－12）。カフェインのように、気軽に気分をコントロールするツールとして使われるようになる可能性も考えられる。

CXが人と人、人と社会の関係を一変させる

DXとBXの融合によって生まれるコミュニケーション革命がCXだ。

BXの項目で触れたブレインテックなどが中核技術となり、2030年ごろには人の心や人間関係を工学的にとらえるコミュニケーションエンジニアリングが進展するだろう。

そして、将来的に脳波から感情を可視化するブレイン・デコーディングや、デジタル機器を介して触覚が伝送できるハプティクスなどの技術が実用化されれば、テレパシーやテレキネシスのような超能力を技術の力で手に入れられるようになるのだ。

また、DXの項目で触れた、AI、ロボティクス、xR技術などもCXを実現する重要

技術であり、現実空間と仮想空間を融合した人々の活動を実現する。

CXは、新たなコミュニケーションの方法を切り拓くとともに、人間関係につきものの誤解や行き違いをなくし、よりコミュニケーションを円滑にしてくれる。コミュニケーション力は、社会生活を営むうえできわめて重要なスキルであり、仮想空間での活動が主流になっても、交渉や対話はなくならない。それどころか、アバターを介した仮想空間のコミュニケーションにおいては、属性が透明化され、互いの情報が乏しい状態でやりとりしなければならないため、相互理解はより難しくなる。こうした世界では、コミュニケーションをサポートする技術はより強く求められるようになるだろう。

さらに将来的には、人と人だけでなく、動物や植物、AIとのコミュニケーションも可能になるだろう。CXによって、種を超えた共感や理解が広がっていく。

これらの技術は分野として新しく、範囲が明確に定まっているわけではない。そこで、私たちはこれらの技術を「人間・生命拡張技術」と位置づけてマッピングを試みた（図表2－13）。人間拡張、生命拡張というと、人体にマシンを接続してサイボーグ化するような技術だけをイメージしがちだが、コミュニティとともに生きてきた人類にとっては、人と人の間のコミュニケーションの可能性を広げるCXは、まさに人間の技術的な進化といえる革新なのだ。

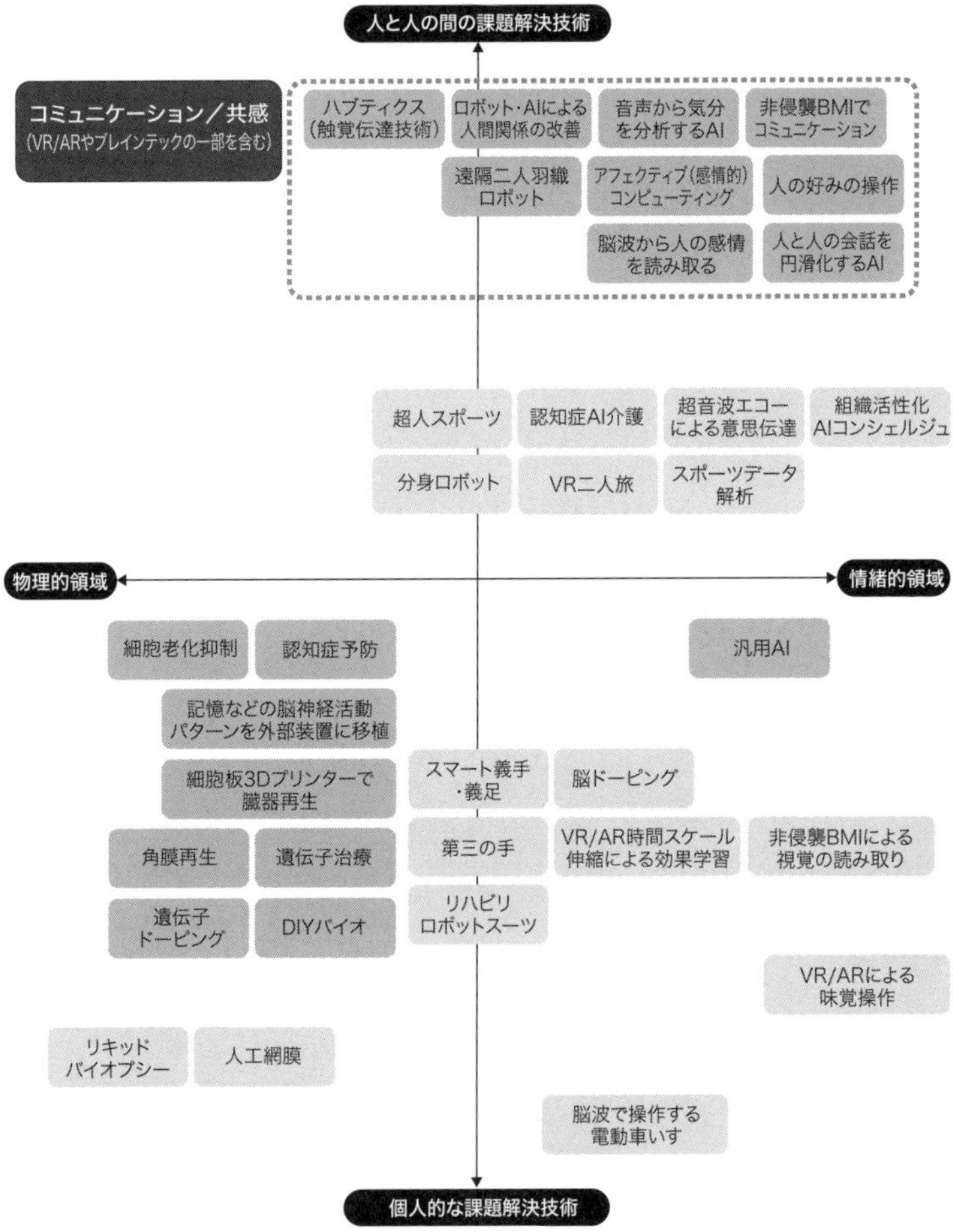
人と人の間の課題解決技術
コミュニケーション／共感
(VR/ARやブレインテックの一部を含む)
ハプティクス(触覚伝達技術)
ロボット・AIによる人間関係の改善
音声から気分を分析するAI
非侵襲BMIでコミュニケーション
遠隔二人羽織ロボット
アフェクティブ(感情的)コンピューティング
人の好みの操作
脳波から人の感情を読み取る
人と人の会話を円滑化するAI
超人スポーツ
認知症AI介護
超音波エコーによる意思伝達
組織活性化AIコンシェルジュ
分身ロボット
VR二人旅
スポーツデータ解析
物理的領域
情緒的領域
細胞老化抑制
認知症予防
汎用AI
記憶などの脳神経活動パターンを外部装置に移植
細胞板3Dプリンターで臓器再生
スマート義手・義足
脳ドーピング
角膜再生
遺伝子治療
第三の手
VR/AR時間スケール伸縮による効果学習
非侵襲BMIによる視覚の読み取り
遺伝子ドーピング
DIYバイオ
リハビリロボットスーツ
VR/ARによる味覚操作
リキッドバイオプシー
人工網膜
脳波で操作する電動車いす
個人的な課題解決技術

図表2-13｜人間・生命拡張技術のカオスマップ

出所：三菱総合研究所

●言葉を超えたコミュニケーション——ブレイン・デコーディング、ハプティクス技術

ＳＦでおなじみの「心を読む機械」の実現が近づいている。頭のなかで思い描いたイメージを脳から直接取り出す「ブレイン・デコーディング技術」だ。ｆＭＲＩ（機能的磁気共鳴画像法）で脳の活動を測定し、そのパターンから被験者の見ているものや頭のなかに思い描いているものをＡＩでデコード（復元）するという技術で、いまはまだぼんやりした画像が復元できるだけだが、脳活動センサーやＡＩが進化すれば、思い描いたままの鮮明なイメージが復元できるようになるだろう。つまり、技術によって他人の脳内を覗けるようになるのだ。

デジタル機器を介したコミュニケーションも、ますます広く、深くなっていく。現在、スマートフォンやＰＣでやりとりできるのは、文字、音声、画像、映像などの聴覚情報や視覚情報が中心だが、今後はハプティクスによって温度、圧力などの情報も伝えられるようになる。操作用グローブを介してロボットアームを遠隔操作し、遠く離れた場所にいる相手の肩を優しくもむ、といったことは技術的にはすでに可能となっている。

●相互理解をサポート――アフェクティブコンピューティング

人間のコミュニケーション能力を補う技術としては、生体反応から感情を把握するアフェクティブコンピューティングが挙げられる。ウエアラブルセンサーから取得したバイタルデータや画像、音声などをＡＩで解析して、相手の感情を評価・数値化するというものだ。表情、話し声、脈拍など、さまざまなバイタルデータの活用が考えられるが、２０７０年ごろには脳活動計測に一本化されている可能性もある。

すでに商用化されているシステムに、電通サイエンスジャムがサービスを提供

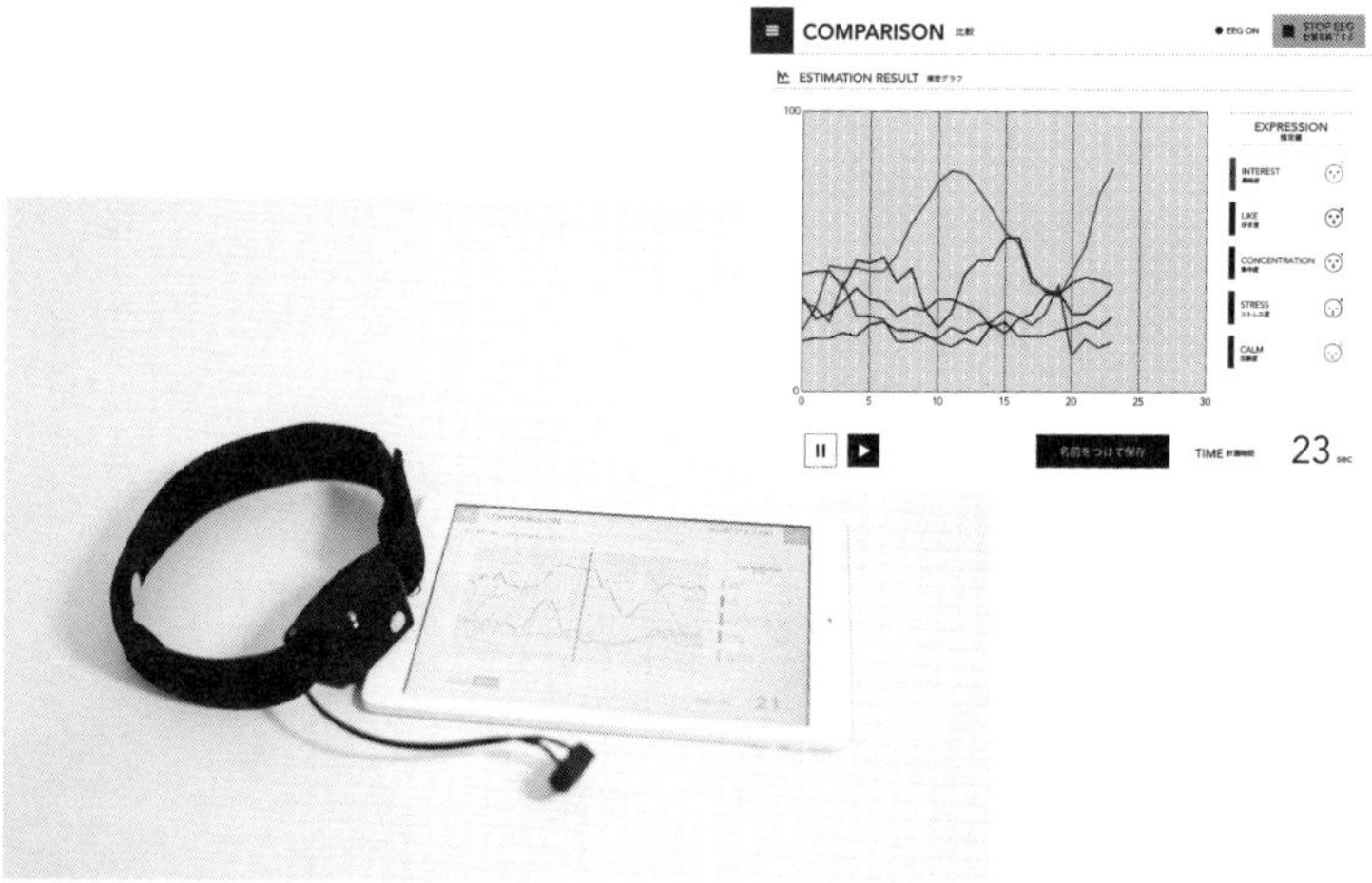

図表2-14｜感情が2次元のグラフで可視化される「感性アナライザ」

画像提供：電通サイエンスジャム

している「感性アナライザ」[1]がある（図表2－14）。小型のヘッドセットで脳波を測定し、それをリアルタイムに解析することで、その人が感じている5つの感情（興味、好き、ストレス、集中、眠気）の動きを可視化するというものだ。企業、行政、研究機関で商品開発やPRなどの実証実験に活用されている。

こうした技術が進展すれば、互いの気持ちをグラフで確認しながら議論に活かすというように、誤解のないコミュニケーションや、相互理解をサポートするツールとして活用できるようになるだろう。

感情や経験をダイレクトに共有できる可能性

CXは私たちが得られる経験の質と量を大きく革新していく。視覚、聴覚にくわえて、触覚、味覚、嗅覚を含む五感が他人と共有できるようになるのだ。

ブレインテックによって高精度な非言語コミュニケーションが実用化され、これまで理解するのが難しかった他人の考え方が理解できるようになる。さらには犬やイルカといった他種の生物の感情まで理解できるようになり、自分ごととして実感できる事象の範囲が飛躍的に拡大する（図表2－15）。

　効率よく多様な視点を得ることができ、エンパシー（共感）も形成されやすくなるため、ビジネス、文化芸術、スポーツ、研究開発など、さまざまな分野でイノベーションの創発とコミュニティ形成が活発化するだろう。

　CXは人生のありようすら変えていく。現在の動画や音声が共有できるサービスが進化し、感覚、感情や経験をそのまま他人と共有できるサービスが登場する。これを活用すれば、私たちは旅行やスポーツ、恋愛といった、他人の経験を気軽にエンターテインメントとして楽しめるようになる。だが、それだけではない。優秀な経営者の的確な意思決定、ス

	主な開発技術	
	表現技術	測定技術
経験（五感）の共有	CX 触覚を再生するディスプレイ	DX 日常的な視覚情報の取得及び、視線（注目点）の記録
感情の共有	CX 香りや音、色味の調整などで感情を修飾する技術	CX 脳の血流や脳波からの感情推定
人以外との感情・経験共有	CX 人間の五感では認識できない感覚を感じる技術	BX 脳内の化学活動をリアルタイムで計測

図表2-15｜2070年までの技術開発の道のり
出所：三菱総合研究所

ポーツ選手の俊敏な動き、熟練の職人の卓越した技なども、きわめてリアルに追体験が可能になる。これは優れた教育ツールとして機能する。これまでなら言葉による指導や、模倣、反復練習によってしか身につけられなかった高度なスキルを、自分の身体でまるごと体験し、短期間で効率よく習得できるようになるからだ。現在は、一生のうちにだいたい数種類の職業しか経験できないが、将来的には飛躍的に多様な職能が獲得できるようになり、100種類もの職業を経験するのも夢ではなくなるだろう。

動物や植物など、人間以外との経験共有も可能になる。イルカや樹木になって、海や森の生態系や環境を深く理解するといった、生物種を超越した豊かな学びが得られるようになる。ダイバーシティの議論は人間だけでなく地球生命全体が対象となり、より高い次元で多様性を受け入れる、懐の広い社会づくりにつながっていく。

人格のデジタルコピー（物事の考え方やスキルなどをコピーしたAI）が実用化された先には、複数人が意識を共有して一つのアバターを操作することも可能となる。こうした技術はこれまで一人に一つしかなかった人生が複線化するのと同時に、他者とのつながりを深いものにするだろう。

●3Xによる人間拡張技術のロードマップ

当社では、3Xに含まれる革新技術のうち、特に人間の身体能力や認知能力を拡張する人間拡張技術に着目し、今後50年間のロードマップを策定した（図表2－16）。これからの50年で、人間拡張技術には大きなブレークスルーが生まれ、人と社会のあり方を大きく変えていくだろう。そんな未来の社会像をまず描いたうえで、現時点の要素技術の研究・開発状況を踏まえ、それらの統合がどのように進み、いつ社会に実装されるかを評価したものだ。

人体とロボットの同一化技術の分野では、2040年ごろまでに人型ロボットの技術が確立し、2060～2070年にはロボットに個人の癖などを学習させて細かいカスタマイズも可能になる。そして、ロボット義肢やアバターを自分の身体と区別することなく自然に扱えるようになるだろう。

テレコミュニケーション関連の分野では、10年以内に遠隔地での対物作業が可能になり、2050年には遠隔地の物理アバターを身体の一部のように操作できるようになるだろう。そして2060～2070年には、アバターの行動履歴を元に人間をまるごとアーカイブ

技術項目	技術実装時期				
	2030	2040	2050	2060	2070(年)
人体とロボットの身体同一化技術	筋電位などによって違和感なく義肢が利用可能	人体と同サイズ、自由程度の出力を有する人型ロボット技術確立	高精細感覚フィードバック技術によるロボット義肢やアバターの操作感向上	個人の思考や癖をロボットの行動・動作に反映	人がロボット義肢及びアバターを意識しなくなる
テレコミュニケーション	遠隔地における対物作業に必要な基本機能が普及	遠隔地の対物作業を複数のアバター操作で実施	アバターを身体の一部として操作可能に	価値観による判断が不要な業務の完全自動化（BMI化の完成）	遠隔地での人の動作の複製
クロスモーダル情報技術	全方位＋奥行＋時間変化の５次元以上表現の実現	感覚代替等の技術が社会実装（感覚機能に関する障がいなどが解消）	特定の現実場面と完全に同等の体験を再現可能（研究レベル）	各感覚の精度の向上、最適化による現実と完全に同等の体験の獲得	多感覚多次元情報を最適化し装着できる技術が確立
情動を誘因する情報技術	情動に関わるデータ（匂い・味覚・周辺環境など）取得の実現	情動・感情取得の自動化の実現（教育などでの利用）	感情に合わせた香りや音・色味の調整、ホルモン投与による追体験の実現	軽量なメカニカルスーツによる全身（運動）経験の取得・共有	脳内物質分泌の可視化による他者の思考の追体験の実現

図表2-16｜人間拡張技術の未来ロードマップ

出所：三菱総合研究所・産業技術総合研究所共同研究

化し、複製して利用することも可能になる。

五感の相互作用で生まれる錯覚（クロスモーダル効果）を利用した情報技術の分野では、2050～2060年に仮想空間で現実と完全に同等の体験ができるようになり、2070年には、ウエアラブルデバイスを装着するだけで、人間の五感を超えた多感覚多次元コンテンツまで体験できるようになる。

感情共有技術の分野では、2030年には他人が感じた感覚や感情を追体験できるデータが得られるようになり、2060～2070年にはメカニカルスーツなどを装着することでプロスポーツ選手の全身運動など、高度な経験を取得できるようになり、教育やエンターテインメントなどへの活用が進む。

これらの技術進化によって身体障がいの多くは克服され、コミュニケーションは仮想空間においても、現実空間と同様に豊かなものになっていく。

3Xの社会受容へのアプローチ

ここまでさまざまな技術を紹介してきたが、技術だけでは社会の革新は実現しない。

これまで世の中になかった革新的な技術ほど、人々の生活にいかにスムーズに導入し、社会に定着させていくか、つまり「社会受容」が大きな課題となる。前節で提示したロードマップを実現させるには、２０５０年には社会導入のための方法論を確立し、10年以内に社会に浸透させていく必要がある。私たちはその重要な方法論の一つとして、ＲＲＩ（Responsible Research and Innovation：責任ある研究・イノベーション）[2]の推進を提案したい。

ＲＲＩとは技術を社会実装するための手法の一つで、研究開発とイノベーションをつないで社会課題の解決を目指すＥＵ（欧州連合）の研究助成プログラム「Horizon 2020」において推進されてきたものだ。その要点は、技術を社会に導入するに当たって多様なステークホルダーの視点を取り入れ、社会との対話を通じて受容性を高め、研究開発に反映することにある。

技術革新がかつてないスピードで進むいま、人間の自然な適応力だけで技術の進歩についていくのは難しい。社会の側から積極的に常識や倫理観をアップデートすることで受容性を高めていかなければ、スピーディーな変革を社会に根づかせることはできないのだ。

「技術の社会受容」というテーマを考えるに当たっては、歴史にも教訓がある。

「技術と倫理」が社会的なテーマになったのは産業革命以降のことだ。哲学者のカール・

ヤスパースが「第二のプロメテウス時代」と呼んだこの時代、人々は無邪気に技術の恩恵を喜ぶだけでなく、その裏の不利益にも目を向けざるをえなくなった。そして、新しい技術が登場するたびに、社会はさまざまな形でそれに反応してきた。それは大きく3つのパターンに集約される。

　第一のパターンは、社会的な合意が形成される前に技術が導入されたため、受容が追いつかず、社会に分裂をもたらすというものだ。原子力にまつわる技術開発はこの例に当てはまる。

　第二のパターンは、技術にあまりに強い規制をかけすぎて普及を妨げてしまうというもので、日本における臓器移植は

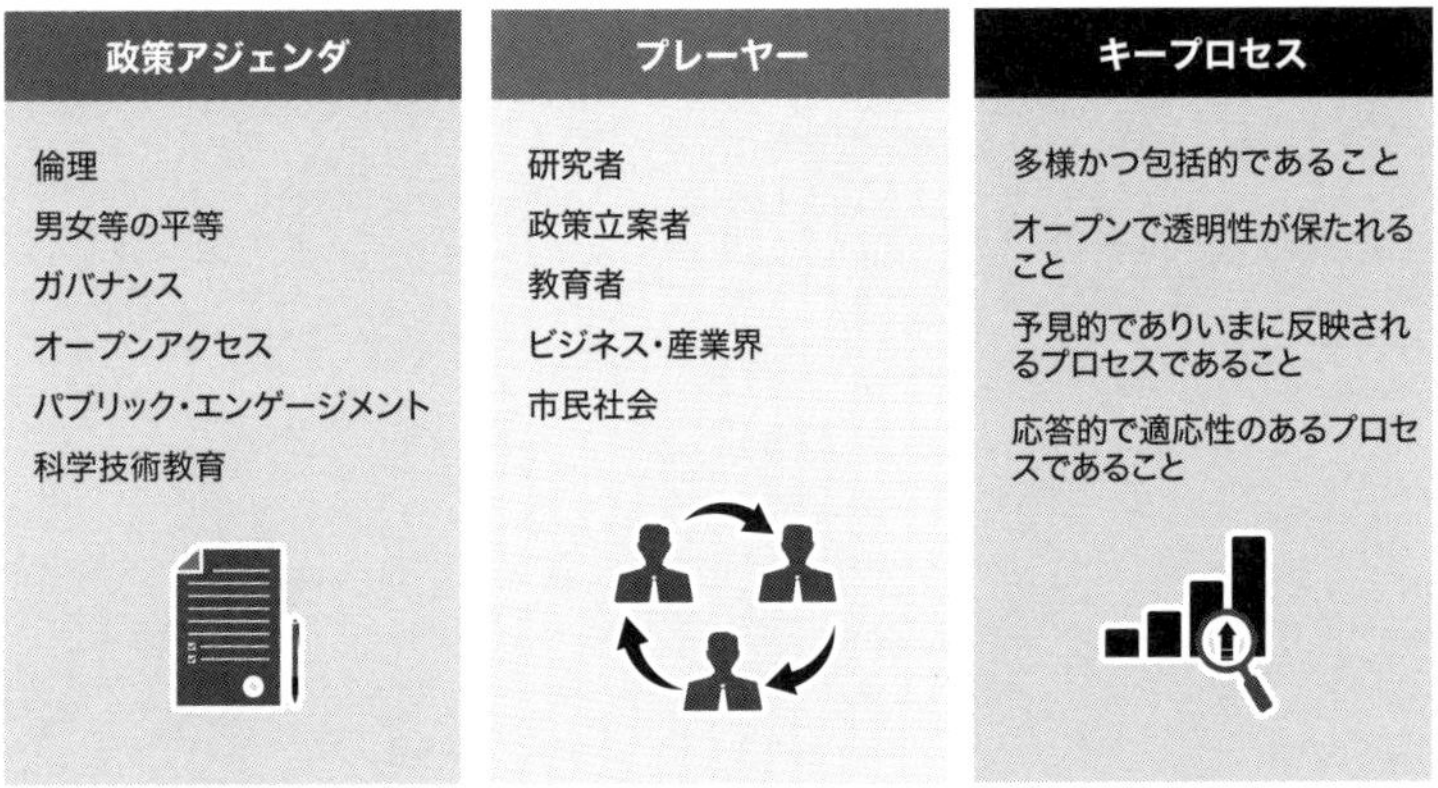

図表2-17｜RRIの概念図

出所：三菱総合研究所

これだろう。

第三のパターンは、技術の発展と同時に活用方法についての合意形成が進み、倫理コードや法規制が普及するというものだ。国際的な規制下で普及した遺伝子組み換え技術はこれに当たる。

これから導入される革新技術の社会導入において、目指すべきはもちろん第三のパターンだ。そのためには、実社会における丁寧なコミュニケーションが欠かせない。重要な方法論の一つとしてＲＲＩを取り入れ、実践していくのだ。

社会受容を成功に導くポイントは、①専門性に閉じず、多様なステークホルダーと連携すること、②歴史を参照し、反省すべきは反省すること、③技術と深い利害関係がある当事者を尊重すること、④社会的実験としてのトライアルアンドエラーを、社会として寛容に許容することの４つだ。そのためには、当該技術の専門家だけでなく、倫理学や政治学のような社会科学領域の専門家、実務家、住民・市民など、多様なステークホルダーとの対話が絶対条件となる（**図表2‐17**）。

ＲＲＩのフレームワークはテクノロジーの領域ごとにカスタマイズされ、アップデートが進んでいる。本書で扱う３Ｘを対象にするためにも、開発サイクルの速いＩＴ系の技術といかに親和性を高めるか、ステークホルダーの実務的なアクションといかに接続するか、という課題をクリアしなければならない。

コアとなる考え方の一つは、市民を未来社会共創のパートナーとして位置づけることである。現在よりも技術とより深い関係にある未来社会を考えるうえで、科学技術への市民参加は重要な要素だ。これを促進していく関連方策として、科学コミュニケーションやシチズン・サイエンスの可能性に注目したい。

前者についてはこれまでも、研究者と市民が気軽に交流できる場として研究機関が「サイエンス・カフェ」を設けるなどの取り組みが活発に行われてきた。そのテーマや対象者をさらに多様化し、研究者と市民の相互理解を促していく必要がある。後者は、市民がデータ収集や研究自体に積極的に関わる試みである。市民は関心のあるプロジェクトに参加することで、科学的知識や科学的手法を身につけながら、新たな知見を生み出し科学の発展に貢献できる。今後より効果的に実施するために、多様なテーマの設定や参加インセンティブの設計、研究プロセス・科学的成果の透明性や正当性を担保するシステムが求められる。

こうした取り組みを通じて一人ひとりが生活のなかで科学技術を「自分ゴト」としてとらえられるようになれば、自分にとって望ましい未来について具体的に思考するスキルが伴っていく。３Ｘが社会に導入された将来の新たな責任分担の枠組みなど、社会の仕組みも積極的に議論していけるようになる。最終的には、研究者／市民という区分自体もなくなっていくことになるだろう。

1　電通サイエンスジャムによる「感性アナライザ」紹介ページ
https://www.dentsusciencejam.com/kansei-analyzer/
2　EUによるRRI-PRACTICEプロジェクト紹介ページ
https://www.rri-practice.eu/

第3章

未来のコミュニティ「共領域」

革新技術がもたらす新しいつながり

未来社会を創造するうえで3Xと並ぶキーファクターとなるのが、コミュニティのアップデートだ。

人類は、その長い歴史のほとんどの期間を、食べるため、生き抜くために暮らしてきた。共同で農耕・牧畜にいそしみ、寄り添って生きる拠り所として、地縁、血縁で強固につながったコミュニティを育み社会を形成してきた。産業革命以降は、経済的・物質的に「もっと豊かになりたい」という欲望を駆動力に、企業に代表される経済活動のためのコミュニティが、人々の安定した生活を支えるつながりとして発展してきた。

しかしいま、世界じゅうの人と人がつながることを可能にしたインターネットが普及する一方で、旧来のつながりはどんどん希薄になっている。新型コロナウイルス感染症の感染拡大は従来のつながりに大きな制約を課し、その流れを加速させている。都市から地方へ、現実空間から仮想空間へ、他律的な組織から自律的な個へ——。自律分散化はさまざまなレベルで進み、もはや止めることのできない大きなトレンドになっている。

自律分散化は、未来社会の構築のための重要な要素だ。3Xで一人ひとりの活動範囲やネットワークが広がれば、特定の組織や地域に活動の場を固定する必要はなくなる。しかし、単純にバラバラの個と個がインターネットによってつながるだけでは、いわゆるフィルターバブルやエコーチェンバーといったタコツボ化が危惧される。さらに、すでに顕在化している孤立や孤独、社会的な分断を加速しかねない。

こうしたテクノロジーの負の側面を抑えるためには何が必要だろうか。そのヒントを、コロナ禍においてDXにより先駆的に感染拡大を抑え込んだ台湾の事例に求めたい。

新型コロナウイルス封じ込めの最適解を探して各国が右往左往するなか、台湾の動きは速かった。WHOの新型コロナウイルス確認の発表（2020年1月12日）を待たず、1月1日にいち早く渡航者への検疫を厳格化する水際対策を実施。「マスクマップ」や医療情報チャットボットの提供など、デジタルテクノロジーを駆使した独自の対策を矢継ぎ早に打ち、ロックダウンや外出制限といった強権的な措置を取ることなく、感染拡大の抑え込みを成功させた。

一連の政策で中心的な役割を果たした台湾行政院のデジタル担当政務委員オードリー・タンが、40代の天才肌の元プログラマーということもあり、ともすれば「テクノロジーの力が魔法のように課題を解決した」ような印象が抱かれがちだが、核心は別にある。その著書『オードリー・タン デジタルとAIの未来を語る』（プレジデント社、2020年）で本人が繰り返し強調するのは、現職に就任した2014年以来、バラバラの論理で動く縦割りの組織に「共通の価値」というブリッジをかけて新しいつながりをつくってきたからこそ、いざという時にデジタルの力をポジティブかつスピーディーに活かすことができた、ということだ。

インターネットには国境がないため、「国家」という概念は存在しませんが、これらの仕事（※引用者注　著者が政治の世界に入る前に従事していたインターネット上の規制づくりなどの仕事を指す）はすべて政治のようなものでした。現在のデジタル担当政務委員の仕事も、それと同じようなものだと私はとらえています。

（※引用者注　政務委員の）要請を受けた時、「面白い」と思いました。社会には様々な立場があり、私が目指す公益を達成するためには、共通の価値観を見つけていく必要があります。ところが、そのような仕事を行っている人は、いままでだれもいませんでした。

行政院には三十二の部会があり、それぞれトップがいます。しかし、一つの部会では解決できない問題もたくさんあります。そういう時には部会間の異なる価値を調整する人間が必要になります。それを行うのが、政務委員です。

私の仕事は非常に明確で、様々な異なる立場の人たちに対して、共通の価値を見つけるお手伝いをすることです。いったん共通の価値が見つかれば、異なるやり方の中から、みなさんが受け入れられるような新しいイノベーションが生まれます。

どんなに素晴らしいテクノロジーがあろうと、それを使う人間が劣化した価値

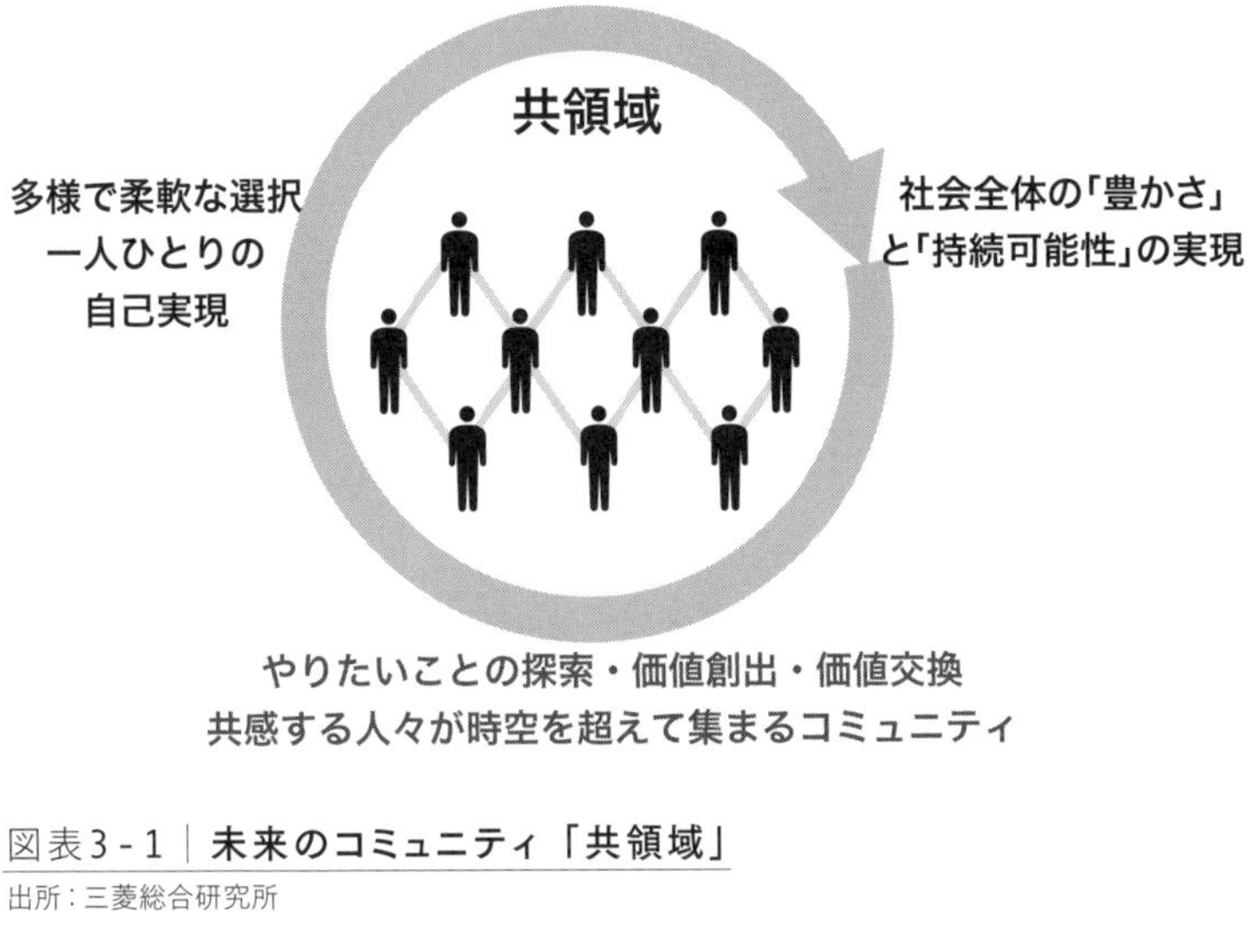

図表3-1 ｜ **未来のコミュニティ「共領域」**

出所：三菱総合研究所

観に縛られたままでは、より高次の目的を達成することはできない。3Xが、自由で多層的なつながりを可能にしつつあるいまこそ、人々をつなぎ、新たな価値を生み出す未来のコミュニティを築き上げることが重要だ。私たちはそのつながりを「共領域」と名づけた。

前章で述べた3Xが人と社会の自律分散化を強くドライブする役割を担うとすれば、共領域は、新たなロジックで社会の各要素をつなぎ直し、協調に向かわせる仕組みといえる。言わば、個を調和させるための新たなる共の創造である（図表3－1）。

豊かさと持続可能性の両立に不可欠な自律分散・協調は、3Xと共領域の2つを組み合わせてこそ完成するのだ。

共領域を成立させる3つの要素

共領域は、3Xによってもたらされる「増える時間」「広がる空間」「多様性の包摂」という3つの変化により従来のコミュニティをアップデートする。

第一に「増える時間」だ。将来においては平均寿命が大きく延伸するだけでなく、心身ともによい状態で活動できる健康寿命が延び、人生の活動時間は大幅に増える。そのうえ、技術革新に伴って、機械やAIによる労働代替が進み、職業的なスキル習得も大幅に効率化される。義務としての労働時間も、そのために費やされていた学習時間も大幅に減り、人間的な活動に取り組むための時間が大幅に増える。こうした新たな時間の増加は、活動の多重化、すなわちマルチアクティビティ実践の基盤となる。

第二は「広がる空間」だ。いままで現実世界だけで行われてきた仕事や活動の多くが仮想空間でも可能になれば、働くにせよ、学ぶにせよ、遊ぶにせよ、地理的な隔たりを意識する必要がなくなる。どこに暮らしていても望む活動に取り組めるようになるのだ。移動そのものを目的とする「旅」などを除けば、手段としての移動は減っていく。現実と仮想が結合されて空間が広がれば、一人の人間が複数の場、異なる役割で同時に活動できるようになる。一方、現実空間の価値は必ずしも低下しない。私たちは、仮想空間での活動の自由を担保に、いまこの瞬間に、最もリアルに体験したい場に現実の身体を置く自由を手に入れる。

第三は「多様性の包摂」だ。インターネットは、地縁、血縁、社縁といった所与の参加資格を持たない人にも多様なコミュニティの門戸を開く。仮想空間のアバターを利用すれば、性別や年齢、種《しゅ》さえも超えて「なりたい自分」になれる。現実空間でも、人間拡張技術やAIによる同時通訳、コミュニケーション支援などのテクノロジーが、年齢や性別、障がいの有無、言葉の違いなどの差異を打ち消し、個人の多様性を許容していく。3Xにより多種多様なコミュニティが創出され、同時に複数のコミュニティへの所属、つながりが当たり前になるなかで、一つのコミュニティの価値観に偏らない、より共通的かつ包摂的な価値観が形成されやすくなる。

こうした変化は、人と社会の両面でコミュニティの形を大きく変える。人は100歳時代の人生の各ステージでコミュニティに関わる時間や機会が増え、複数のコミュニティに参加することで役割も人格も多重化していく。社会には地理的、文化的に距離のある人や多様な文化を抱え込むコミュニティが増え、地理的、文化的に離れた人と人との結合が各所で生まれ、世界全体として異文化への理解が深化し、共創の機会が増え、イノベーションが活性化する。

多種・多数のコミュニティとつながる個人

共領域には、①一人ひとりがやりたいこと（自己実現）を探すことができ、②人々が協調して価値を生み出すことができ、③その価値を社会において提供・交換できる、という

3つの機能が不可欠であると考える。

第一の機能はやりたいことの探索だ。DXによって構築される共領域のプラットフォームは、現実空間内（都市と地域間など）、そして現実空間と仮想空間の自由な行き来が可能だ。旧来のコミュニティのように場所や時間、言語や映像といったコミュニケーション手段に縛られず、だれもが多様なコミュニティに自由に参加できるようになる。これまで発揮する機会のなかった潜在能力を活かすチャンスが大きく広がる。

第二の機能は価値の共創だ。BXやCXは、他者との経験や感覚の共有を実現し、自己の内なる動機の発掘や仲間づくりを後押しする。そして、趣味の範囲に留まっていた個人の活動を社会価値に変換するトリガーとなる。共領域は、無数のイノベーションの母胎となるだろう。

第三の機能は価値交換だ。さまざまな価値を生み出す共領域の内部に、DXを活用して地域通貨や代替通貨を用いた経済圏となるトークンエコノミーの仕組みを実装すれば、社会活動のように貨幣価値に換算しにくいモノやコトの交換も容易になる。これまでは採算性がボトルネックとなり、経済価値と社会価値のバランスでしか実現しなかった社会活動が活性化する。

もちろん、未来社会においても、血縁、地縁、社縁に基づく従来のコミュニティがなくなるわけではない。しかし、無数のコミュニティから個人が自由に所属先を選べるようになれば、従来のコミュニティは唯一絶対の存在ではなくなり、共領域の一つとして相対化される。消滅するのではなく、3Xと共領域によってアップデートされるのである。

未来に向けて変わる人と人

共領域が発達した世界では、従来の固定化されたコミュニティではなく、一人ひとりが自分の意思と適性に応じて属するコミュニティを選ぶことができ、自分に属性や役割をいくつもタグ付けすることが可能となる。そしてそれは場面やライフステージによって自由自在に切り替えられる。タグ付けは自分が大切にする価値観の数だけ可能であり、それは増やすことも減らすことも自由だ。人と社会の接点は無限に広がり、そこから創出される価値も限りなく豊かになっていく（図表3－2）。

コロナ禍では、社会にさまざまな変化が起きた。現実空間での行動が制限されたことで仮想空間への移行が後押しされ、自律分散が加速しただけでなく、企業の社会的責任がクローズアップされ、医療従事者をはじめとするエッセンシャルワーカーが注目され、限りある人的・物的資源の適切な配分に社会的関心が集まった。協調への志向が確実に高まっているのだ。この流れを過去に戻さず、共領域を通じて、個人の活動をつながりの力で発展させていくことが未来社会実現のカギといえる。

現在のオンラインコミュニティが、ナショナリズムや差別の温床となるなど、むしろ多様性を排除するとともに、分断・格差を招いていることは事実である。

一方で、我々の目指す共領域は、生存や経済活動といった単一の目的を達成するために同質性の高い構成員が同一平面上に集うものではなく、自律分散して生活する個人が、豊かさや持続可能性といった大きな社会目標を共有するとともに

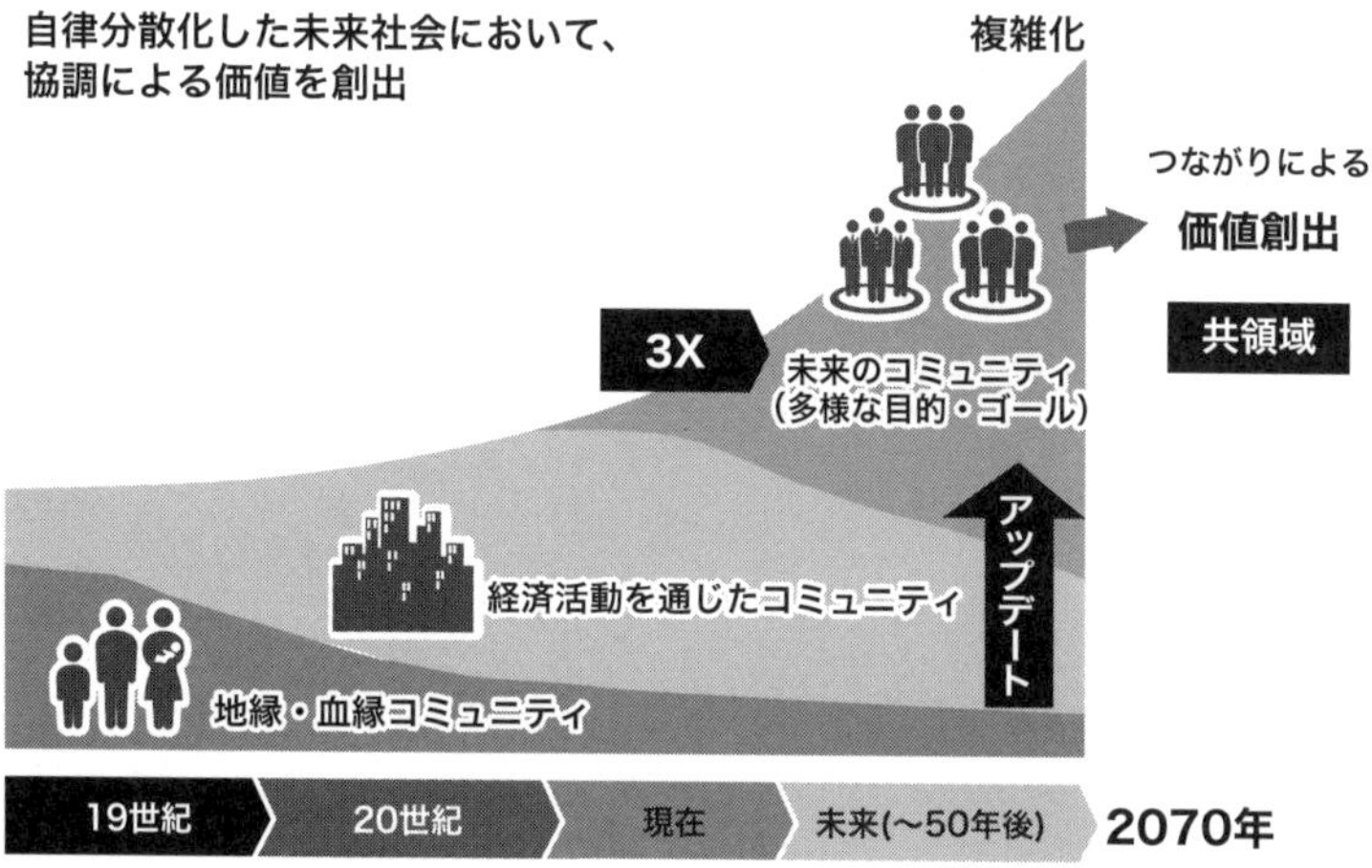

図表3-2｜**共領域の形成**

出所：三菱総合研究所

各々が社会との接点を持ち、すべての人が包摂され、共創により社会を発展させるものである。

人と人のつながり方は固定的でなく弾力的、柔軟なものとなり、活動の場は現実と仮想の両方にまたがる。コミュニティを運営するためのルールは上から押しつけられるのではなく、メンバーが共有する大きな目標達成のための最適解を志向することで自然発生的に形成されるようになる。果たすべき役割も、与えられるのではなく自分自身がつくっていくものとなる。そこで創出された価値はだれかが独占するのではなく互恵的に活用される。自律分散した個に、協調して価値を創出させるための仕組みといえる。

共領域が萌芽する3つのコミュニティ

前に述べたように、未来のコミュニティ「共領域」は、やりたいことの探索、価値の共創、価値の交換という3つの機能を備え、現実と仮想が横断する場に3Xを駆使して構築される。こうした条件をすべて満たした共領域はまだ存在しないが、現状のテクノロジーを活用して、新たな価値を生み出しつつあるコミュニティは世界のあちこちに萌芽している。

そこで本節では、第1章に掲げた5つの目標と関連が深く、今後、共領域としての発展が期待される3つの事例を紹介したい。

●「健康」の価値を共創するコミュニティ——弘前大学COI

ウェルビーイング実現の基盤となるのが健康だ。健康を軸に、価値共創に取り組むコミュニティがある。弘前大学を拠点に、青森県弘前市で15年以上も続く「啓発型健診」と、その健診で蓄積したビッグデータを核にオープンイノベーションを推進している健康増進プロジェクト「弘前大学COI」だ。

青森県は平均寿命の都道府県ランキングで最下位、つまり日本一の短命県である（2020年時点）。その背景として、喫煙率や飲酒率の高さ、肥満の多さ、健診受診率の低さなど、生活習慣におけるさまざまな問題点が指摘されてきた。短命県を脱するために、県民の健康リテラシーを高めなければならない。そんな目的意識の下、弘前大学が2005年に始めた住民向けの健康診断がこのプロジェクトの発端となっている。

健康診断といっても、その規模と詳細さは一般的な健診の域を大きく超えている。ゲノム解析データ、体格や体組成などの体力データ、腸内・口腔内細菌叢、代謝産物などの生化学データ、睡眠や食事などの生活習慣データにくわえ、労働形態や家族構成などの社会的環境まで網羅する2000項目以上が約1000人の県民から毎年集められるのだ。これまでに収集された健診データは延べ2万人分を超え、世界にも例のない充実した健康ビッグデータを形成している。これだけのデータを毎年集め、ビッグデータ化することに参加者が賛同しているのは、健診データが集積・分析されることで新たな価値創出につながることを理解しているためである。

2013年には、イノベーション創出を後押しする文部科学省のCOI（センター・オブ・イノベーション）プログラムに採択され、大学、企業、研究機関が多数参画。2018年には、産学官民が連携する拠点施設として、弘前大学内に「健康未来イノベーションセンター」がオープンし、病気のリスク因子の特定や新たな予防法の開発、認知症や生活習慣病を予測するアルゴリズム開発など、多領域にまたがる研究が多様なプレーヤーの連携で進められている。すでに参画企業から製品やサービスが続々と誕生しており、ヘルスケア関連のオープンイノベーションの一大プラットフォームとなっている。

京都府立医科大学（京都府）、和歌山県立医科大学（和歌山県）、九州大学（福岡県）、名桜大学（沖縄県）を中心に、全国の研究拠点とのデータ連携も進んでおり、地域の壁を越えた研究・開発コミュニティとしても拡大中だ。

これらの成果を活かした市民啓発も盛んだ。地域、職場、学校などさまざまな場所で、健康に対する意識の向上、行動の変容が熱心に進められているのだ。さらに、これまでは受診して結果を知るだけだった健康診断を、より健康になるための行動変容を促すものへと進化させるべく、健診と啓発を2時間程度にパッケージしたプログラムを独自に開発。国内はもとより、2019年にはベトナムにも啓発型健診を紹介するなど、国際的に普及させる活動も始まっている。

健康という目的を共有する人や組織がつながって、さまざまなステークホルダーと協調しながら、DXで新たなソリューションや産業を創出し、BXとCXの進展を駆動していく——。弘前大学COIに見られるダイナミズムは、まさに共領域的だ。

もう一つ指摘しておきたいのは、ここで蓄積されているビッグデータは基本的に健康な人のものであり、ここから生まれる研究開発やビジネスは病気の治療よりも、予防や、より高い健康状態への向上が志向されている点だ。本プロジェクトにおいて「健やか力」と名づけられているこの概念は、第4章で詳しく紹介する「攻めの健康」と軌を一にしたものといえるだろう。

●現実以上の「つながり」を生む仮想コミュニティ――あつまれ どうぶつの森

つながりを豊かにするコミュニティは、仮想空間において活発に萌芽している。特に、現実の活動が大幅に制限されたコロナ禍で活況を呈したコミュニティといえば、オンラインゲームだろう。

ニンテンドースイッチ用のゲームソフト「あつまれ どうぶつの森」、略して「あつ森」は、その代表格だ。無人島で、季節の移ろいや自然を愛でながら「どうぶつ」たちと交流してのんびり暮らす……。そんなスローライフを楽しむこのゲームは、2020年3月に発売され、11月には世界累計2604万本を売り上げている。

まっさらな無人島に移住したプレーヤーは、まずはテント暮らしから始め、道具をつくったり、家を建てたり、文化施設やショップを開いたりしながら、島の暮らしを充実させる。そして、ほかのプレーヤーが暮らす島とも行き来して、交流が広がっていく。

「あつ森」が世界じゅうで大ヒットし多くのプレーヤーを魅了した大きな理由の一つが、多様性に富んだ世界観が設計されていることだ。ゲーム内で自身を表すアバターは、LGBTを含む現実の性別や年齢、国籍や人種に縛られず、肌の色も、髪型も、服装も思うままにカスタマイズできる。そして、実に多種多様なプレーヤーがそれぞれの個性を発揮しながら、争いのない平和な暮らしを楽しむことができるのだ。

地域文化もゲームのなかに息づいている。プレーヤーは、季節ごとにさまざまな限定アイテムを入手できるのだが、たとえば2021年の正月には注連飾りや鏡餅といった日本文化由来のアイテムにくわえ、ロシアの新年メニューである「オリビエサラダ」、韓国の伝統的なおもちゃ「ユンノリ」など、世界各地のアイテムが登場した。些細なことのようだが、こうした経験の積み重ねが、異文化・多文化理解にもたらす影響は小さくない。現実社会では遅々として進まない多様性の包摂が、仮想社会で先んじて実践されているのだ。

実在の人間にひもづけられたプレーヤーだけでなく、AIがコントロールする「どうぶつ」たちとのつながりが構築できるのも「あつ森」の魅力だ。「どうぶつ」は、一緒に遊ぶ仲間であるだけでなく、ほかのプレーヤーとのつながりをサポートする役割も果たす。これにより、第5章で紹介する人間以外の他種との感情・経験共有の萌芽となる。また、第6章で詳述するAIと共生する未来も先取りしているといえるだろう。

「あつ森」以外にも、コロナ禍で勢いを増す仮想世界のコミュニティは多く、まさに百花繚乱だ。

たとえば人気のオンラインゲーム「フォートナイト」（エピックゲームズ）は、現実に代わって映画上映やライブなどのイベントを開催する場としても注目を浴び、2020年にプレーヤー数が3億5000万人を突破している。

「VRChat」も、利用者数が急伸しているサービスだ。利用者が3Dアバターの姿で交流する、言わばVR版のSNSだが、人気の秘密はコミュニケーションツールとしての面白さだけではない。VR技術を活用したゲームやアプリなどの自作のコンテンツを自由に公開できる場、つまり価値の共創と交換、イノベーションを誘発するVRプラットフォームとしても活用されているのだ。

2000年代初頭に大ブームを巻き起こした仮想空間プラットフォーム「セカンドライフ」(リンデン・ラボ)も、現実世界で大幅に制限されたパーティ、会議、セミナーなどが活発に開催されるようになったことで再び注目されている。

セカンドライフは、その名の通り「第二の人生」を謳歌できる仮想の場として構築されているため、行動の自由度が高い。与えられた設定のなかで受動的に遊ぶゲームとは異なり、より能動的に他者と交流でき、土地や家、家具や衣服などの財も(デジタルコンテンツという制限がつくとはいえ)個人で所有できる。クリエイティブな活動をするのも、そこから生み出されたモノやサービスを売買するのも自由だ。こうした「新たな経済圏」としての側面は前回のブームでも注目されていたが、テクノロジーがコンセプトに追いついていなかったこともあり、十分な発展に至らなかった。しかし、今後は3Xをドライバーとして大きく成長する可能性がある。

3Xで現実空間と仮想空間がより高度に融合すれば、こうしたコミュニティはさらに発展するだろう。VR・AR技術の進化で、仮想空間の体験はさらにリアルになり、仮想空間に再現された街で「デジタル住民」として違和感なく暮らせるようになる。一方で、アバターロボットを遠隔操作すれば、遠く離れた街でリアルに活動することも可能だ。こうした現実と仮想の共進化は、安全安心の実現のためにも、きわめて重要な要素といえる。

●地域を豊かにする互助・互恵コミュニティ——地域通貨キームガウアー

ミュンヘンから約80キロメートル。ドイツ南部のバイエルン州に、風光明媚な観光地として知られるキーム湖がある。この湖の周囲を中心に約50キロメートル四方、約50万人が暮らす地域で流通している地域通貨が「キームガウアー（Chiemgauer）」だ。

いまやドイツ最大の地域通貨となっているが、元は地元の高校教師のクリスチャン・ゲレリとその生徒たちが、学校の設備の更新資金を集める仕組みとして考案したものだ。キームガウアーは2003年1月に初めて発行された。

キームガウアーはユーロと等価交換でき、貨幣価値もユーロと同じだ。消費者は100ユーロで購入した100キームガウアーを、地域の商店で100ユーロと同じように使うことができる。発行元はキームガウアー事務局だが、販売するのは地域で活動するNPOだ。NPOは事務局から97%の掛け率でキームガウアーを仕入れ、販売で得られる差額の3%を活動費に充てられる。消費者は、活動を応援したいNPOからキームガウアーを買うだけで、自然と寄付できるというわけだ。キームガウアーをユーロに両替する場合は5%の手数料がかかり、うち3%は地域振興に、2%は事務局の運営に使われる。

この仕組みのポイントは、関わるだれもがメリットを享受できることだ。地元の商店は売り上げを増やすことができ、NPOは活動資金を得られ、消費者は自分が暮らす地域をよくする活動に気軽に参画できる。そして、消費を地域内に囲い込むことで地域経済が活性化し、地産地消が促進される。つまり地域の豊かさが増すのだ。まさに、第6章で述べる自己実現の基礎となる社会的な互助・互恵システムの一例といえる。

ユーロのような中央集権的な法定通貨が「量的成長」に重きを置いた貨幣システムだとすれば、キームガウアーのような自律分散的な地域通貨は「質的成長」と親和性が高い。また、地域の循環経済により、住民、地域団体、事業者といった地域のステークホルダーのつながりが強まれば、一人ひとりのウェルビーイングも向上していく。

発行されたキームガウアーの流通スピードを上げる工夫として、3カ月ごとに2％ずつ価値が減っていく「減価」の仕組みが組み込まれているのも大きな特色だ。財布に入れたまま使わないでいると、3カ月後には100キームガウアーが98キームガウアーに、6カ月後には96キームガウアーへと価値が減っていくのだ。そのため、人々はキームガウアーを貯め込まずに、活発に消費する。減価する貨幣を運用するには、紙幣ごとに使用期限を設けたり、減価後の額面をスタンプで示したり、といった煩雑な処理が必要になるのがネックだが、DXを活用して電子マネーを導入すればそれも自動化できる。キームガウアーも2006年に電子マネー化されている。

2020年10月には、CO_2排出抑制につながる消費行動にポイントを付与する「環境ボーナス制度（Klimabonus）」も始まった。データを活用して環境配慮行動にインセンティブを与えるこの仕組みは、持続可能性の実現に欠かせない。多くの地域通貨プロジェクトが長続きしないなか、キームガウアーの持続的な発展は注目に値する。第8章で紹介する「データに基づく行動変容」の実践の一つといえるだろう。

共領域の創出と実践への試み

当社も、共領域の創出を企業活動の大きなテーマとして取り組んでいる。

たとえば、都市と地方を結ぶ共領域として、2017年から提唱しているのが「逆参勤交代」だ。主に企業に向けて、地方での期間限定のリモートワーク制度の導入を促すもので、移住や転職となるとハードルが高いが、数週間程度のリモートワークなら気軽にチャレンジできる。江戸時代の参勤交代が、都市に新たな人の流れを呼び込んだように、逆参勤交代は、地方に「観光以上、移住未満」の関係人口を増やし、交通機関や宿泊施設などの地域インフラの稼働率を高めて地域を活性化させる。

2018年から2020年にかけて、ビジネスパーソンのためのキャリア講座を開講する「丸の内プラチナ大学」のプログラムとして、北海道上士幌町や長崎県壱岐市など6市町村で「トライアル逆参勤交代」の実証実験を行った（図表3－3）。2泊3日という短いものだったが、リモートワークの体験、地域課題を発見するフィールドワーク、そして地域のキーパーソンとの交流を実施した。コロナ禍の2020年は、玄界灘の離島、壱岐からは朝市をリアルタイムで動画配信したところ、地元の高齢者が野菜や魚のおいしさを語るとオンライン上で注文が殺到。動画の手ブレに気づいた東京からの参加者が、自社の動画制御技術の提供を提案するといったやりとりも生まれている。ほんのわずかな交流であっても、新たなつながりを構築すれば、思わぬ化学反応は起きる。近年は「ワーケーション」が注目されているが、ワークとバケーションを接続するだけでなく、コミュニケーション（交流）、エデュケーション（学び）、コントリビューション（貢献）、イノベーション（事業創発）といった多様な要素を組み込むことが重要だ。

目的や形式もさまざまに設定できる。たとえば、地方創生につながる新規事業創出を目指す「ローカルイノベーション型」、健康経営を推進するための「リフレッシュ型」、若手やミドルの人財育成の一環として行う「武者修行型」、ライフステ

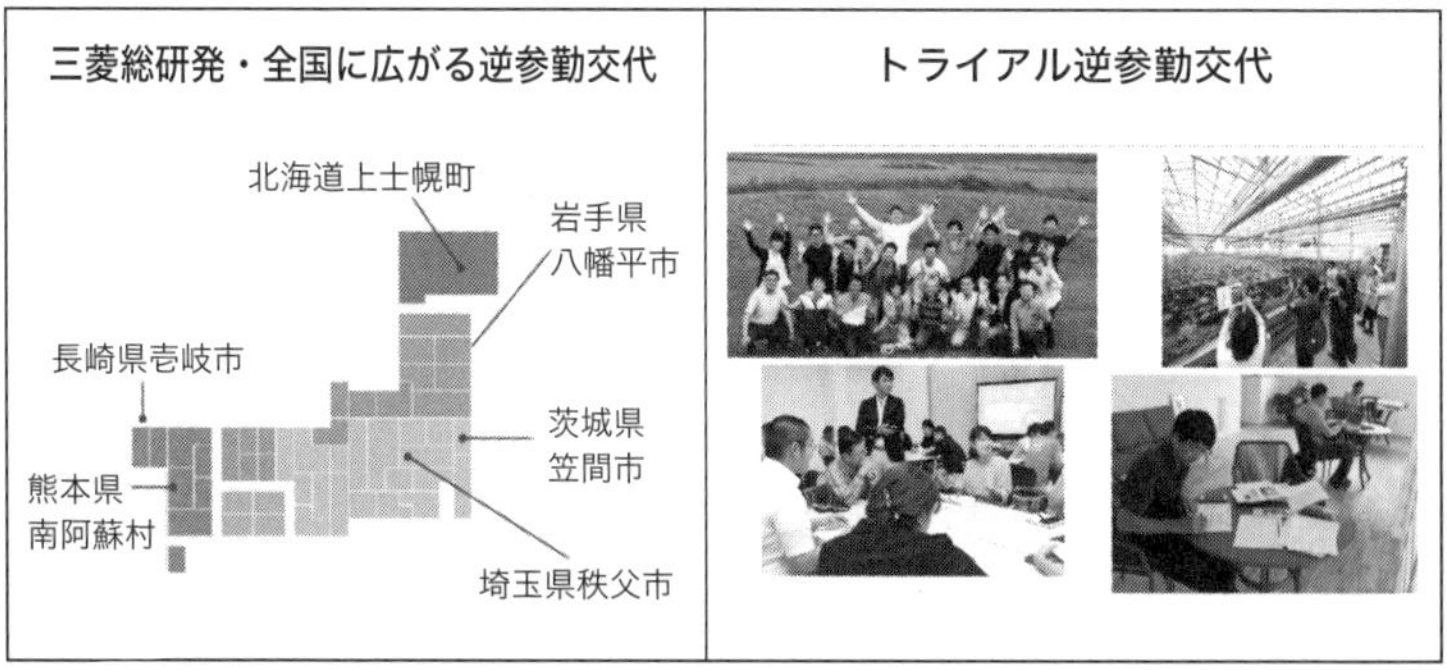

図表3-3 | **トライアル逆参勤交代**

出所：三菱総合研究所

ージの変化を機に故郷でのリモートワークを目指す「育児・介護型」、シニア社員のキャリア転換を目的とした「セカンドキャリア型」などである。

すでに人口減少の局面に突入している日本で、都市と地方が、人財の争奪戦を繰り広げるのは不毛だ。都市と地域、現実と仮想の二択に縛られずにリソースを共有し、自律分散・協調社会における新たなコミュニティを模索していくべきだろう。

キームガウアーのような地域通貨を可能にするプラットフォームとして、地域課題解決型デジタル地域通貨サービス「Region Ring™」も推進中だ（図表3－4）。ブロックチェーンを活用して、地域通貨やポイントといった経済的な価値の発行、利用、管理の仕組みを一元化したもので、さまざまな地域課題を解決しながら多様なつながり（＝リング）を広げ、地域の生活者の新しい行動を誘発し、地域の価値向上を促すことを目的とする。

このプラットフォームを活用した具体的な取り組みの一例が「東京ユアコイン（令和元年度、オフィス型）」だ。東京都が、SDGsの達成につながる都民の行動誘発とキャッシュレスの推進を目的として発行したデジタル地域ポイントで、参加者は、オフピーク通勤やプラスチックごみの削減といったSDGsの達成につながる活動を行うと、それに応じてポイントがたまり、キャッシュレス決済で利用できる。

2020年1～2月の実証実験は、当社が受託し、実証主体として実施した。分析結果からは、参加者の環境配慮行動が広がり、店舗の集客につながったほか、認知→関心→実践→行動の拡大・反復→定着という行動変容プロセスのうち、特に最初の認知と関心を高めることに寄与したことが確認された。また、本実証実験は地区内の13種類のSDGs活動メニューを提供し、18企業・29店舗の協力の下行われた。地区全体として多様なSDGs活動に参加できる環境づくりができ、SDGsをキーワードとして個人や企業がつながる仕組みの可能性を示すことができた。

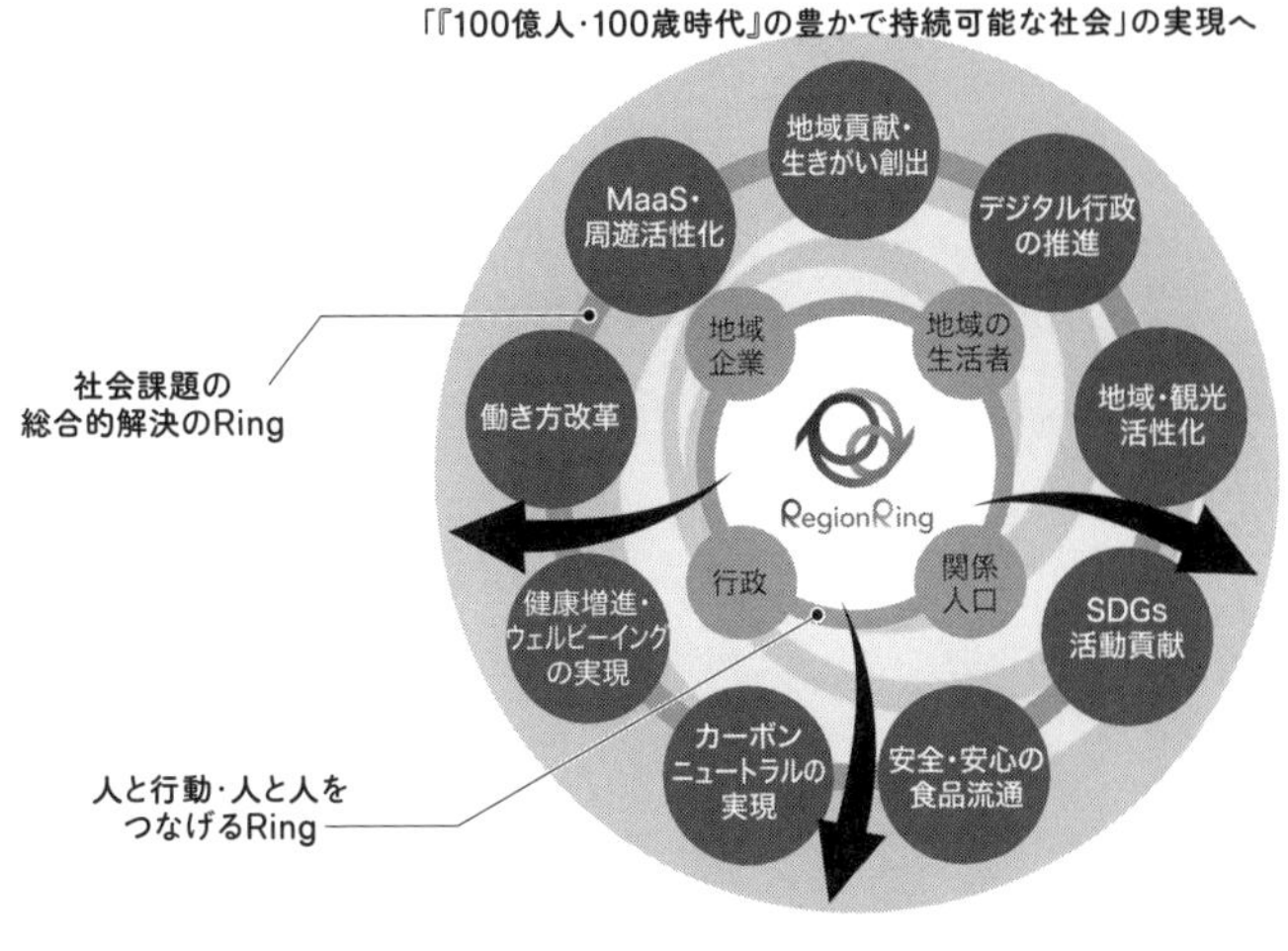

図表3-4｜デジタル地域通貨サービス「Region Ring™」

出所：三菱総合研究所

今後、ＤＸの横断的な取り組みにＢＸ、ＣＸをくわえた３Ｘで、より多様な価値の提供と交換が可能になれば、地域通貨のような経済的インセンティブを活用した人々の行動変容をより強く促すことができるようになり、コミュニティのつながりの強化と、社会課題解決を同時に図っていけるようになるだろう。

ここまで、未来創造の両輪となる３Ｘと共領域について紹介してきた。

次章以降では、第１章で示した５つの目標を、この２つを活用しながらいかに実現していくべきかを具体的に示していきたい。

第4章

人生観を変える「攻めの健康」

健康観が「守り」から「攻め」へと進化する

人間の平均寿命は、これからの50年も確実に延び続け、人生100年時代が現実のものになる。3Xによって私たちの時間の過ごし方は大きく変わり、長い生涯をいかに生きるかという人生観や、ウェルビーイングの基礎となる健康観も大きく変化していくことになる。

いまから約300年前に、江戸時代の儒学者にして医師でもあった貝原益軒《えきけん》は、全8巻に及ぶ健康指南書『養生訓』を著した。総論に始まり、飲食、五官（五感）、慎病、用薬、養老の5つのテーマで展開されるこの健康論は、一貫して養生、つまり、欲や刺激をできるだけ抑え、何事においても節制して中庸に過ごすことこそが健康長寿の要諦であると説く。

現在の常識に照らせば疑問符のつく内容を含むものもあるが、病弱な少年だった益軒が83歳まで生き、この代表作を最晩年に書き上げたという事実は、養生の有効性を物語っているといえるだろう。

しかし、これは裏を返せば、災害、飢え、疫病、戦争など、生命をおびやかす外的要因に事欠かなかった過去の時代において、長く生きるという目的を果たすためには、肉体の限界に挑戦する、欲望をどこまでも満たすといった生き方はあきらめざるをえなかったともいえる。人間は長らく、健康長寿という目的のために人生を手段化してきたのである。

だがいま、こうした健康観は変わりつつある。人類が技術の力で数々の課題を克服し、命を担保にせずとも、望む生き方を追求できるようになってきたからだ。病気におびえ、病気と闘う「守りの健康」から、予防と早期発見で心身のコンディションを保ちながら潜在能力を発揮する「攻めの健康」へ。健康を人生の手段として使いこなす時代が訪れようとしている。

とはいえ、現在はまだ平均寿命と健康寿命の間に、日本では男性で9年、女性で12年ものギャップがある。つまり、生涯最後の約10年は、日常生活に何らかの制限がある状態で過ごす人が少なくない。また、心身に障がいがあるがゆえに、持てるポテンシャルを十分に活かせないままになっている人も少なくない。せっかく長寿が実現しても、ウェルビーイングが低い期間が長期化するだけでは恩恵が少ない。その期間をどのように過ごすか、という選択が可能になってこそ、豊かな人生といえるだろう。

生涯にわたってウェルビーイングを向上させるには3Xを活用し、平均寿命の延伸を超えるスピードで健康寿命を延伸させていかなければならない。私たちが志向するのは、人間の限界が拡張され、心身の健康が向上し、一人ひとりの潜在能力が花開き、自立かつ自律したまま生涯をまっとうできる未来なのだ。

生き方と健康を自由にデザインできる未来

現在、多くの人にとって「健康」といえば、病気になった時に「取り戻すもの」という認識が一般的ではないだろうか。しかし、このような健康の概念は、人生100年時代には過去のものとなる。心身が健やかな状態を維持し、病気の予防、早期発見、早期治療をサポートするヘルスケアインフラが3Xによって整備されれば、がんや生活習慣病はいまよりもコントロール可能なものとなり、よりよい心身の状態を保てるようになる。

よりよい心身状態で過ごせる時間が増えれば、生産性も上がる。心身に障がいがあっても、AIやロボット義肢、アバターロボットなどの力を借りることでハンディキャップも十分に解消できる。そればかりか、身体拡張技術を活用することで、持って生まれた肉体以上の能力を発揮することさえ可能だ。だれにとっても社会で活躍するチャンスは広がり、社会との関わりはより前向きなものに進化する。3Xで心身を望み通りの状態に維持・向上させながら、生涯にわたって心身の可能性をフル活用できるようになる。

とはいっても、誰もがサイボーグになる必要はない。個人がそれぞれの望む生き方に応じて、心身の向上、維持のレベルや方法を選べることこそが重要だ。

高齢になっても自立した生活を続けたい人は、加齢で弱った身体機能や認知機能を、ロボット義肢やヘッドセットタイプの脳機能サポートマシンなどで補うことができる。スーパーヒーローよろしく「一人分以上に活躍したい」と望むなら、アバターロボットや、腕や脚をロボット化する技術で身体を拡張、増強することもできる。もちろん、健康や体力を維持するために3Xの恩恵は受けつつも、身

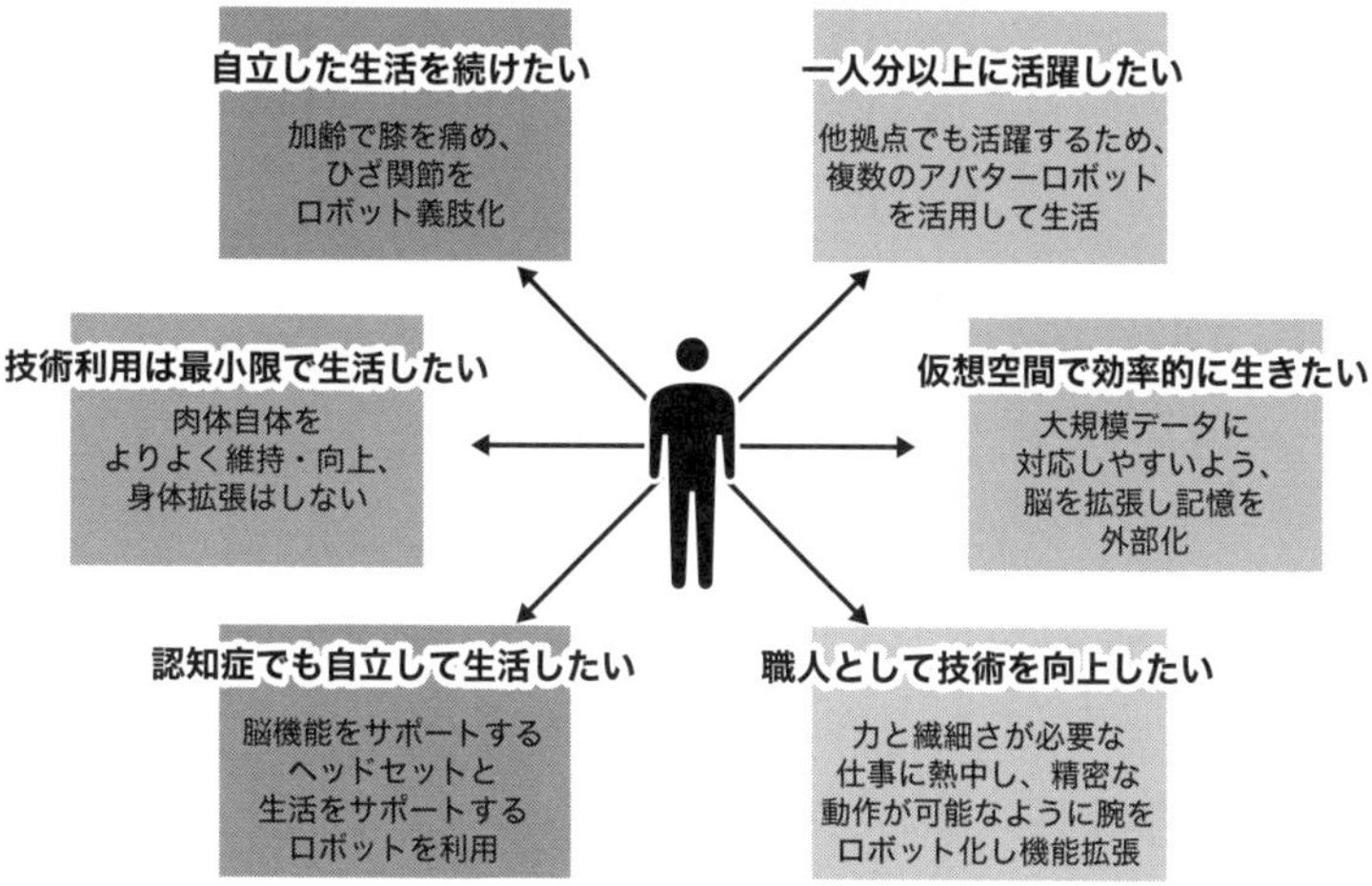

自立した生活を続けたい
加齢で膝を痛め、ひざ関節をロボット義肢化
一人分以上に活躍したい
他拠点でも活躍するため、複数のアバターロボットを活用して生活
技術利用は最小限で生活したい
肉体自体をよりよく維持・向上、身体拡張はしない
仮想空間で効率的に生きたい
大規模データに対応しやすいよう、脳を拡張し記憶を外部化
認知症でも自立して生活したい
脳機能をサポートするヘッドセットと生活をサポートするロボットを利用
職人として技術を向上したい
力と繊細さが必要な仕事に熱中し、精密な動作が可能なように腕をロボット化し機能拡張

図表4-1｜一人ひとりの健康観を支える技術

出所：三菱総合研究所

体拡張はせずナチュラルな身体性を楽しむという選択があってもいい（図表4－1）。

健康維持がインセンティブになる制度

技術的に健康寿命の延伸や身体能力の向上が可能になったとしても、医療・介護費の増大や経済・健康格差の拡大といった社会的な課題は残る。

医療や介護を社会的に担保するための社会保障制度を将来にわたって維持するには、コスト削減と税収確保の両面の施策を徹底する必要がある。そのためには、一人ひとりが健康でいたい、健康のためになることをしたいというモチベーションが自然に上がる仕掛けを組み込むことが重要なポイントになる。その実現には、制度を細かくパーソナライズするDXの力が欠かせない。

たとえば、一人ひとりの治療歴や行動特性などのデータを個人IDとひもづけてPHR（Personal Health Record）として管理し、健康によい運動習慣を続ければ保険料の自己負担率を減らせる、となれば健康習慣はより普及していくはずだ。こうした仕組みは、公的保険だけでなく民間保険とも組み合わせて実現していくことになる。一人ひとりの環境や行動に応じて変動するインセンティブ部分が、行動変容を自然に促し、個人の健康を増進させるよう機能する。

3Xで革新的なヘルスケアインフラを構築

未来社会実現の方策としては、まず、50年後の未来社会において必要と考えられるヘルスケアインフラを構築することが挙げられる。

これまで述べてきたような「攻めの健康」を実現するには、大きく3つの目標がある。それは、「DXによる心身の健康維持と向上」「CXによる参加する医療の実現」「DX・BXによるさらなる能力発揮と環境の構築」だ。

これらを実現するために必要な6つのインフラ（図表4－2）について、以下に具体像を示す。

①すぐに見つけて、すぐに治す――超早期発見・治療インフラ

健康維持については、2030年ごろまでに、スマートフォンやウエアラブル端末、壁や家具などの生活環境に埋め込まれたセンサーなどから収集したデータで、一人ひとりの健康状態の常時モニタリングが可能になり、認知機能低下も含めて、異常があればすぐに医療やヘルスケアのサポートにつなぐ仕組みが構築される。

がんの早期発見、治療の仕組みも整う。2040年までに、ゲノム解析を用いたリキッドバイオプシーなどで超早期発見の検診プロセスが整う。治療については、ロボット手術や免疫療法など、低侵襲で回復の早い手法が、2050年までにはさらに進展する。

ゲノム情報に基づき、効果が高く副作用の少ない薬が選べるようになり、投薬だけで治せる病気も増える。

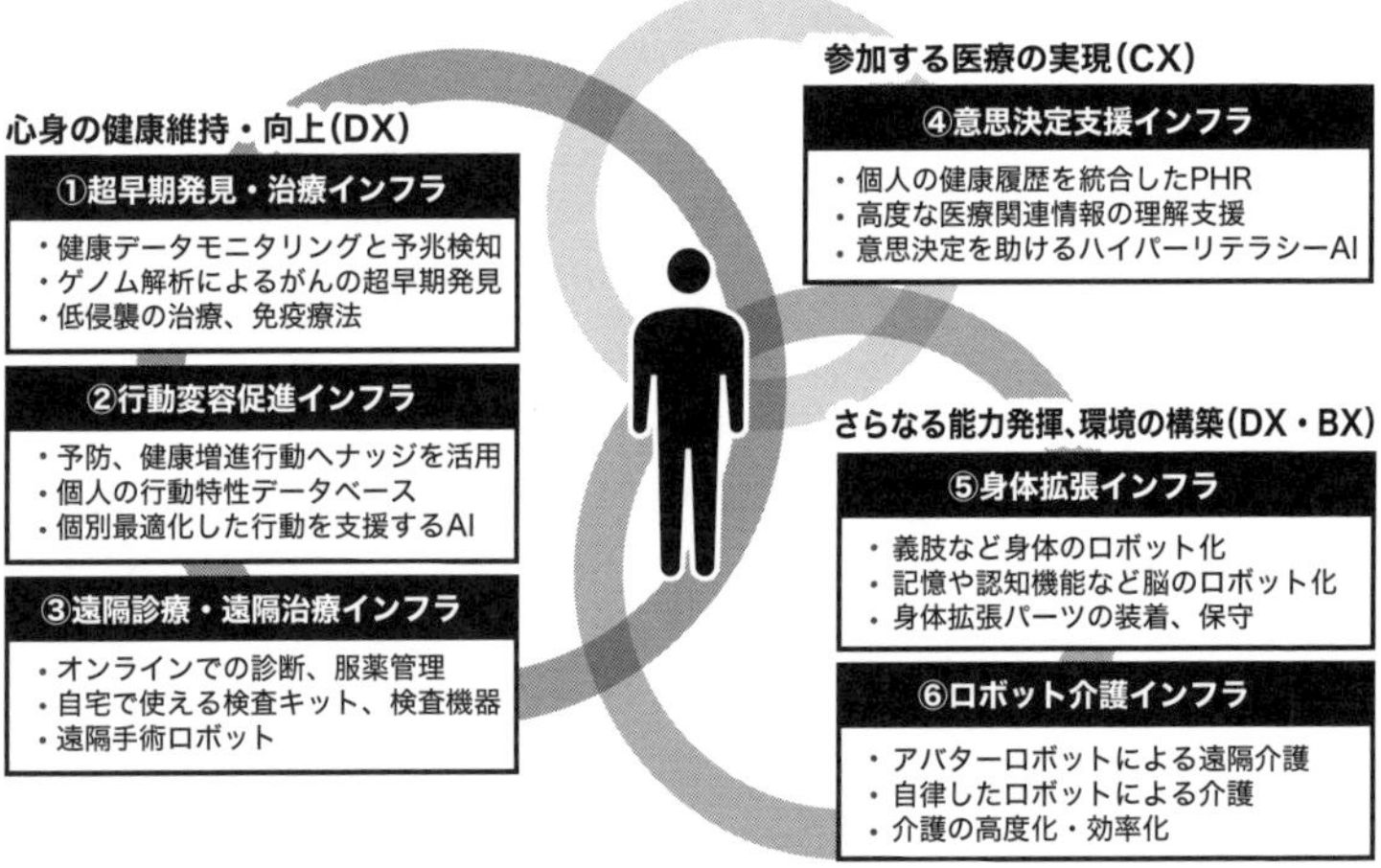

図表4-2｜新たなヘルスケアインフラと関連技術

出所：三菱総合研究所

②知らず知らずのうちに健康になる――行動変容促進インフラ

病気にならない生活習慣、心身の健康状態がよくなる行動を、自然に取っていく仕組みが2040年までに普及する。行動経済学に基づくナッジ理論[1]を活用するほか、個人の性格や環境、行動様式などの個人データと、客観的なエビデンスのあるヘルスケア関連の各種データを統合し、その人にぴったりの行動がレコメンドされ、実際に行動が変容していく。

③オンライン医療が当たり前に――遠隔診療・遠隔治療インフラ

遠隔診療や遠隔治療の仕組みが整う。2030年までに、オンライン診療や服薬指導が一般化し、セルフ検査キットが充実することで、心音チェックや簡易な血液検査などは自宅で行い、結果をオンラインで医師・医療機関と共有できるようになる。2050年までには、外科的処置が必要な場合も地域ごとの医療拠点で遠隔手術が受けられるようになる。

④すべての人に後悔のない選択を――意思決定支援インフラ

ヘルスケアにまつわる個人データを統合したPHRが2030年までに普及し、治療やリハビリに関して、より望ましい意思決定ができるようになる。このPHRには病歴、治療歴、喫煙や飲酒のような健康に関係の深い行動歴、遺伝が関連する病気の家族の罹患歴なども記録される。

2040年までには、専門的な医療情報を一般の人にも理解しやすい表現に置き換える「医療翻訳AI」が普及し、患者が医療の専門家と対等に会話できるようになり、主体的な医療参加が進む。

②の行動変容促進インフラと連携したAIが、医療サービスを受けるための意思決定をサポートする。2050年までに、AIは利用者が一方的に使う道具のような存在から、人と協調して意思決定を支えるパートナーへと進化していく。

⑤機械と融合して身体がパワーアップ――身体拡張インフラ

身体拡張技術が進展し、機器のメンテナンス体制も整っていく。

障がいのある人が装着する義肢や外骨格は、2040年までに通信機能や動力を備えてロボット化され、クラウド上で日常的にメンテナンスやサポートを受けられるようになる。これらの技術は健常者が仕事などに利用することもでき、2050年までにはアバターロボットを活用して遠隔地で作業できるようになる。

2070年ごろまでには、身体に認証チップを埋め込んで、ロボット化されたさまざまな身体パーツを使いこなし、メガネタイプのグラスウエアで視覚情報を増強するといった五感の拡大など、多様な身体拡張技術が利用できるようになる。記憶を外部化したり、認知機能を向上させたりする脳インプラントや、電気や磁気の刺激装置の利用も広がる。機器は遠隔管理され、タイムリーかつリアルタイムにメンテナンスやサポートが提供される。

⑥最期まで自立して生きる――ロボット介護インフラ

２０３０年までに介護現場にＤＸが浸透してオペレーションの効率化が進み、高齢者や障がい者の健康状態をモニタリングしながら、ＤＸ、ＢＸを活用した安全かつ効率のよい介護や自立支援サポートが提供できるようになる。

高齢化と過疎化で労働の担い手が少ない地域には、２０５０年までに遠隔操作で介護や肉体労働が提供できるアバターロボットが普及する。自律的に人間の身のまわりの世話ができるロボットやＡＩのサポートで、最期まで自立した生活や社会参加が可能になる。

一人ひとりに最適化された医療・介護サービスを実現する

前記のような革新的なヘルスケアインフラを社会に実装していくには、第3章で述べた、新たなテクノロジーの社会受容を促す「共領域」の形成が不可欠だ。特に医療や健康は、倫理や人生観といった個人の価値観に深く関わり、一人ひとりのウェルビーイングの基礎となるものであることから、RRIの方法論に沿って仮想空間も積極的に活用しながら、市民とともに未来の姿を描き、社会へ導入していく必要がある。

同時に、避けて通れないのが医療・介護保険制度改革だ。現在、49・9兆円にも及ぶ日本の医療・介護費は、これからも高齢化とともに増え続け、高齢者人口がピークを迎える2040年には92・9兆円になると予想されている（図表4－3）。それを支える生産年齢人口も減少し、このままでは一人の高齢者をわずか1・5人で支える、という重い負担を将来世代に負わせることになる。

これは、税や保険料の負担だけではない。高まっていく医療・介護関連サービスのニーズに応えるだけの働き手の確保も困難になっていく。平等を旨とし、規則や基準を一律に設計しているがゆえに運用面で無駄が生じやすい日本式の皆保険制度では、「2040年問題」という大きな壁を乗り越えることは難しい。

制度を持続可能なものに変えていくには、DXとBXを駆使して個人単位の健康状態を細かく把握し、必要な人に必要な医療・介護サービスを過不足なく提供できる仕組みの構築が欠かせない。具体的には、①医療・介護サービスの効率化、②生活者の行動変容促進、③診療報酬制度の変革、の3つの改革がポイントになる（図表4－4）。

医療・介護サービスの効率化に関しては、施設から在宅への移行の加速と、オンライン医療・介護を拡充することが喫緊の課題となる。生活者の行動変容促進に関しては、軽度疾病の保険免責の導入、

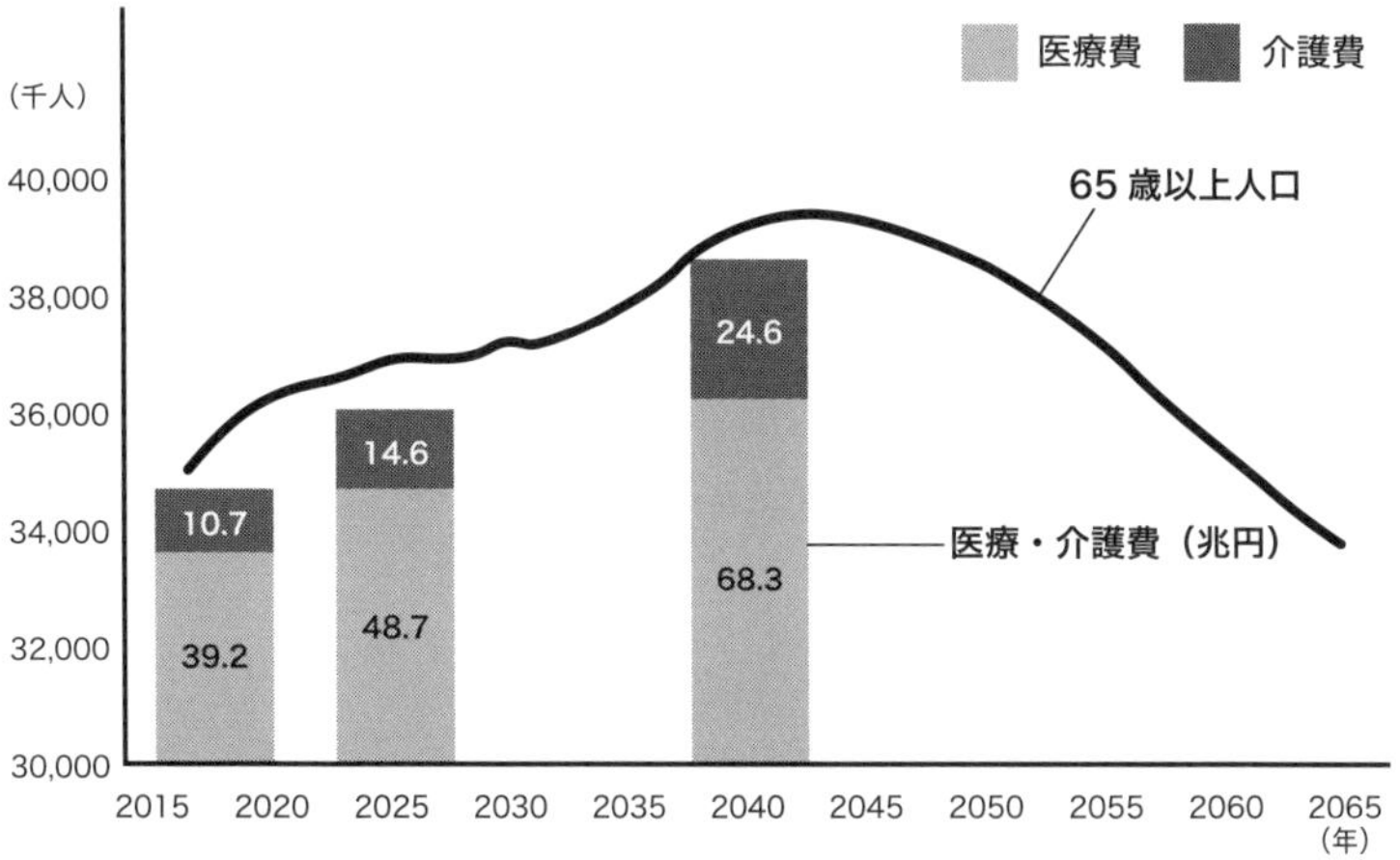

図表4-3 ｜ **65歳以上人口と医療・介護費の見通し**

出所：内閣官房・内閣府・財務省・厚生労働省
「2040年を見据えた社会保障の将来見通し（平成30年5月21日公表）」より三菱総合研究所作成

高齢者の医療・介護保険料の自己負担率の引き上げ、処方箋なしで購入できるOTC医薬品の拡充、慢性疾患の重症化を予防するための個人インセンティブ付与などが考えられる。

診療報酬制度の変革に関しては、費用対効果を評価する制度や、包括払い制度の拡充が必要になる。パーソナライズされたインセンティブ付与の仕組みづくりには時間がかかりそうだが、その他の取り組みは2040年までに実現可能だ。

日本の高齢化は世界に例のない速さで進展しており、2020年時点の高齢化率は約29%になっている。しかしながら、バブル崩壊後の失われた20年からの経済再生に注力するあまり、財政健全化や、

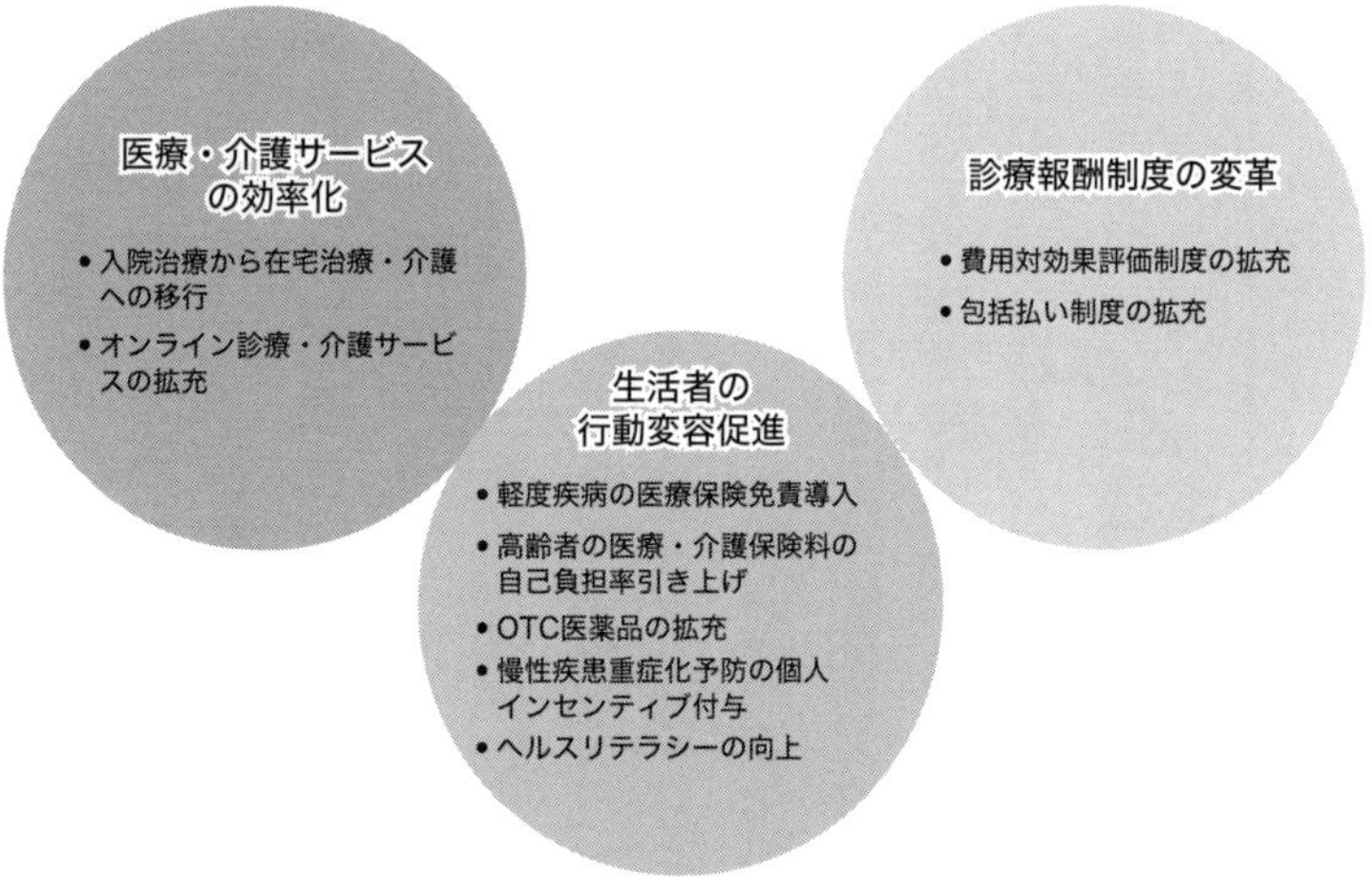

図表4-4｜持続的な医療・介護保険制度実現のコンセプト

出所：三菱総合研究所

その本丸である医療・介護保険制度改革が先送りされており、高齢者人口がピークを迎えるまでに残された時間は多くない。

変革は、サービスの費用負担者であり受益者でもある国民、サービスの提供者である医療機関、介護事業者、医療・介護従事者、製薬企業など、多様なステークホルダーの利益が相反する問題である。このため、合意形成は容易ではないが、全ステークホルダーが危機感を共有し、いますぐ国民的議論を進める必要がある。

「攻めの健康」を実現する3X

革新的なヘルスケアインフラの実現につながる技術は、現時点でもさまざまに実用化されている。できるだけ病気になることなく健康を維持し、心身のパフォーマンスを最大限に活かすための3Xの実例を紹介する。

①薬を飲むだけで身体を可視化――エディブルセンサー

ＩＣＴ機器の小型化や高性能化で、その存在を意識することなくさまざまな身体情報を取得して健康に活かすことが可能になった。スマートウオッチのような「ウエアラブル（着用できる）センサー」は、もはや当たり前のように暮らしに浸透しているが、より踏み込んだ身体情報が収集できるものとして「エディブル（食べられる）センサー」の開発も進む。

予防医療や精密農業を中心に学際的な研究に取り組むオランダのOnePlanetリサーチセンターでは、バイオセンサーを埋め込んだ小さな錠剤を飲んで、腸内環境の検査を可能にする「スマートピル」を開発中だ。腸内環境や炎症に関するバイオマーカーの測定などを行い、栄養の摂取状態や健康状態を把握することができる。直接診断するのが難しい腸内を、薬を1粒飲むだけでスキャンしてくれるというわけだ。

「食べられるセンサー」そのものはすでに実用化されている。2017年11月にFDA（アメリカ食品医薬品局）に承認された大塚製薬の「デジタルメディスン」だ。これは、抗精神病薬の錠剤にセンサーを組み込み、服薬状況がスマホアプリで管理できるというもので、錠剤が胃に届くと、センサーがシグナルを出して知らせてくれる。

私たちはこれまで、熱、痛み、かゆみ、だるさなどの症状が現れなければ身体の不調に気づくことはできなかった。しかし、体内に手軽にセンサーを取り込めるようになれば、自覚症状を伴わない変化をいち早くキャッチできるようになり、病気や不調の超早期発見が可能になる。

さらに、食べ物と同じルートで消化器官を通過しながら情報を収集するセンサー技術の発展にくわえ、食事や運動といった体内へのインプットと、排泄というアウトプットもモニタリングできるようになっていく。身体をデータ化する「身体のデジタルツイン」が実現するのだ。一人ひとりで異なる代謝状況が明らかになれば、個別最適化したヘルスケアが大きく発展し、発病そのものを大幅に抑えられるようになるはずだ。

②生活習慣病をアプリで治す——IoTデバイスを使った行動変容

スマートウオッチや活動量計、体組成計のようなIoTデバイスを日々の健康管理に活かしている人は少なくないだろうが、こうした行動変容を「治療」に活かす方法も模索されている。

特に効果が期待されているのが生活習慣病、なかでも日本人の成人の7人に一人が罹患しているといわれる糖尿病[2]、特に生活習慣の改善が重要となる2型糖尿病の治療だ。糖尿病は自覚症状がほとんどないまま進行し、高血糖状態が続けばやがて全身の血管がむしばまれ、神経障害や失明、腎臓機能障害といった重篤な合併症を引き起こす。重症化すれば、足の小さなケガから壊疽を起こして切断せざるをえなくなったり、生命維持のために継続的なインスリン注射や人工透析が必要になる。このような事態になれば本人のウェルビーイングが著しく低下するだけでなく、医療のリソースや財源も圧迫する。個人としても社会としても、重症化をいかに食い止めるかは大きな課題である。

運動習慣に起因する重症化予防のポイントは、食生活や運動習慣だ。しかし、特定健診で糖尿病予備軍であることを指摘されても病院に行かない人は多い。さらに受診したとしても、医療機関が生活習慣を指導するのは容易ではない。というのも、的確な指導のためには一人ひとりの生活背景まで十分に把握する必要があるが、その情報が一元化されていないからだ。

そこで注目されているのが、ＩｏＴを活用したセルフモニタリングだ。2型糖尿病の重症化予防に関しては、国のプロジェクトとして２０１７~２０１９年にPRISM-J（2型糖尿病におけるＩｏＴ活用の行動変容を介する血糖改善効果の検証）が実施されている。

この研究では、2型糖尿病患者にウエアラブル活動量計、スマート体重体組成計、スマート血圧計が貸与され、これらのＩｏＴデバイスから取得した患者のバイタルデータがスマホに蓄積される。これらのデータから総合的に生活習慣を評価し、52週間にわたってアプリを通じたアドバイスや励ましを提供する。ＩｏＴデバイスとアプリを組み合わせた介入によって血糖値を改善できれば、治療につながる手法となることが期待される研究だ。

予防のために活用されることが多い行動変容が、デジタルの力で治療に格上げされつつある。

日本では、行動変容に基づく治療は禁煙外来で先行しており、2020年11月に禁煙治療アプリ「CureApp」が治療用アプリとして国内で初めて保険適用された。今後、糖尿病治療でも同様のアプリが承認されれば、病院でアプリの処方が可能になる。アメリカではすでに2010年に糖尿病患者向けの経過観察・ガイダンスアプリ「BlueStar」が、FDAに承認されている。

ただし、行動変容に有効なアプローチには民族や文化に起因する行動特性の差があり、世界共通モデルを標準化するのは難しい。医療だけでなくさまざまな領域の知見を連携させつつ、地域ごとの文化特性を踏まえたプログラムづくりを進める必要がある。

③自宅がクリニックに——オンライン診療

新型コロナウイルス感染症の流行拡大を契機に、オンライン診療への社会的認知がいっきに広がった。

厚生労働省は2020年4月に、初診からのオンライン診療を「臨時・特例的に」認め、2021年4月現在、恒久化に向けた検討が進んでいる。これまで限定的にしか導入されてこなかったオンライン診療の普及がこのまま加速することは間違いない。

オンライン診療は、もともと離島や過疎地のような、医療アクセスが困難な場所に暮らす患者を想定して提供されてきたが、コロナ禍がニーズを大きく変えた。人が密集する都市部でこそ、移動や受診に伴う感染リスクを避けるためにオンライン診療が求められるようになったのだ。「過疎地のための福祉」から「大きなマーケットを持つサービス」へ、活用の幅が大きく塗り替えられたといえる。そのため、医療産業だけでなく、AIやIoTの分野の技術を持つIT系ベンチャーなど、多様なプレーヤーがサービス提供に乗り出す動きを見せている。

課題は「診察・診断の質」だ。モニター越しでは患者の顔色や患部の状態を正確に把握できないし、聴診や触診、採血やエックス線検査もできない。薬の処方以外の治療も困難だ。しかし、こうした課題は技術の発展とともに解決されていく。心音や心電図を正確に読み取り共有する遠隔聴診デバイス、触覚をデータ化して伝えるハプティクス（触覚伝送）技術、専門知識がなくても簡単に使える迅速検査キットなど、オンライン診療で活用できる技術が次々に開発され、サービス化されているからだ。

オンラインでの医療の範囲は広がっていくだろう。治療面でも、シェアオフィスの医療施設版として、治療や処置のための設備やスタッフを共有できる「シェアドメディカルセンター」のような施設が各地に整備されていくことも考えられる。遠隔地からでも指示が出せたり、ロボット操作による処置が行えれば、地方でも高度な医療を受けられる機会が拡大するだろう。東京の医師が沖縄の患者を遠隔手術する、といったことも当たり前になる。

オンライン診療とともに拡大しているのが、医療相談サービスだ。医療機関にかかる前に、医師や薬剤師などの専門家にチャットで症状を伝え、受診の要不要や対処法などが相談できる。国としても、2020年の5～8月に経済産業省が遠隔での健康相談を強化する事業として「産婦人科オンライン」「小児科オンライン」「こころの安心相談（メンタルヘルス）」などの無料の健康相談サービスを民間の事業者に委託して提供している。

アメリカではForwardなど、健康モニタリングと医療サービスが一体化した定額制の「予防医療サブスクリプション」も登場している。個人の生活習慣や遺伝子特性などに合わせて健康管理のプランニングを行い、血液検査やウエアラブルデバイスで計測するバイタルデータが医療機関に共有され、健康やメンタルの状態が常時モニターされる。心筋梗塞のアラートなどが検知された際には速やかに受診が促され、適切な診断と治療が施されるという仕組みだ。診察は対面も可能だが、オンライン診療にも対応している。

オンライン診療の進展で、日常生活により高度な医療サービスが組み込まれるようになれば、通院が不要になるだけでなく、患者が本当に自分に必要なサービスを幅広い選択肢から選択できるようになる。医療に対する一人ひとりの満足度が高まるとともに、医療リソースの全体最適化も進む。

④身体をサイボーグ化——ロボットと身体の融合

シリコンの人工皮膚に覆われた手が滑らかに動き、1粒のぶどうを優しくつまむ——。2016年、装着者の意のままに動く義手「ルーク・アーム」が発表されて世界を驚かせた。アメリカ国防総省の研究機関であるDARPA（国防高等研究計画局）が出資し、ユタ大学などが開発したものだ。筋電電極からの電気信号で複数の動力を制御し、無線モーションセンサーや筋電センサーで微妙な手の動きを再現する。SF映画『スター・ウォーズ』で、ダース・ベイダーに右腕を切り落とされた後、自由自在に動くロボットアームを装着することになった、ルーク・スカイウォーカーにちなんだ名に恥じない精密さだ。

日本では、東京大学発のスタートアップBionicMが開発する、高機能かつ低コストな「パワード義足」の実用化が近い。義足そのものが動力を備え、身体とスムーズに連動しながら、起立、歩行、階段昇降などの動作をサポートする。

ロボットと身体の融合は、身体を補完しサポートするだけでなく、より積極的な身体拡張も可能にする。東京大学と慶應義塾大学が共同開発したFusionは、そんな未来を垣間見せてくれるウエアラブルロボットだ。バックパック式のシステムをひょいと背負えば、背中から2本のロボットアームを「生やす」ことができるのだ。といっても、ロボットアームを操作するのは、離れた場所にいる別の人間だ。操作を担当する人は、ヘッドセットをつけることで、ロボットアームを装着した人とほぼ同じ視界を得ることができる。そして、自分の腕を動かすことで、相手の身体に装着されたロボットアームを自在に操れる。遠隔的な共同作業を可能にする「リモート二人羽織」ともいうべきシステムなのだ。都合4本の腕は、協力して重い荷物を持ち上げることもできるし、ロボットアームが先生役となって、本物の腕にスポーツなどの動作を教えることもできる。身体性を媒介にした、新たなコミュニケーションの形といえる。

負荷のかかる身体活動をアシストするパワードスーツも、すでにさまざまな製品が実用化されている。現在普及しているのは、医療・介護、農業、製造業などに従事する人が腰や背中を痛めないように補助するものがほとんどだが、ユニークなものでは、人工筋肉モジュールを下着に組み込み、着るだけで動作の負荷を軽減する「着る筋肉」が、アメリカのアパレル系ベンチャー、サイズミックによって製品化されている。このほか、脊髄損傷などで四肢がマヒした患者が脳波で身体を動かせる外骨格スーツも研究されており、ロボットと身体の一体化は進む。

今後、ＤＸとＢＸでより高度に両者が融合すれば、映画『アイアンマン』のように、超人的な能力を持つヒーローに変身できるパワードスーツも実現するかもしれない。

⑤自立した生涯をサポート――介護ロボット

いま、ロボット化が急速に進んでいるのが介護業界だ。

高齢化の進展で要介護人口が増加するなか、介護人材不足が大きな社会課題となっている。増大するニーズに限られた人的資源で対応するための動きだ。目指すは、高齢者のウェルビーイングの向上と、ケアワークの負担軽減の両立である。

たとえば高齢者施設で入居者の見守りを支援するツールに、パラマウントベッドの「眠りＳＣＡＮ」がある。マットレス下のセンサーで睡眠状態を読み取り、全入居者の睡眠状態をスタッフルームで集中的にモニタリングできるシステムだ。導入施設では職員の夜間巡回を大幅に減らせるようになり、入居者が安眠できる環境を提供できるようになっている。このほか、一部が電動車いすに変化してスムーズな移動をサポートするベッドや、移乗をサポートする各種リフト機器、介護者が装着することで、わずかな力で高齢者を持ち上げられるパワードスーツなども現場に導入されつつある。

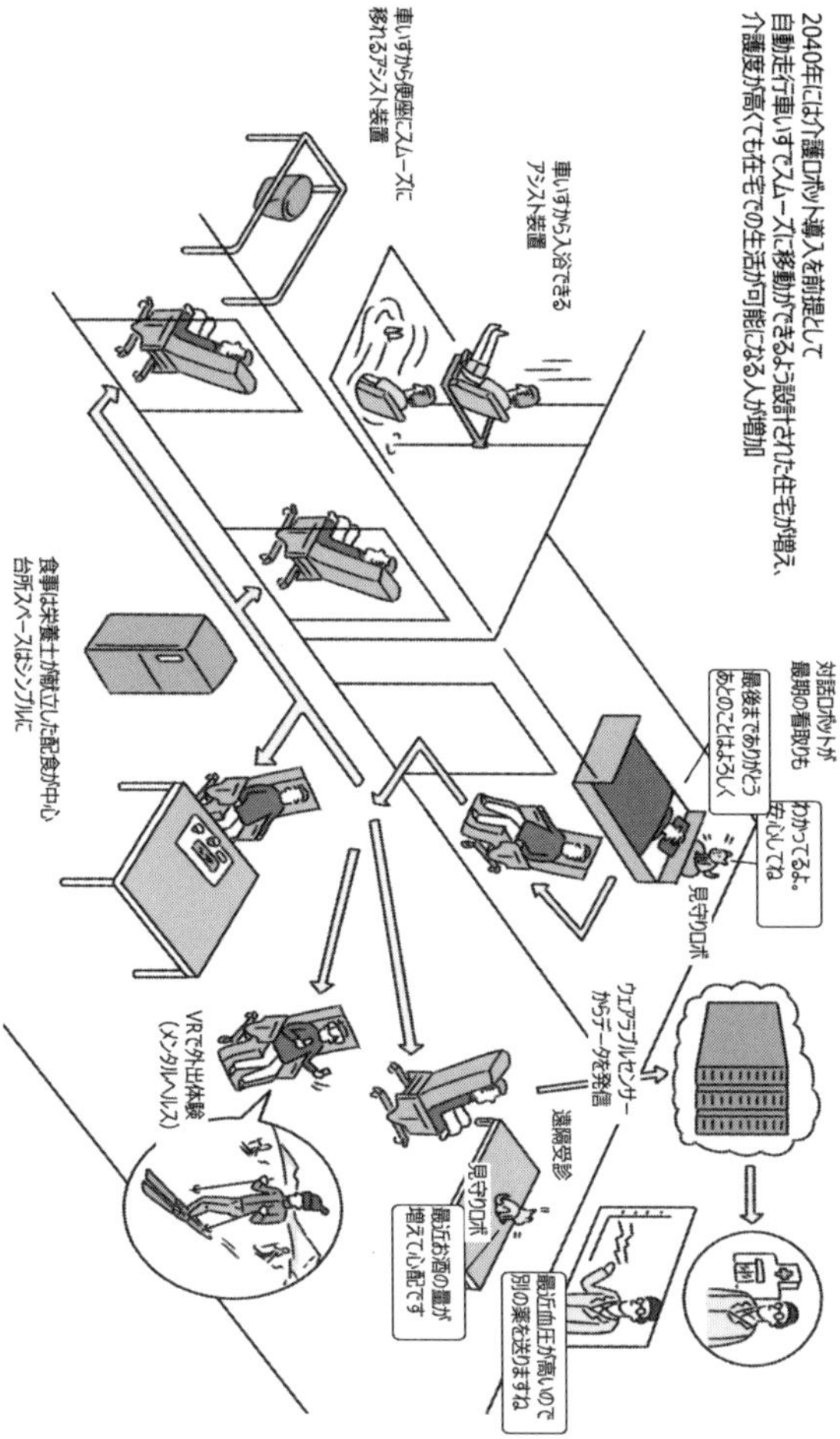
2040年には介護ロボット導入を前提として
自動走行車いすでスムーズに移動ができるよう設計された住宅が増え、
介護度が高くても在宅での生活が可能になる人が増加
車いすから入浴できる
アシスト装置
車いすから便座にスムーズに
移れるアシスト装置
食事は栄養士が献立した配食が中心
台所スペースはシンプルに
対話ロボットが
最期の看取りも
最後までありがとう
あとのことはよろしく
わかってるよ。
安心してね
見守りロボ
ウェアラブルセンサー
からデータを発信
遠隔受診
見守りロボ
最近お酒の量が
増えて心配です
最近血圧が高いので
別の薬を送りますね
VRで外出体験
（メンタルヘルス）

図表4-5 ｜**2040年、在宅介護のイメージ像**

出所：三菱総合研究所

今後は、個別のロボットの進化だけでなく、それらが連携しやすいようにデザインされた施設や住居が普及し、建物そのものがロボット化していくだろう。居住空間内には多数のセンサーが配され、介護ＡＩシステムがそれらをコントロールするようになる。認知症などで道に迷いやすい入居者が部屋を出てしまいそうになると、自動的に床や壁に仮想の障害物が映し出されて部屋に戻るように促す、というような人を優しく見守る仕組みも可能になるだろう。より自然に、見守りと介入のトータルケアが可能になっていく。高齢者施設だけでなく、住宅にもこうした仕組みが整えば、移動、食事、入浴、排泄など、生活のあらゆる場面で自然にロボットのサポートが受けられるようになり、認知機能や身体機能が衰えた高齢者でも、地域で自立した生活が送れるようになる可能性が高い（図表４－５）。

また、ＤＸによって介護現場の肉体労働の多くが機械に代替されれば、人間の介護職員は「高齢者のウェルビーイング向上を担う専門職」としての職能を発揮しやすくなり、地位向上が進むだろう。ＤＸによって生み出された介護ビッグデータが、介護分野のイノベーション創出を活性化させていくことも期待できる。

⑥ポジティブに健康が追求できる社会へ――医療制度のパーソナライズ

「長寿」は、人類共通の大きな夢の一つだ。しかし国家財政面から見れば、医療・介護費の増大というネガティブな影響もある。国の試算では、日本の医療・介護給付費は、2040年には92・9兆円まで膨らむ。[3] 一方、生産年齢人口の減少で税収や保険料収入は大きく下がるため、収支のギャップが広がっていく。

ギャップの緩和・解消には、在宅医療・介護への移行、風邪など症状の軽い病気や高齢者の自己負担率の引き上げ、医療・介護サービスの費用対効果評価制度拡充などの支出を抑える施策にくわえ、高齢者が長く働き続けられるような税収を確保する施策など多面的な対策が必要となる。

これらを実装するうえで、医療保険制度のパーソナライズという考え方が重要になってくる。医療・介護保険に関わる財務の持続性を向上する施策を行いながら市民の納得性も確保していくには、個人ごとに最適化されたきめ細かな設計と実行が重要である。

予防へのシフトの観点から、負担の増加とセットで、健康維持のインセンティブを制度に組み込むことも大切だ。医療相談やオンライン診療、民間の健康維持サービスなどの選択肢が増えれば、重い病気のない人は病院にかかる機会そのものが減る。それに合わせて健康な人の保険料は下げていく。

民間の医療保険では、すでにこのようなパーソナライズ設計を取り入れた商品が発売されている。住友生命が提供する健康増進型保険Vitalityは、健康チェックや運動など、健康維持や向上につながる行動でポイントがつき、それに応じて保険料が変動する仕組みだ。人を自発的な行動に促す、ナッジ理論が応用されており、万一の備えという機能を維持しつつ、健康づくりを積極的に支援できるようになっている。

こうした制度運用を可能にするには、前述したように、個人のヘルスケア情報を統合するPHR（Personal Health Record）の構築が前提となる。2021年3月からマイナンバーカードを保険証として利用する試行運用が一部の医療機関で始まった。本人が同意すれば、特定健診の結果や過去の治療歴、処方薬剤の履歴まで、医師が参照することもできる。将来的に、クラウド上で運動、食事、睡眠などの生活習慣情報や、遺伝子情報なども連携できれば、体質に合った薬の処方や、生活習慣に合わせた健康指導も可能になる。また、複数領域の医療機関や専門家が個人のデータを共有することで、これまでにないトータルな医療サービスが提供できるようになる。近年急速に普及したキャッシュレス決済と組み合わせれば、パーソナライズされて個人ごとに異なる保険料の自己負担率も自動で計算され、支払い手続きができる。

テクノロジーの進化によって、医療のパーソナライズの実現がようやく見えてきたいまこそ、世界的にも優れたシステムである日本の皆保険制度のよさを活かしつつ、だれもがポジティブに健康を追求できる新たなアーキテクチャが求められている。

1 ナッジ（nudge）とは、行動科学の知見を活用し、文面や表現などを工夫して他人の心理に働きかけることにより、科学的にその行動を変える手法。2017年にノーベル経済学賞を受賞したシカゴ大学のリチャード・セイラー教授が提唱した。
2 厚生労働省「令和元年国民健康・栄養調査報告」の「糖尿病が強く疑われる者」の割合から算出。https://www.mhlw.go.jp/content/000711007.pdf
3 内閣官房・内閣府・財務省・厚生労働省「2040年を見据えた社会保障の将来見通し（議論の素材）」、内閣府「中長期の経済財政に関する試算」より三菱総合研究所が予測

第5章

コミュニティとのつながり方をデザインする

公私をまたいで広がる、新しいつながり

政府がまとめた「働き方改革実行計画」に、副業・兼業やリモートワークの推進が明記されたのは２０１７年。翌年には働き方の柔軟化に向けて、関連法がいっきに改正されている。キャリアの複線化や働く場の自由度拡大など、言わば働き方の自律分散化に向けて、国が明確に方向づけたのだ。新型コロナウイルス感染症の感染拡大もこの流れを後押しし、終身雇用と年功序列を基礎とした日本型雇用システムが、人生１００年時代を目前にしてようやく転換しつつある。

長きにわたって人と人を強固につなぎ、生活を支えてきた社縁が時代とともに希薄化することを、社会の崩壊ととらえて不安視する人も少なくないが、長期的な視点で未来を展望すれば、それは逆だ。

新卒から定年まで一つの企業で働き続け、退職後は悠々自適な余生を過ごす。そんな単線的な人生設計は人生１００年時代にそぐわないばかりか、リスク管理の視点からも心許ない。定年後、会社という唯一のつながりが失われたのち、孤立に陥る可能性もある。個人がより柔軟に働ける環境が整い、多様な場で活躍できるようになれば、本業と副業、仕

事とプライベートの区別すらない新しいつながりが、年齢を問わず増えていく。特定のつながりを絶対視せず、常に複数のつながりを保つことこそが、これからのセーフティネットであり、人生100年時代における活動の基盤となる。

とはいえ、過渡期においては特に「つながり格差」への配慮も必要になる。活動の自由度が増すことで、つながりを拡大できる人が増える一方、既存のコミュニティとのつながりが断たれて「望まぬ孤立」に陥る人の増加も懸念されるからだ。

人の流動の激しい都市はもちろん、高齢化と過疎化に悩む地方においても、地域のつながりを維持していくのは難しい。また、単身世帯や未婚者は増え続け、婚姻を起点とする「血縁」の発生そのものが少なくなっている。こうしたなか、つながりたいのにだれともつながれない「望まぬ孤立」は否応なく増えていく。

特に日本では、社会的孤立の割合が高い。2005年のOECDの調査では、社交の場で家族以外の人と「まったく会わない」「たまにしか会わない」と答えた人の割合は人口の15%を超えており、調査対象のOECD加盟20カ国のなかでトップとなっている。[1]

社会的な孤立がウェルビーイングを低下させることは、さまざまな調査から明らかだ。ハーバード大学教授のイチロー・カワチらによる『社会疫学』（大修館書店、2017年）には、友人との接触がなく、独身で、教会などとの関わりも薄い人は、つながりの多い人に比べて1・9〜3・1倍も多く死亡するという調査が紹介されている。また、孤立状態にある人は、虚血性心疾患、脳血管・循環器疾患、がんや呼吸器疾患、消化器疾患といったさまざまな疾患による死亡リスクが高まるという。こうした事態を放置すれば、社会的、経済的にも大きな損失を被ることになる。

この望まない孤立の解消は、個々人のQOL向上だけでなく、社会全体の価値を向上させる可能性を秘めている。孤立を効果的に解消することができれば、発生が予見される損失を回避できるうえ、自由闊達なつながりの拡大によって起業やイノベーションも誘発され、社会全体の価値が向上するからだ。当社では、孤立の解消による損失の解消と、新たに生まれる価値のメリットを足し合わせることで、2・3兆円以上の経済効果が生み出せると試算している。

イギリスでは、6500万人のうち900万人以上が孤独な状態にあり、その社会的損失は4・7兆円にも及ぶとの試算を背景に、2018年に世界初の孤独担当大臣(Minister for Loneliness)が誕生した。日本でも、菅政権において2021年に「孤独・孤立対策担当室」が設置されている。

孤立対策においてはコミュニティの再構築が重要な課題だが、単に古いつながりを復活させればよいというものではない。既存のコミュニティは、人の生存や経済を保障する基盤として大きな役割を果たしてきた一方で、いったん所属すると離脱しにくく、新たなつながりを阻害する面がある。こうした「しがらみ」によって、自由な自己実現がかなわない人が少なくなかったことも また事実だからだ。

希薄化する地縁や血縁、社縁を補うものとして、価値観を共有する他人がつながり合い、住居や職場をシェアするコレクティブハウジングや、シェアオフィス、シェアハウスなどの試みも盛んだ。第3章で紹介したように、仮想と現実が交錯する場での新たなコミュニティも無数に生まれ、未来に向けて「共領域」を形成していく。今後は、3Xを活用することでこうした機運をより高め、社会全体のつながり方をアップデートしていかなくてはならない。

ただし、「つながりたくない」と望む人の意思を尊重することも大切だ。憲法第13条の幸福追求権を根拠にした自己決定権やプライバシー権と同様に、やがて「人とつながりたくない権利」も議論されることが増え、個人の権利やウェルビーイングと、孤立や孤独が社会にもたらす弊害のバランスをどう取るかということが社会の大きなテーマの一つになるだろう。

コミュニティとの自由な関係

目指す未来社会においては、現実空間、仮想空間を問わず無数に存在するコミュニティのなかから、だれもが好みに応じて属するコミュニティを取捨選択できる「共領域」が形成される。複数のコミュニティで多様な経験を重ね、複線的な人生を謳歌できる環境が整うのだ。

一方、みずからつながりを構築したいけれど苦手意識のある「つながり弱者」には適切な支援が与えられ、望まない孤立から解放される。くわえて、同質性の高い閉じたコミュニティで価値観が固定化してしまうフィルターバブルのような現象にも歯止めがかかる。

DXとCXによって他人とダイレクトかつフラットにつながることが可能になれば、距離や組織の壁に阻まれることなく、ネットワークは増殖していく。さまざまな個の集まりが社会価値を創出するようになり、感情や経験の共有が広がることで共感が増え、社会がより寛容になることも期待できるだろう。

3Xの進展は、コミュニティ活動に参加するチャンスを増やすだけでなく、活動スタイルの自由度も高めてくれる。たとえば、特定の地域だけで活動するNPOに遠隔地から参加し、分身ロボットを介してボランティア活動や地域の祭りに加わることもできる。実際に住んでいないものの、地域の税金の一部を負担し、行政の意思決定に部分的に関わる「デジタル移住」という選択肢も登場し、複数の地域に拠点を持つのが当たり前になる。

2030年ごろには、一人ひとりのつながり状況がリアルタイムに可視化できるようになるだろう。人やコミュニティとのつながりは、個人のウェルビーイングを高めるための資産の一つと見なされるようになり、価値を最大化するために分散運用されるようになる。健康診断に似た仕組みのつながり診断、つながりカウンセリング、運用代行、コミュニティ・インターンシップといった、複層的なつながりを前提とする社会のニーズに応えるべく、新たなサービスもさまざまに登場し「つながりエコシステム」が発達していくだろう。

コミュニティとの最適なつながり方をサポートする仕組み

望まない孤立を防ぐ仕組みとして「つながりアシストシステム」が構築される（図表5-1）。

これは、一人ひとりの活動ログを基に、その人が誰とどうつながっているかを可視化し、孤立のリスクを数値で示すものである。

言わば「つながりの健康診断」だ。民間のプラットフォーマーが運営主体となり、自治体からのソーシャル・インパクト・ボンド（成果連動型の民間委託）などで事業化されることになるだろう。

いったん孤立状態に陥った人のつながりをゼロから再構築するのは難しい。この点も、健康と同じだ。そのためシステム設計に当たっては、予防医療のように孤立を未然に防ぐ仕組みを構想する観点が重要になる。ただ孤立リスクを示すだけでなく、健全なつながりづくりを支援する仕組みを埋め込んでいかなくてはならない。

システム実装に当たっては、①つなが

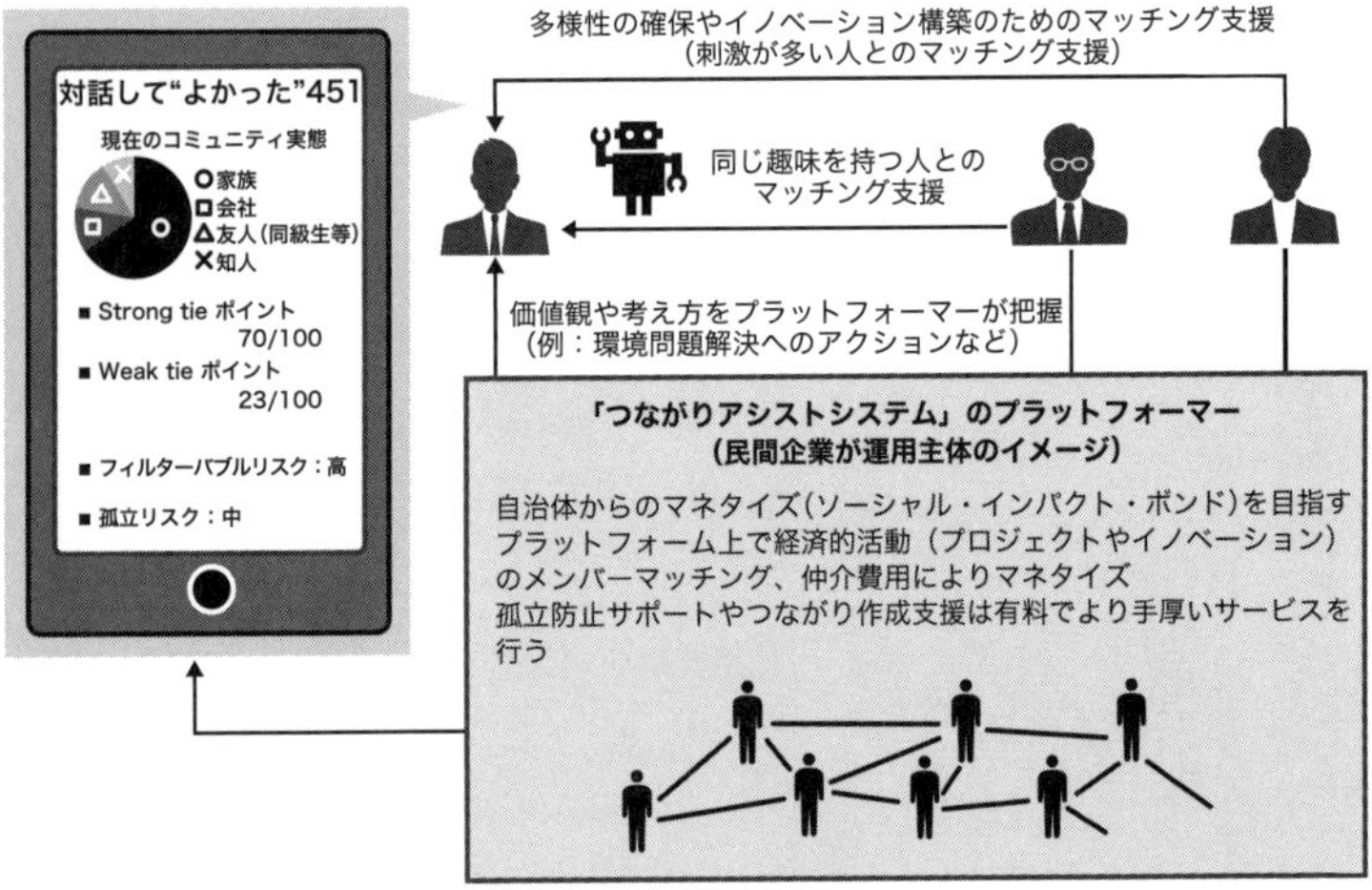

対話して"よかった"451
現在のコミュニティ実態
○家族
□会社
△友人（同級生等）
×知人
■ Strong tie ポイント 70/100
■ Weak tie ポイント 23/100
■ フィルターバブルリスク：高
■ 孤立リスク：中
多様性の確保やイノベーション構築のためのマッチング支援
（刺激が多い人とのマッチング支援）
同じ趣味を持つ人とのマッチング支援
価値観や考え方をプラットフォーマーが把握
（例：環境問題解決へのアクションなど）
「つながりアシストシステム」のプラットフォーマー
（民間企業が運用主体のイメージ）
自治体からのマネタイズ（ソーシャル・インパクト・ボンド）を目指す
プラットフォーム上で経済的活動（プロジェクトやイノベーション）のメンバーマッチング、仲介費用によりマネタイズ
孤立防止サポートやつながり作成支援は有料でより手厚いサービスを行う

図表5-1｜**つながりアシストシステムの概要**

出所：三菱総合研究所

り状態と孤立リスクの可視化、②テーラーメイド型の「つながり力」向上支援、③ＡＩによるコミュニティ・マッチング、という3つの機能が必要になる。

①つながりの健康状態を把握する——つながり状態と孤立リスクの可視化

個人がリアルタイムにつながっているネットワークの全体像が可視化され、そこから数値化された将来の孤立リスク及び、必要に応じたつながりアシストが一人ひとりに提示される。つながり状態の可視化そのものは、現在でも技術的に可能だが、プライバシーの問題があり、実装は2030年ごろになると考えられる。

利用促進には、インセンティブ設計も必要だ。通信事業者が、エンターテインメント系企業と連携してゲーミフィケーションの要素をくわえたサービスを開発したり、保険会社と連携して孤立リスクの低い人の保険料を下げるといったインセンティブを付加したり、というような方法が考えられる。くわえて、ニッチなコミュニティが多くあり、みずからの興味や境遇に近い人たちと出会えるように設計しておくことも重要だ。

可視化された個人のネットワーク状態から孤立リスクを算定するには、アルゴリズムの開発が必要になる。そのヒントとして、当社で実施した調査結果を示したい。

個人の新たなつながりを構築できる力を「つながり力」と定義し、6つのアンケート項目への回答からつながり力を算出し、「つながり力が高い人」と「つながり力が低い人」に分けて分析した。その結果、つながり力が低い人は全体で64・4％と半数を大きく超えていた。男性は70・0％、女性は58・7％で、相対的に男性はつながり力が低く、特に30～50代男性のつながり力が最も低かった。つながり力が低いほど孤独感が高い傾向があり（図表5－2）、孤立リスクを算出する際の要素の一つとなる可能性が高い。未婚者や内向的なパーソナリティにも、つながり力を低める傾向がある。一方、つながり力が最も高かったのは60代女性である。

2020年7月に、コロナ禍でデジタルシフトが進んだことを踏まえ、あらためてつながり状況を調査したところ、現実空間でのつながり力が低い人は、仮想空間でのコミュニケーションも少ない傾向が見られた。対面でつながるのが苦手な人は、デジタル化が進んだ社会でも孤立リスクが高いままである可能性が高い。

しかし、仮想空間には仮想空間特有のつながりの構築方法がある。そこで、「仮想空間上でのつながり力」も新たに定義し、現実空間におけるつながり力との関連を分析した。結果を見ると、現実空間でつながり力が低い人は、仮想空間でもつながり力が低い、という傾向はたしかに強い。しかし興味深いのは、現実空間ではつながり力が高いのに仮想空間では交流や活動が少ない人が、3割に達していたことだ。ここには、女性、高年齢、内

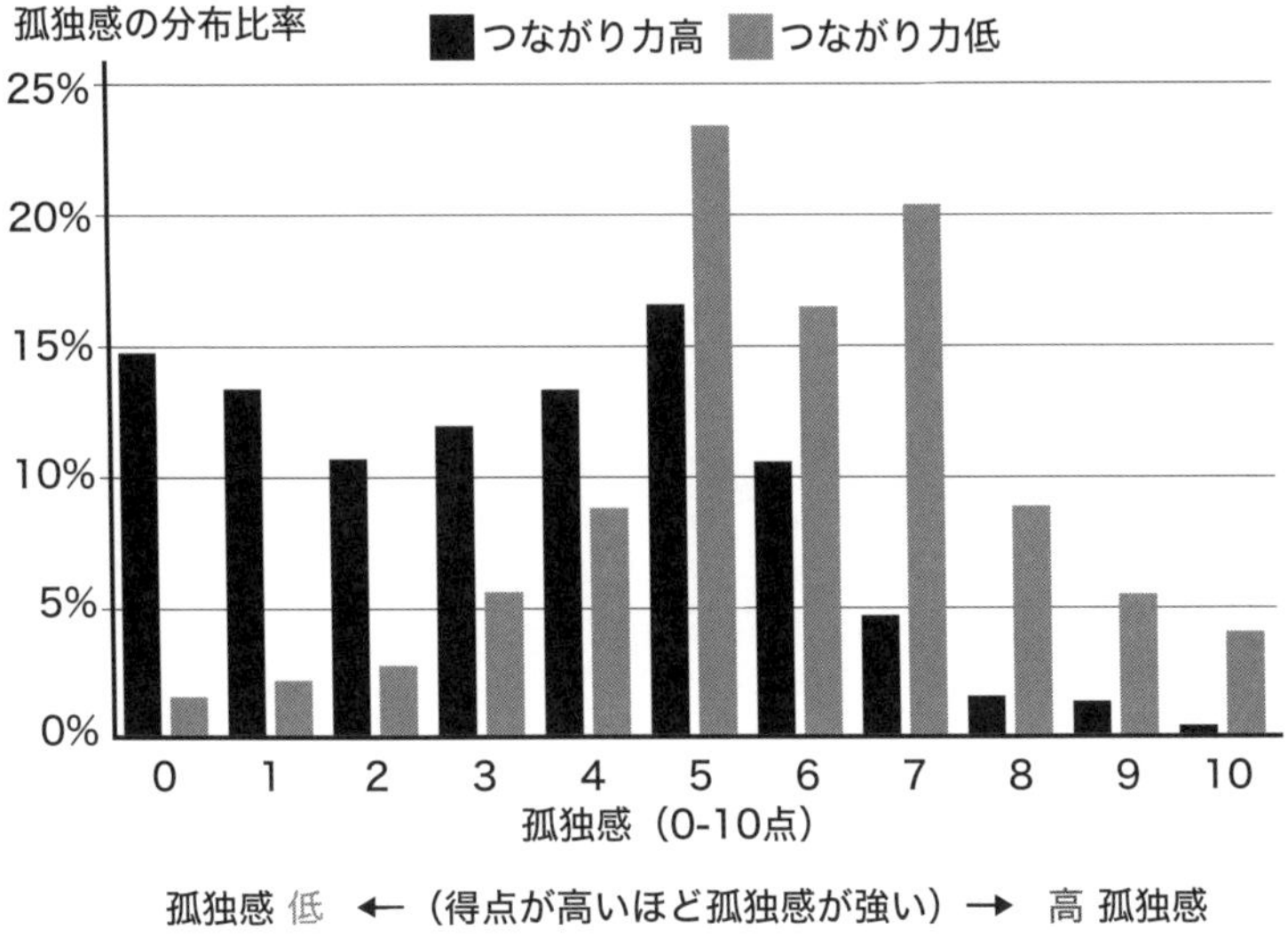

※「つながり力」算出に用いた質問項目

① 自分がつながりたい人とつながれるほうだ
② 面白いつながりができる動きに巻き込まれるほうだ
③ 一度つながった人とは関係をなくさないほうだ
④ 必要があれば、人を巻き込んで実行していくほうだ
⑤ 知り合いがやりたいことに、巻き込まれ一緒に実行していくほうだ
⑥ 困った時に、周囲の人から支援を得やすいほうだ

図表5-2｜**つながり力と孤独感の関連**
出所：三菱総合研究所

向的という属性が当てはまりやすい。逆に、現実空間のつながり力は低いのに、仮想空間では活発に活動する人も少数ながら存在する。こちらは、男性、20代、外向的という属性で顕著だった。

コロナ禍における状況分析では、現実空間において、つながり力が低い人の9割以上、つながり力が高い人でも約3割は、デジタル空間上での交流・コミュニティ活動をほとんど行っておらず、孤立リスクが高いと考えられる。無策のままではつながり格差はさらに拡大すると考えられるため、より精緻なリスク分析と、仮想空間でのつながりまで含めた、有効な支援策が求められる。

②つながりの基礎体力アップ——テーラーメイド型のつながり力向上支援

現実空間と仮想空間を横断して新たな関係を構築していくつながり力は、未来においてもますます重要になっていく。この力を高めるための方法論はまだ体系化されていないが、ゆくゆくは義務教育やリカレント教育に組み込むべきだろう。

しかし、ひと口につながり力を高めるといっても、そのためのアプローチは個人に最適化されたものでなくてはならない。支援策を提供するに当たっては、テーラーメイド型の仕組みが必要になる。

たとえば当社の調査では、「つながり力が低い」人に2つのタイプが確認されている（図表5−3）。内向的でそもそも人と会いたがらない「引きこもりがち系」と、外向的で積極的に人と会いたがるにもかかわらず相手から避けられてしまう「敬遠されがち系」である。前者には人と会う理由や、地道に信頼や関係を維持するスキルが必要だし、後者には一人よがりにならず、相手を尊重しながら関係性を構築するスキルが必要だろう。

また仮想空間においては、外向的な人は現実空間での知り合いを中心に交流することを好み、副業などの新しいチャレンジがつながり拡大のきっかけになりやすい。一方、内向的な人は趣味を通じた

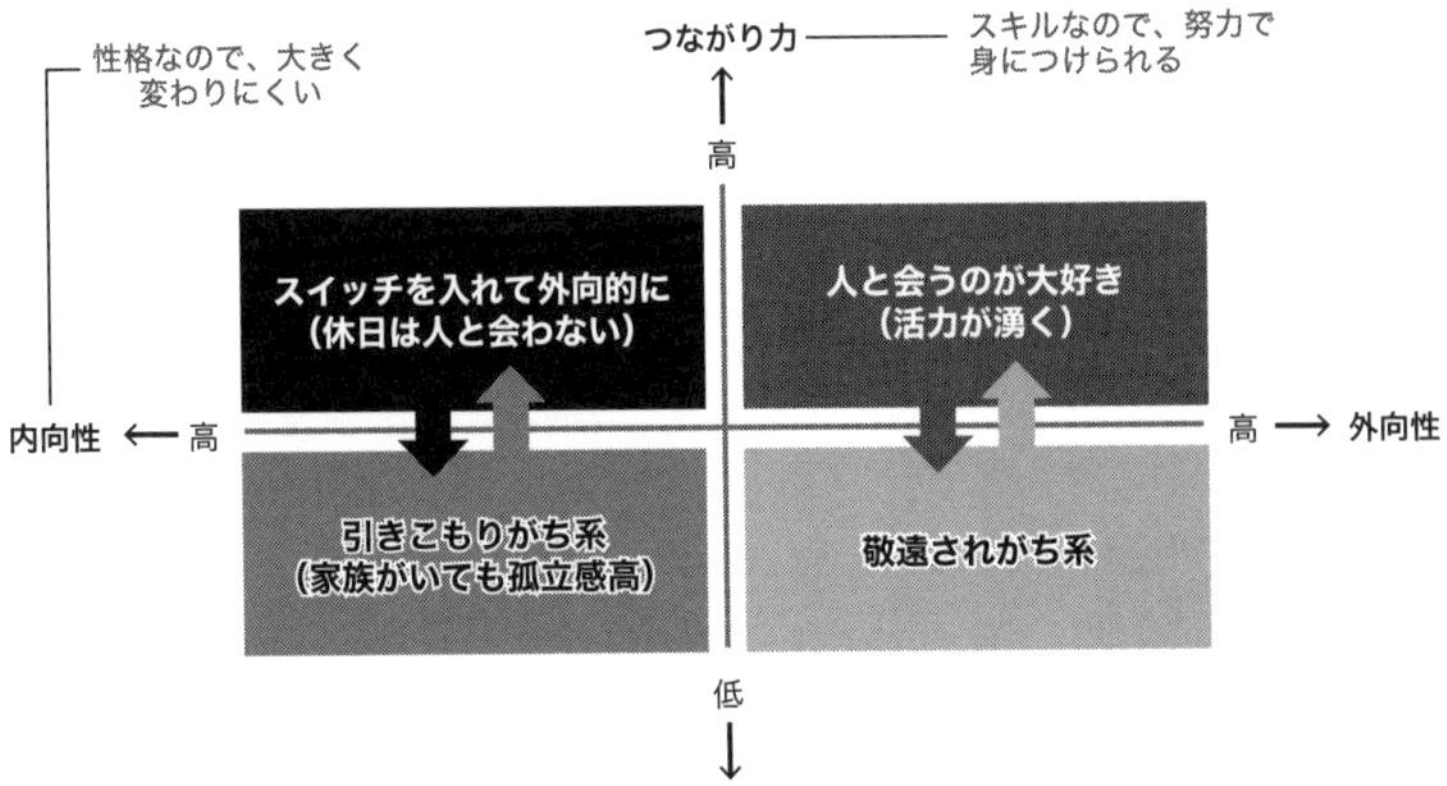

図表5-3｜つながり力・パーソナリティによる分類

出所：三菱総合研究所

交流がきっかけになることが多い。こうした傾向を意識的にコントロールすることで、スムーズに仮想空間上でのつながりを広げられる可能性がある。

一人ひとりのウェルビーイングを高めるには、つながり力を上げるだけでなく、孤独感を下げるのにより効果的なアプローチも重要だ。何に孤独感を感じるかについても個人差が大きいので、ここでもテーラーメイド型の支援が必要になる。たとえば外向的な人は、信頼できる友人の存在や、交流によって孤独感が癒やされる傾向があるが、内向的な人は、夢中になれることがあるかどうか、あるいは仲のよい家族が存在するかなどがポイントになりやすい。そのため、外向的な人には他人と協調的に行動できるヒントを提供し、内向的な人にはコミュニティにインターン的に参加するきっかけを提供して目標探しをサポートする、といった支援が考えられる。

③実り豊かなつながり形成へ――AIによるコミュニティ・マッチング

一人ひとりの趣味嗜好やパーソナリティの傾向を熟知したAIが、膨大な数のコミュニティのなかから、ソムリエのようにおすすめのコミュニティを選び出してマッチングする。そんなつながり支援のためのAIサービスが、2025年には普及するだろう。

人とコミュニティのマッチングだけでなく、1日体験やアバターを介した参加など、抵抗なく活動にコミットできる入口も用意してくれる。こうした機能は、アバター技術も含めて2030年には一般化する。

こうしたシステムの普及には、データから個人を的確にとらえることが重要になってくる。その精度を上げるには、活動ログとして、言語的アウトプット（会話やSNS上のテキストなど）、行動、脳内事象をできる限り把握するのが望ましい。本人の同意を前提に、情報が自然に集約される仕組みを設計できるかどうかがポイントになるだろう。ナッジ理論なども活用して、システム利用のインセンティブを高める工夫も必要になるだろう。

このシステムを社会に実装するには、個人情報保護への配慮が不可欠だ。コミュニティのポートフォリオを把握し続けるためには活動ログを継続的に取得する必要があるが、それはまさに個人情報の塊である。運用主体をプラットフォーマーが担うとすれば、セキュリティや個人情報の利用に関する明確なルールづくりが課題となる。

プラットフォームで感情や経験を他人と共有する

つながりに満ちた世界では、さまざまな経験や感情をやりとりできるコミュニティ「感情・経験共有プラットフォーム」が、豊かな人生を謳歌するための基盤となる。

このプラットフォームは、エンターテインメントや自己表現の場として活用できるだけでなく、未知のスキルや知識の習得、イノベーションの誘発といった、さまざまな活動の場にもなる。さらに、自分の人格のデジタルコピーを活躍させ仕事や活動を広げる場としても活用できる。第3章で述べたような、CXの実装によって実現する共領域の一つである。

その実現には、①感情や経験共有の素材として活動ログ（ライフログ）を記録する技術、②そのライフログを他人が体験可能な経験コンテンツとして圧縮する技術、③経験を圧縮されたコンテンツを完全に追体験するためのクロスモーダル情報提示技術、という3つの核技術の発展が必要になる。

①人のビッグデータを自動生成――ライフログ記録技術

個人の行動を、映像や音声、位置情報やバイタルデータで記録するツールは、現在でもさまざまに実用化されている。しかし、それを他者がリアルに追体験できるクオリティまで高めるには、主体者の意識がどこに向いているかを示す視点の追跡や、触覚情報まで記録する必要がある。これらは、２０４０年ごろには実現するだろう。

さらに、その時の湿度、匂い、風などの外部環境、体験している人物の情動や心的状態まで記録する技術となると、実用に耐えうるレベルにまで発達するのが２０５０年ごろになると見られる。背景技術として、通信、センサー、バッテリー関連の技術進化も求められる。

②経験をまるごとコンテンツ化――経験圧縮技術

精緻なライフログが自動的に記録できても、そのままで活用できるわけではない。膨大な量の一次情報から、必要な部分を抜き出して編集し、タイトルをつけてクラウド上に保管する自動編集機能が必要になる。まだ研究は緒に就いたばかりだが、２０４０年ごろには感情取得の自動化が始まり、２０５０年代には実装されるのではないだろうか。

③他者になりきる超体験――クロスモーダル情報提示技術

他人の感情や経験を共有し、深い共感を得るためには、自分自身の身体や五感を通じて実感できるかどうかがポイントだ。2040年ごろには、こうしたクロスモーダル技術が他者の経験の追体験を可能にし、2050年には、たとえば紫外線を見るといった、人間の五感では知覚できない情報まで提示できるようになるだろう。さらにその先には、他人とのリアルタイムな感覚共有や、ロボット、犬や猫などのペット、森の樹木、海の珊瑚といった、人間とは異なる種や無生物とも体験や意識を共有できるようになる世界が広がっている。

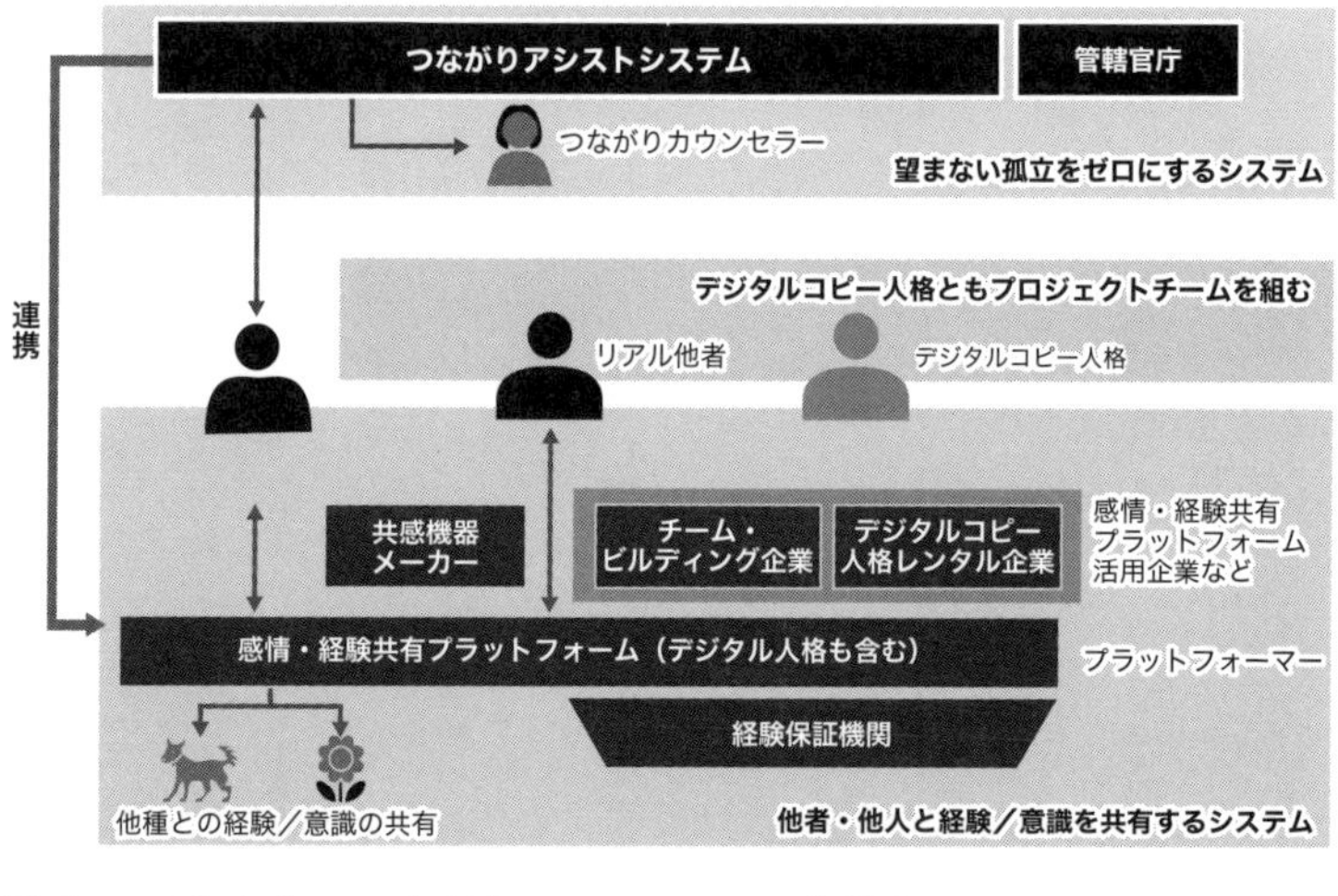

図表5-4｜未来のつながりエコシステムの全体像

出所：三菱総合研究所

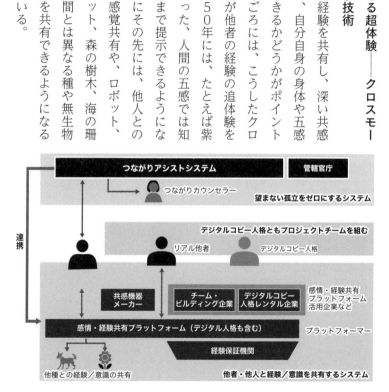

感情・経験プラットフォームで人間以外の存在と同化する経験は、これまでにない学びを人間にもたらすことになるだろう。たとえば森や海と同化する経験は、地球環境により深く配慮した行動を促し、環境の持続性向上につながるイノベーションを誘発する大きな契機になりうる。

また、多くの人が生命の多様性を実感することは、逆説的に「人間らしさ」を強く意識することにつながる。多様性に満ちた世界のなかで人類は一つの種であり、仲間であるという人間観が浸透し、人間同士の差異より共通点に目が向くようになれば、社会の分断が小さくなっていくことも期待できる。

こうした新しい技術の社会実装に当たっては、新たに生まれるリスクを回避するための社会制度も必要になる。個人の経験を圧縮したコンテンツが、たしかに本物の経験であることを保証し、なりすましなどのトラブルを防ぐ「経験保証機関」や、デジタルデータ化された個人の経験を複製する際のルールの策定などが考えられる（図表5－4）。

自分のスキルや人格のデジタルコピーを仕事などに活用することは、範囲を限定すれば2030年までに実現し、2050年にはより高度化しているだろう。デジタルコピーに発生する知的財産権に関しては、現在のところ、集合知として活用する方向に向かっているが、それではデータ源となった人にメリットがないまま労働代替が行われるおそれもある。権利と公益のよりよいバランスを模索していく必要がある。

経験を共有し「つながり」を豊かにする3X

3Xによって人と人、あるいは人と環境を新たな形でつなぎ合わせて、人間のあり方そのものを変革していく——。CXはまだまだ緒に就いたばかりの分野だが、こうした可能性が萌芽するテクノロジーは多彩だ。

他者の動きを精緻にデータ化したり、感情を客観的に推定したり、それをまるごと再現したり、といった「感情・経験共有プラットフォーム」の実現に関連の深いテクノロジー領域を中心に紹介する。

●心から相手を理解する——感情推定技術

誤解やすれ違いで、思うように意思疎通できなかった、という経験はだれにでもあるだろう。もし、相手の気持ちが手に取るように把握できたとしたら、ミスコミュニケーションのストレスは大幅に減らせるはずだ。そんな一種の「テレパシー」を可能にする研究開発が進んでいる。まばたきや瞳孔の変化、動き、声、あるいは脳活動といったさまざまなサインを読み取って、それを気持ちに翻訳する「感情推定技術」だ。

「相互理解をサポートする技術」として、第2章で紹介した「感性アナライザ」はその一例で、脳波から感情を読み取るものだ。一方、アメリカのAIテクノロジー企業、アフェクティバが開発した感情AI「Affdex」は、目の動き、眉の上げ下げ、頰の動き、口角の上がり方といった「表情」から感情を推定するもので、企業のマーケティング活動や、営業職向けの表情トレーニングなどに応用されている。

音声から感情を認識する技術もある。日本企業のAGIが開発する音声感情認識エンジン「ST（Sensibility Technology）」だ。発する声から人の感情をリアルタイムに可視化できるため、電話の声から顧客の行動を予測したり、従業員の勤務中の音声モニタリングからストレスレベルを推定してマネジメントに活かすなど、さまざまに応用されている。

視線の動きを細かく追って、人が何に注意を向けているかを把握する「アイトラッキング（視線計測）」も、今後の活用の広がりが期待できる技術だ。この領域をリードするスウェーデンのトビー・テクノロジーでは、パソコンなどのモニターに取り付けて画面上での目の動きを追うデバイスのほか、日常の生活シーンでの視線が追えるメガネ型のアイトラッカーも製品化しており、消費行動分析や心理学の研究などに活用されている。

アイトラッキング技術はＶＲとの関連も深い。現在すでにハイエンドなＶＲゴーグルには視線をトラッキングするセンサーが搭載されており、分身アバターに本人の目の動きをリアルタイムに反映できるようになっている。いずれはＶＲゴーグルから収集された視線データから感情の動きまで解析できるようになるだろう。

こうした「アフェクティブコンピューティング（感情を理解するコンピュータ技術）」の分野では、いかにデータ数を増やし、機械学習を通じて精度を上げていくかが重要だ。現在の解析対象は静止画が中心だが、今後は動画も活用して感情を把握していくと考えられる。そして将来的には、こうして保存された「他人の感情」を、まるで自分のもののように追体験できるようになるだろう。こうした深いレベルの相互理解は、他者とのつながりをより深く豊かにする。「相手の気持ちになる」ことが実体験として可能になれば、たとえばパワーハラスメントの加害側に被害側の気持ちを体験させ、その行為の加害性を心から理解できるように導くといった活用法も考えられる。実際に、ＶＲ開発企業ジョリーグッドは、相手の立場を経験することでパワハラ防止に役立てる研修用ＶＲコンテンツ「Yourside」をサービス化している。

ただし、ひと口に「感情」といっても、喜怒哀楽の周辺には、微妙なニュアンスの「感性」が無数に存在している。人間理解には重要な部分だが、まだまだ研究が乏しい部分といえる。たとえば「懐かしさ」や「厳かさ」をどう定義すべきか、という問いに明快に答えるのは難しい。こうしたコンセンサス形成にも真摯に取り組む必要がある。

●服のように身体性を着替える――他者の動きの再現技術

プロ野球選手やピアニスト、ダンサーやマジシャンなど、優れた身体能力や身体コントロールのスキルを持つプロフェッショナルに同化し、その華麗な動きを体験してみたいと思ったことはないだろうか。理想的な動きを忠実に追体験できるようになれば、さまざまなジャンルの技術習得が飛躍的に容易になるだろう。そして、それは将来的にはけっして不可能ではない。

しかし、仮に追体験の対象になる動きを細部まで正確に測定、記録し、忠実に再現できたとしても、それを別の人がそのまま追体験するには、骨格も筋肉量も動作のクセも異なる身体に違和感なくフィッティングさせる技術も必要となり、技術的なハードルはかなり高い。とはいえ、その実現の基礎となる技術やデータの蓄積は進んでいる。

たとえば凸版印刷と日本体育大学は、トップアスリートの動作をモーションキャプチャして解析したデータを基に、一人ひとりにパーソナライズしたトレーニングを提供する「標準動作モデルを用いたループ型動作トレーニングシステム」をサービス化すべく研究開発中だ。

このシステムでは、標準動作と自分の動作の違いを、映像で確かめながら改善していく。視覚に頼ったものではあるが、両者の動作の違いはさまざまなパラメーターでスコア化され、的確なアドバイスを受けることができる。

産業技術総合研究所人工知能研究センターのデジタルヒューマン研究グループでは、長年にわたって緻密な人体計測とモデル化に取り組んでおり、その成果が、子どもから大人まで多様な体型と動きを再現できる3Dの人体機能モデル「Dhaiba《ダイバ》」として結実している。これらのデータの産業界での活用を促し、より「人間中心の製品開発」を進めることを目的に、人体モデルを使ったさまざまなシミュレーションができるソフトウエア「DhaibaWorks」が公開されており、人間工学に基づいたさまざまな商品・サービスの開発に活かされている。

将来的に、他者とリアルタイムな経験を共有しようとすれば、最低限、日常の動きを妨げないスムーズな動作モニタリングとデータ統合が必要になる。衣服などに埋め込める超小型のセンサーなどを開発し、各所の触覚データを網の目のようにつなぎ合わせて人体の動きを構築するのだ。

こうした技術が発達すれば、VR空間内でも一人ひとりの筋骨格を忠実に再現できるようになり、「身体を自分のものとして所有している」という実在感覚が得られるようになるだろう。

●「理解」以上の「実感」へ――他者の感情の再現技術

他人が経験した感情をそのまま再現し、追体験することは、動きを追体験する以上の難問だ。両者の感情をぴったり合致させるためには、匂いや色、温度など、感情を修飾するさまざまな周辺情報を付加したり、適切なデータ変換を施したうえで、追体験しようとしている人に正確にフィードバックする技術が求められる。まだまだ未知数の分野ではあるが、応用できそうな技術の萌芽はある。

たとえば浜松医科大学では、対人コミュニケーションに困難を抱える自閉スペクトラム症の人に、オキシトシンを噴射するという治療法が研究されている。オキシトシンは脳の視床下部で生成されるホルモンで、「絆」や「愛情」といったポジティブな人間関係の形成に関係が深いとされている。こうしたホルモンによって他者の感情を理解するための脳活動が活性化するかどうかを検証する研究だ。あくまで治療を目的としたものだが、今後の展開によっては、癒やしやリラックスを生み出すための技術として応用できる可能性もある。

また、外部から脳に人工的に刺激を与える「TMS（経頭蓋磁気刺激）治療」が、従来の抗鬱薬では効果が見られない患者への治療として2019年に保険適用されている。これも現在は「治療」だが、脳の特定の部位を刺激することで特定の効果が表れることが明確になれば、将来的には感情の再現技術としても応用できるかもしれない。ただし、健康に問題のない人に安全に使用できるかどうか、健康リスクの観点から慎重に検討する必要がある。

●「耳で見る」「目で聴く」ことの実現——感覚代替技術

視覚に障がいがあっても、文字情報を「点字で触覚化」したり、映像情報を「音声ガイドで聴覚化」したりすれば、本や映画が楽しめる。また、聴覚に障がいがあっても、音声情報を「手話や字幕で視覚化」すれば、ラジオやテレビから情報を得ることができる。

このように、視覚を触覚や聴覚へ、あるいは聴覚を視覚へと、感覚を変換するのが「感覚代替」だ。技術が成熟すれば、メガネのように気軽に装着できる感覚代替デバイスの開発が進み、感覚に障がいがある人も、あまり障がいを意識せず生活できるようになる。真っ暗な場所で空間を認識する、うるさい場所で会話する、というような用途にも使えるようになる可能性が高い。

こうした感覚代替を実用化したプロダクトとして、視覚を聴覚に代替する機能を持つスマートグラス「オトングラス」がある。カメラがついたメガネ型デバイスで、装着者が見ている文字を撮影してテキストデータに変換し、音声で読み上げてくれるというものだ。

こうした技術をフル活用して「情報のユニバーサルデザイン化」を本気で実現するには、ユーザーの特性に合わせて、適切な感覚代替方法を丁寧に検討しなければならない。そのためには、障がいの有無や年齢によって多種多様なバリエーションがある感覚をきめ細かくデータ化し、別の感覚情報に過不足なく代替させる方法の開発が必要になる。

その助けになりそうなデータとして、産業技術総合研究所で公開されている「高齢者・障害者の感覚特性データベース」[2]がある。年齢別にどこまで細かい文字が判読できるか、どの周波数まで聞き取ることができるか、といったデータを蓄積したものだ。現在はまだ視覚と聴覚のデータに偏っているが、さらなるデータの蓄積と技術開発が期待される。

1　OECD,Society at a Glance:2005 edition,2005.

2　高齢者・障害者の感覚特性データベース　http://scdb.db.aist.go.jp/rule.html

第6章

だれもが自分の価値を見出せる未来

人生１００年時代、何にどう時間をかけるか

２０１３年、オックスフォード大学のカール・Ｂ・フレイとマイケル・オズボーンは、論文『雇用の未来』において、労働人口の実に47%は機械で代替可能であるとして、20年以内にＡＩに奪われる職業をリストアップして世界に衝撃を与えた。

たしかに、ＡＩやロボットが人間の労働をさまざまな形で代替していることは、現在進行中の現実だ。しかし、その先にあるのは、人間が機械に仕事を奪われて路頭に迷う恐怖の未来だろうか。人間は、みずから生み出したテクノロジーと、最終的にはそれを敵として対峙しなければならないのだろうか。

現代人の日常生活において、労働は活動時間の約半分を占める。しかし、イギリスの経済学者ケインズは、第一次世界大戦後の大恐慌のまっただなかの１９３０年に書いた『孫の世代の経済的可能性』[1]という小論で、「いまから１００年後の２０３０年には、技術革新によって経済問題はほぼ解決してしまい、人々の労働時間は週15時間になる」という先見的な未来像を開陳している。そうした未来社会においては、新たに創出された自由な時間をどう使うかが最大の課題となり、生存のための労働に身をやつす代わりに、ほがらか

にいまを楽しみ、人と交わることにこそ本当の価値が見出されるようになるのだ、と。

２０３０年を目前に控えたいま、私たちはケインズに倣い、「労働」「活動」「学び」の時間を均等配分するという目標を掲げたい。現在は労働に偏っている時間消費を、それ以外の活動にも十分に割り振っていくのだ。

そのための大きな武器が３Ｘだ。ＡＩ、ロボティクスをはじめとするテクノロジーをフル活用して、人間らしい創造力と、時間当たりの労働生産性を高め、労働時間を短縮していく。なかでも生活のための義務的な労働は、限りなくゼロに近づけるのが望ましい。そして新たに生まれた余剰時間を、生涯にわたる学びや、他人と関わって互助・共助する活動に充て、個人のウェルビーイングを向上させるとともに、社会全体を豊かにしていくのだ。

こうした恩恵をだれもが受けられるようにするには、経済格差や社会格差に苦しまない社会制度を確保することも重要だ。そのためには、３Ｘがもたらす付加価値を社会全体で適切に再配分する仕組みを整えるとともに、社会的な互助・互恵の場となる共領域を形成していくことが欠かせない。

学ぶことと働くことがダイナミックに交錯する

ロンドン・ビジネススクールの教授であり、人材論、組織論を専門とするリンダ・グラットンは、人生100年時代の新たな人生戦略を説いた『ライフ・シフト』（東洋経済新報社、2016年）で、これまでの「教育」「仕事」「引退」という3ステージ型の人生から、マルチステージ型の人生へのシフトを提案している。

寿命が延びれば、職業人生も必然的に長くなる。そして、転職、起業、違う分野への転身、金銭的な報酬を目的としない社会活動への従事など、一人の人間のキャリアにさまざまな変化が含まれるようになる。

活動が複線化すれば、知識や技能を習得するための学びも複線化していく。人生の序盤で集中的に学び、その後の労働で学びの成果を消費する、という直線的なライフコースでは、学びの量が圧倒的に足りなくなってしまうのだ。ある時点で教育からきっぱり卒業してしまうのではなく、学び、実践し、また学ぶ——。人生は、学びと活動がダイナミックに交錯するものとなり、教育は単に知識や技能を得るためのものから、一人ひとりが自分自身の本質的な価値を探究するためのものになっていく。

これから2030年までに、主に技術革新に適応するための既存の教育制度のアップデートを中心とした改革が進むだろう。そして、2050年には学校に固定化した教育システムから脱却し、生涯にわたって継続的に学べるダイナミックな仕組みが新たに構築されていく。労働や活動と学びは一体化し、社会のだれもが教師になったり、生徒になったりするという、相互に学び合う社会が到来するのだ。

こうした未来に向けて、どのような変革を目指すべきだろうか。

創造的な働き方への変革

3Xの進展が、労働を大きく変えようとしている。なかでも、組織を主体とした一極集中型から、個人を基本とした自律分散型への変化は、現在の大きな潮流といえるだろう。

遠隔地からでも活動できるテレイグジスタンス技術（アバター）は、2030年までにはかなり普及し、2050年になれば、息遣いまで感じられる自然なテレコミュニケーション技術や、実空間と遜色なく活動できる仮想空間が実現しているだろう。こうした技術は、労働を場所の制約を受けないようにするばかりでなく、アバターによる代替労働やタイムシフト、労働の交換市場などを活用すれば、時間の制約からも解放される。

しかし、個人が完全にバラバラになるだけでは集合知が発揮できない。そこで、個人の活動を協調、統合、発展させる価値創造のための共領域が重要な意味を持つ。「ものづくりに関心がある」「ロハス的な生活を志向する」「デジタルライフを好む」といった共通の価値観、同じ地域にゆかりがあるなどの共通項を持つ人たちの共領域的なコミュニティが現実空間と仮想空間を横断して活発に形成され、製品やサービスへの投資や相互提供が行われるようになるだろう。

２０３０年までにはだれもが複数のコミュニティに属して活動するのが常識になり、２０４０年までには、各コミュニティ内に仮想通貨などを活用した貨幣・非貨幣の交換市場、贈与市場が生まれていく。教育や福祉など、生活に不可欠なベーシックサービスもこの市場内で交換されるようになり、公的サービスを補完する。

一人ひとりがやりがいを持って働く社会を実現するためには、企業の変革も欠かせない。なかでも、世界に立ち遅れている日本企業のデジタル化は喫緊の課題だ。２０３０年までには、大量生産型から知識創造型へと仕組みを大きく変革する必要がある。

企業が社会に与えるインパクトやリスクを開示して評価する仕組みづくり、公益性の高い事業を資金調達面から後押しするブレンデッドファイナンス、社会・環境投資を促進するソーシャルＩＰＯなどの仕組みの普及、Ｂ・Ｃｏｒｐのような社会的価値の高い企業体のための新たな法人格の創設など、さまざまな制度が２０３０年までに実現され、持続的で包摂的な経済が、新たな日本のスタンダードになっていく（図表6-1）。

こうした未来像の実現のために必要となる環境やツールを４つの観点から紹介する。

①現実・仮想空間をハイブリッド化した経済活動

仮想空間での経済活動はあらゆる業種、職種に広がり、グローバル化もさらに進展する。

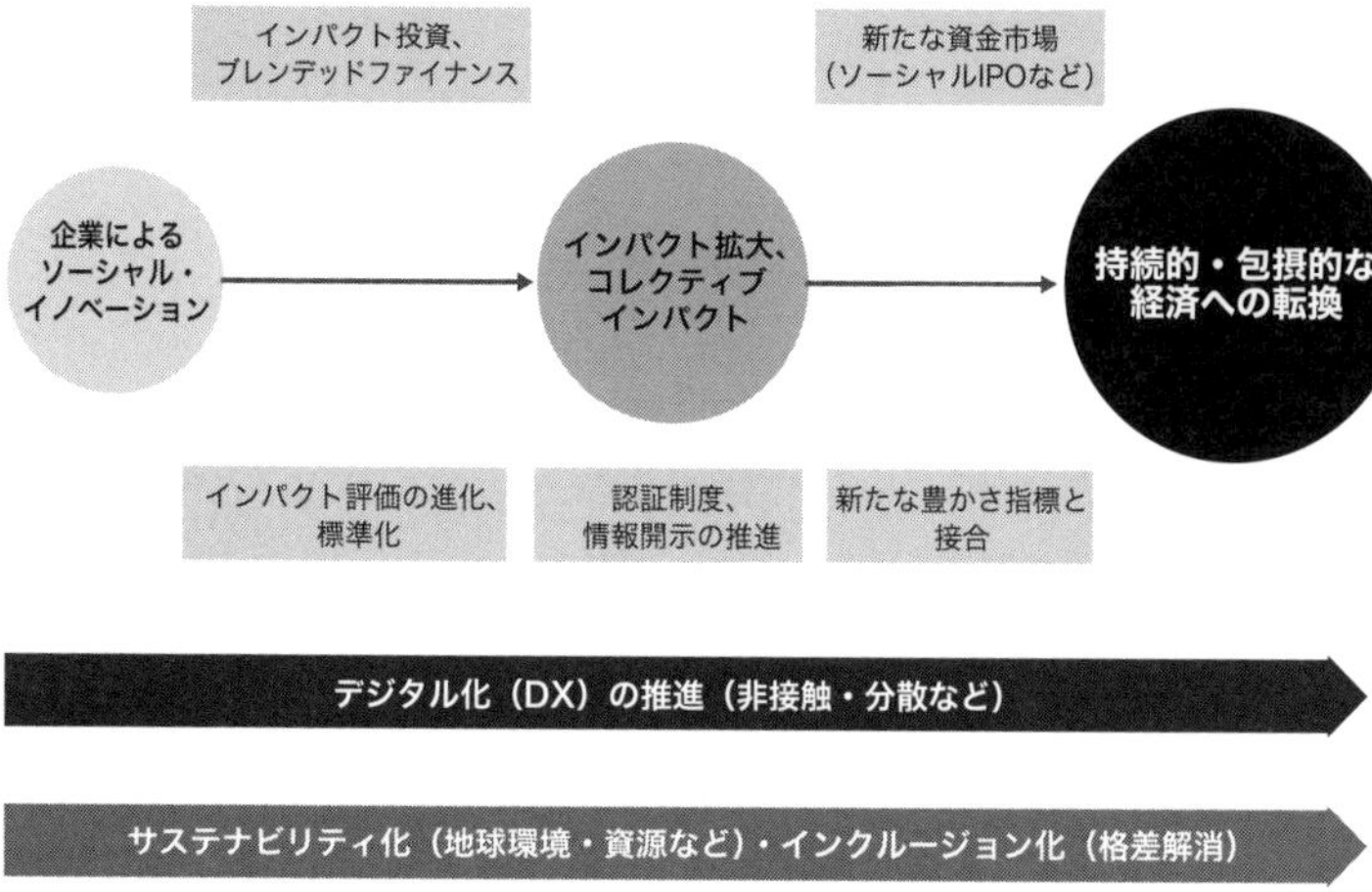

図表6-1｜企業による持続的・包摂的な経済への転換

出所：三菱総合研究所

仮想空間が充実することは、自然災害やパンデミックのような突発的な非常事態が発生した場合にも経済活動を続けることを可能にし、社会のレジリエンスを大きく高める。また、居住地域の分散化を促し、都市の過密や地方の過疎の改善にもつながる。

働く場が仮想空間中心になると、時間や空間に縛られることがなくなり、ワークライフバランスを考慮した柔軟な働き方ができるようになり、生産性が高まる。個人の行動がデータ化されることで労務管理も容易になっているため、勤務形態のパーソナル化に柔軟に対応できる。

ただし、グローバル化の進展や仮想空間の拡大によって、自治体や国家レベルではルールをすみずみまで行き届かせるのが困難になるため、国際的なルールづくりが今後の重要課題となる。

②個人を基点とする活動プラットフォーム

これまでの労働は、企業などの組織が主体となって、個人に役割を与えることで発生するものだった。これからは個人が主体となって、価値観を共有するメンバーとチームをつくり、離合集散しながら価値を生み出すスタイルが主流になる。組織基点から個人基点へ、構造が大きく変わるのだ。労働の目的も、経済価値の創出から、文化や信頼といった非経済価値の創出へと重心が移る。言わば、企業の「共領域化」だ。

企業の組織形態は、ヒエラルキー型からセル型へと移行し、個人を基点とした活動プラットフォームとして活性化する（図表6－2）。セル型は素早い意思決定で市場変化に機敏に適応できるため、破壊的なイノベーションが求められる業種では特に早期に移行が進む。組織運用の柔軟性をより高めるためには、現実空間と仮想空間の長所を組み合わせた仕組みづくりがポイントになる。

③人の活動とコミュニケーションを支援するサポートAI

未来の労働や活動においては、人間と

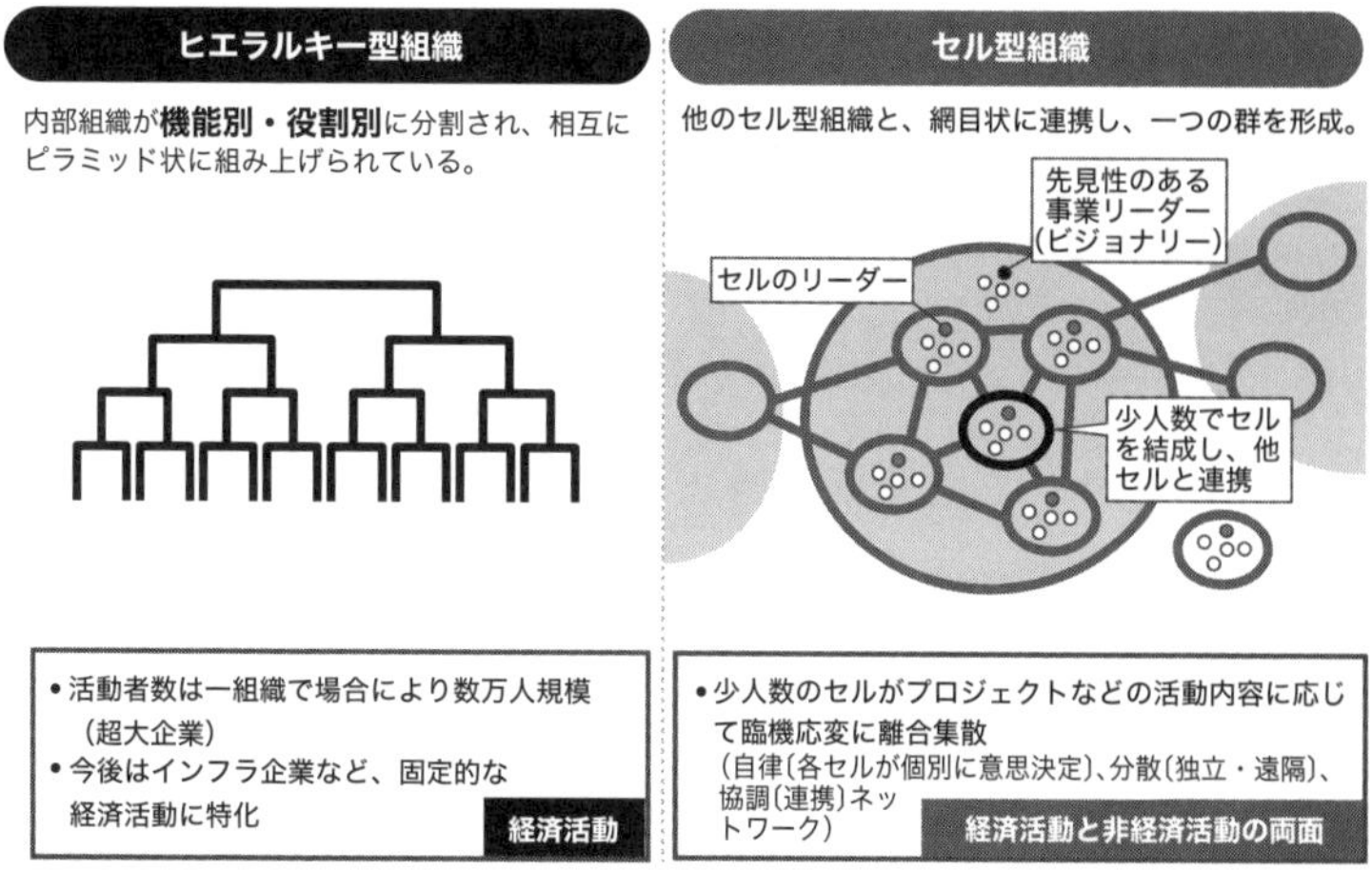
ヒエラルキー型組織
内部組織が**機能別・役割別**に分割され、相互にピラミッド状に組み上げられている。
セル型組織
他のセル型組織と、網目状に連携し、一つの群を形成。
先見性のある事業リーダー（ビジョナリー）
セルのリーダー
少人数でセルを結成し、他セルと連携
•活動者数は一組織で場合により数万人規模（超大企業）
•今後はインフラ企業など、固定的な経済活動に特化
経済活動
•少人数のセルがプロジェクトなどの活動内容に応じて臨機応変に離合集散
（自律〔各セルが個別に意思決定〕、分散〔独立・遠隔〕、協調〔連携〕ネットワーク）
経済活動と非経済活動の両面

図表6-2｜**ヒエラルキー型組織とセル型組織**

出所：三菱総合研究所

サポートAIが一組となって価値創造するスタイルを提案したい。

　サポートAIは、ウエアラブル機器や家庭・施設内のさまざまな機器やネットワーク上に常駐して人に寄り添い、タイムリーなサポートを提供する。機能は主に3つあり、第一に人の成長を支援するコーチング機能、第二に他人との円滑な協業をサポートするコミュニケーション機能、第三に自律的に定型業務をこなす代行機能だ。第一、第二の機能は対話型AIが、第三の機能はソフトウエアロボットが担う。これらはいずれも、2030年までに普及し、2040年には人生に不可欠な存在になる。

　これからの50年でグローバル化はさら

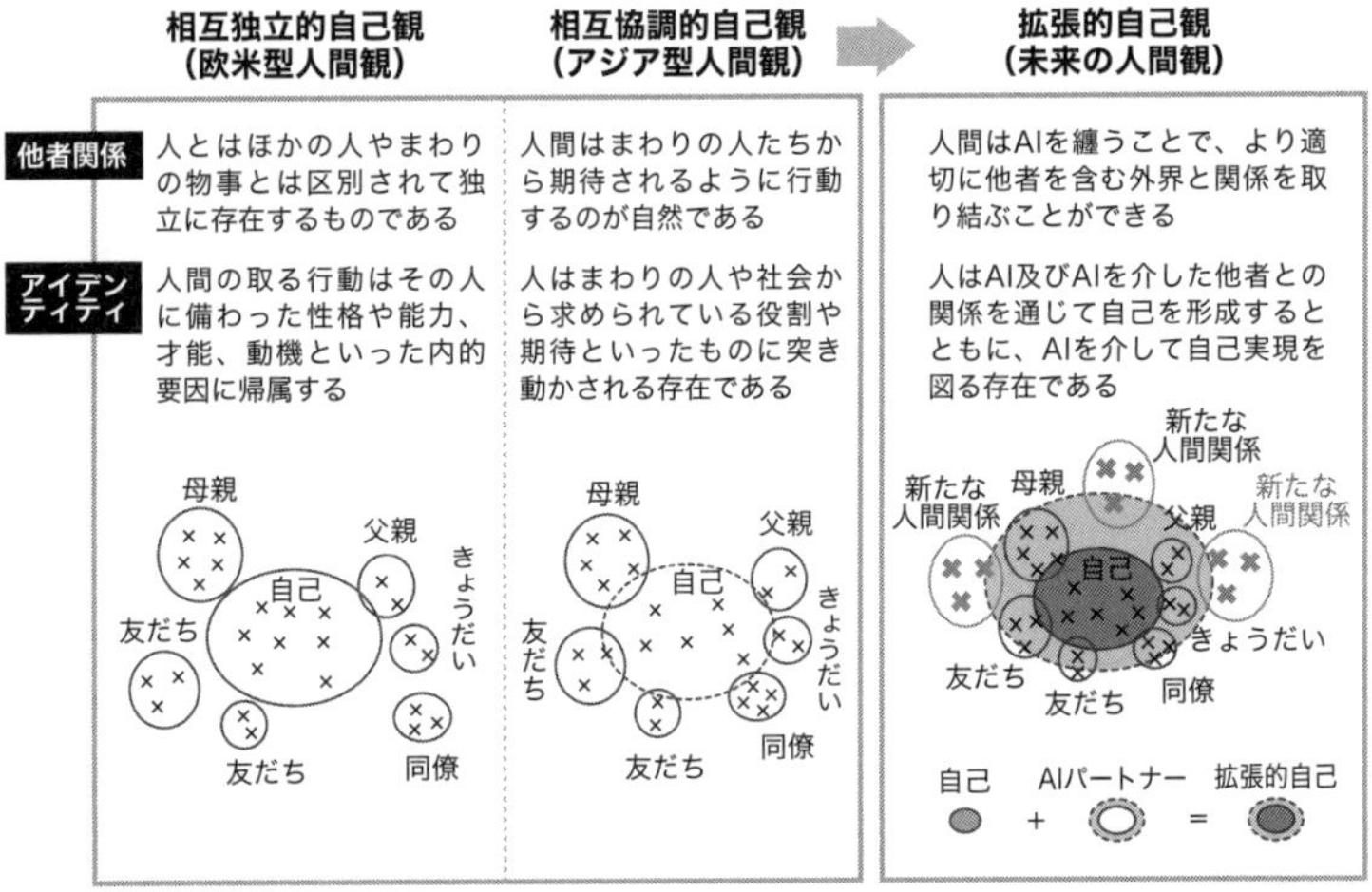

	相互独立的自己観 （欧米型人間観）	相互協調的自己観 （アジア型人間観）	拡張的自己観 （未来の人間観）
他者関係	人とはほかの人やまわりの物事とは区別されて独立に存在するものである	人間はまわりの人たちから期待されるように行動するのが自然である	人間はAIを纏うことで、より適切に他者を含む外界と関係を取り結ぶことができる
アイデンティティ	人間の取る行動はその人に備わった性格や能力、才能、動機といった内的要因に帰属する	人はまわりの人や社会から求められている役割や期待といったものに突き動かされる存在である	人はAI及びAIを介した他者との関係を通じて自己を形成するとともに、AIを介して自己実現を図る存在である

図表6-3｜新しい人間観の形成

出所：三菱総合研究所

に進展し、世代、ジェンダー、国籍など多様な属性を持つ人々が同じチームで活動する機会が増える。サポートAIは、こうした多様性の高い組織のチームワークをサポートする役割も果たす。人はAIとの対話を通じて自分の考えを整理したり、他人の意見を理解したり、他人との関係構築をよりスムーズに図れるようになり、創造的で効率的な働き方ができるようになるのだ。

サポートAIの普及により、自他の境界を強く意識した相互独立的な「欧米型人間観」と、自他が融合的で相互協調的な「アジア型人間観」がミックスされた新たな人間観の形成も促されていく（図表6－3）。

サポートAIは、会社の備品として就業者に貸与されるのではなく、就業者自身が保有し、組織を離れても行動をともにする。AIは、より生産性の高い働き方を生み出すための個人に最適化された資本として活用されるのだ。それは、短・中期的には経済的価値を創出し、長期的には文化的・社会的価値を創出できる可能性を高めるだろう。

④新たなスタンダードとしての「マルチステークホルダー経営」

持続可能で包摂的な社会の形成を基礎とし、株主利益だけに偏らず、多様な利害関係者を尊重するマルチステークホルダー経営が日本社会に浸透していく。

これからの50年、企業には、その活動が社会に与える影響をポジティブ、ネガティブの両面から可視化することが求められる。それは、ＥＳＧ投資やインパクト投資といった社会性の高い投資を促すことにもつながる。

豊かさの源泉として、また福祉や再分配の原資として、経済成長はもちろん重要だ。しかし同時に、これからの企業には、ステークホルダーを拡張的に捉え、すべての人々のウェルビーイング向上につながる価値提供による成長も求められる。こうした企業の意識・行動変革は、個人の多様な生き方の選択を促し、だれもが肯定される生きやすい社会の実現につながっていく。

自由な活動を支える社会基盤の変革

人が自由に働き、活動するためには、その基盤として格差を是正する仕組みが必要だ。中長期的な視点に立った社会制度とともに、共領域が大きな役割を果たす。

２０３０年までには、非正規労働者やフリーランスが安定的に就労できる仕組みや、低所得でも自立した生活が可能な社会制度が整備され、富の偏重を是正する税制と、適切な再分配の仕組みを導入する。２０４０年までには、世代間格差を縮小するストック課税などの制度を整え、たとえば、その財源が教育分野へ再投資されることで、人生のスタートラインともいえる教育の格差が解消される。

同時に、地域の生活基盤、あるいは雇用の受け皿になる互助的なコミュニティが共領域として地域に組み込まれていく。２０４０年までに社会の基礎的な仕組みとして定着することで、一人ひとりのウェルビーイングと持続可能性が両立した地域社会づくりが進む。

あらゆる産業分野で業務の自動化が進めば、仕事で所得を得られる人が少数派になり、消費市場が縮小するおそれがある。２０５０年以降には、人々の消費活動を下支えし基本的な生活を維持できるよう、ＢＩ（ベーシックインカム）の給付が必要になる未来も想定される。

では、こうした社会基盤の変革に必要な2つの方策を見ていこう。

①既存のセーフティネットの再構築

社会課題に挑戦してイノベーションを起こす試みにはリスクがつきものだ。一度の失敗で再起できない社会では挑戦リスクが取りにくく、イノベーションが生まれにくくなる。経済格差や社会格差に苦しむことなく、挑戦や再挑戦がしやすい社会を実現するために、雇用保険や生活保護といった既存のセーフティネットを、コロナ禍の経験も踏まえて再設計すべきだろう。

社会の信頼構築も重要だ。福祉の原資を生むという意味でも経済成長は必要だが、そのために競争や自己責任を強調するだけでは社会不安が募ってしまう。信頼と協力を生み出す社会規範の下で、個人も企業も前向きに行動できてこそ、未来に希望が生まれるはずだ。そのためには、社会全体でリスクをシェアし、安心して挑戦できる環境を構築しなければならない。負の所得税（給付付き税額控除）、非正規労働者やフリーランス向けの公助・互助制度、デジタルシフトに対応した課税と再分配、世代間格差をなくす資産課税、教育への再投資などを充実させる必要がある。

②社会的共助システムとしての共領域の創出

新たなセーフティネットの構築も必要だ。具体的には、人々が生活の基盤となるさまざまなサービスを相互に提供することで、経済格差、情報格差、健康格差といった社会格差を最小化し、支え合いで生活基盤を維持する社会的共助システムだ。

これは新たな価値交換市場の一つであり、それ自身が共領域といえる。対象となるサービスは、教育、医療・福祉、移動など、従来なら行政や公的企業が提供するのが当然だったものだが、今後は人口減少に伴う税収低下やマーケット縮小の影響を受け、質を維持したままの持続が難しくなっていく。地域ごとに住民参加型のエリアマネジメント組織や公的サービス企業を設立し、行政や地域企業とも協力しながら、持続的なサービスの構築や受給格差の解消を図る必要がある。

このほか、セーフティネットとしてよく議論される仕組みに、政府が全国民に毎月一定額を給付するBIがある。BIについては、転職や起業などのチャレンジのハードルを下げ、社会の活力向上につながるプラス面と、労働意欲の減退などのマイナス面がともに指摘されている。財源確保の難しさを考慮すれば当面は現実的ではないが、将来的にAIやロボットなどの新たな生産資本の独占的な所有者に富が集中する事態になれば、適切な徴税手段の構築や、支給後の活用を促す「減価BI」の仕組みの検討などとともに、あらためて導入を検討する必要があるだろう。

新たな学びのシステムが時間を最適化する

人生100年時代に、生涯にわたってウェルビーイングを高めるには、仕事、家庭、社会参加、プライベートなど、さまざまな活動のバランスを最適化した「活動領域のポートフォリオ」を一人ひとりが見出し、それを実現できるかどうかが重要なポイントになる。

そのための学びのフェーズは、大きく分けて3つある。まず、ポートフォリオの最適解を見出すための基礎体力を育成する20歳前後までの第一フェーズ、一人ひとりがポートフォリオ実現のための実践力を高めていく30代前半までの第二フェーズ、そして、生涯にわたってポートフォリオを最適化し続ける調整力を磨く第三フェーズだ。

このようなフェーズ移行をスムーズに実現する「生涯１００年学びシステム」を社会に実装するためのポイントを3点に分けて紹介する。

①「超リカレント教育」への転換

教育現場のＤＸでオンライン教育が浸透し、学びにおける時間や場所の制約が取り払われつつある。行政によるリカレント教育の支援や、民間事業者による教育サービスの提供も充実しつつある。今後はさらに、ブロックチェーン技術を活用した学習履歴の可視化、安価で高品質な教育プラットフォームも登場し、より高品質化、個別最適化、コスト低減が進むだろう。こうした技術変革を活かし、学校教育のステージをより自由で効率的に、多様な学びが実現できる場に変容させていく必要がある。

さらに、生涯の学びをより充実させるために、2030年までにリカレント教育のあり方を大きく転換し、従来のような職能教育だけでなく、コミュニケーション能力などの非認知能力や教養、人生観を涵養する教育にも注力すべきだろう。そのためには、リベラルアーツを社会人向けにも提供するなど、専門領域だけに特化しない教育環境づくりが望まれる。こうした学びは、自分らしいウェルビーイングの発見や、その実現のための生き方の選択やポートフォリオ構築に役立てられる。

②実践知の獲得を産業界がサポート

仕事や社会活動には、経験を通じて学ぶ実践知の獲得が欠かせない。就業者が働きながら高等教育機関で学ぶことを当たり前とし、遅くとも2050年までには学校教育とリカレント教育を統合させていく。

日本ではこれまで、成人期の最大の学習機会は職場のOJTだった。しかし、ビジネスのグローバル化が進み、終身雇用制度が解体に向かうなか、暗黙知の伝達を担ってきたOJTが機能しにくくなっている。就業者の新たな知見の獲得のため、海外留学などのためのサバティカル休暇などを設けるのも一案だが、より広く学べる仕組みとして、高等教育機関などと連携した研修講座を企業内に設ける「企業内大学」制度を拡大したい。さらに、若手社員に向けては、就労時間に対する学習時間の割合を大幅に高める学習環境の整備が望ましい。

こうした取り組みは、企業が個別に進めるのではなく、職業団体がサポートすれば、資金力のある大企業だけでなく、中小企業もその恩恵を享受できる。まずは、弁護士や医師のように職業団体と専門職資格が密接に結びついている古典的な専門職から、こうした実践知形成モデルを導入し、その知見や方法論を他領域に広げたい。

③学びへの投資の構造転換

日本は教育の私費負担が大きいため、公的な教育投資を増やすべき、という議論は常にあるが、医療・介護保険費が国家予算を圧迫している現状では実現が難しい。そこで、教育投資の構造を「公私二元論」から「公・私・産業界・地域の多元構造」へ転換することが必要となる。

その実現のためには、人財は社会全体の共有財産であるととらえ、地域社会が投資主体になっていかなければならない。こうした教育の投資構造の転換は、「生涯100年学びシステム」の実現に寄与し、人財の健全な流動性を高めることにもつながる。

第3章で、当社が取り組む共領域創出の事例として「逆参勤交代」を紹介したが、都市と地方の新たなつながり方を模索するこの実践においても、地域資源を活かした生涯学習の試みが積極的に行われた。地域が成人期以降のライフステージにおける学びの投資の主体になることは、人財不足の解消という面でも大きな意味があると考えられる。

「自己実現」をサポートする3X

自由時間が大幅に増える未来においては、空間や時間を超えた共創を可能にするテクノロジーによって、だれもが自身の潜在能力を発揮できる場を手に入れ、マルチに活躍できるようになる。さらに、進化したAIが人間の判断を的確にサポートできるようになれば、人間の生み出せる価値の量はさらに拡大するだろう。

一人ひとりの自己実現を通じて、社会全体の価値拡大につながる3Xを紹介する。

①場所を超えて活動する――分身アバター

2050年までに人が身体や脳、空間、時間の制約から解放された社会を実現する――。

これは、内閣府が2020年1月に、目指すべき未来像として掲げた「ムーンショット目標」の一つだ。この実現のためには、2030年までに、一つのタスクに対して一人で10体以上のサイバネティック・アバターを操作可能な技術開発が必要とされている。

サイバネティック・アバターとは、人間が遠隔操作する分身ロボット（物理アバター）や、ロボット義肢やサイボーグ、あるいは仮想空間上の映像アバターまでを含んだ広い概念だ。リモートワークやオンラインゲームなどで仮想空間のアバターは広く浸透し、高性能なロボット義肢も続々と開発されるなか、分身ロボットの活用はまだイメージしづらいが、すでに産業界での活用は始まっている。

たとえば2020年、コンビニエンスストアのローソンとファミリーマートの一部店舗に、商品の陳列作業を担う人型ロボット、「Model-T」（Telexistence）が登場した。操作は遠隔地から人間のオペレーターが担う。

労働するアバターロボットは、人手不足を解消するとともに、障がいのある人の働く場も拡大させる。オリィ研究所のアバターロボット「OriHime」は、もともと難病や重度障がいのある人のためのコミュニケーション用に開発されたロボットだが、こちらも2020年にモスバーガーが実験的にレジ対応に導入。難病などで外出困難な人が遠隔地から接客業務を担った。このようなアバターロボットの社会への進出は今後ますます進んでいくだろう。

遠隔地のロボットを一方的に動かすだけでなく、ロボットが体験している身体感覚やフィーリングを逆に体験するための技術開発も進んでおり、実現すればより一体感のある活動が可能になる。そしていずれは、他人の身体経験も共有できるようになっていく。

こうした未来を実現するには、ロボティクスの進展だけでなく、ロボットと共生できる都市デザインの整備や制度設計も必須だ。

②テレポーテーションが現実に――仮想空間生成技術

コロナ禍においては、仮想空間での会議やイベントがいっきに増えた。そして、ただ参加するだけでなく、多数の人と体験が共有できる工夫がさまざまに模索されている。たとえば、2020年5月にオープンした渋谷区公認の配信プラットフォーム「バーチャル渋谷」では、スマホ、PC、VRデバイスなどを通じて、アバターとなって街を移動しながら、ほかの参加者たちとともにライブやトークショー、アート展示などが楽しめる。こうした「他者との空間共有」が可能な仮想空間は、前記のようなVR／AR技術や、4Gから5Gへの移行によって遅延のない通信環境などが整うにつれ、ますます進んでいくだろう。

2021年3月、マイクロソフトはMR（複合現実）プラットフォーム「Microsoft

Mesh」を公開した（図表6－4）。離れた場所にいる複数の人間が、さまざまなデバイスを介してＭＲ空間に集まって共同作業ができる新たなクリエーションの場だ。同社のヘッドセット型ＭＲデバイス「HoloLens 2」を装着すれば、３Ｄデータをホログラムとして目の前にリアルに映し出すとともに、そのホログラム（オブジェクト）を移動したり、向きや大きさ、色などを変えたり、そのホログラムを操作することもできる。たとえば建築プロジェクトのチームが集まって設計中の建物のホログラム内を歩きながら構造をチェックしたり、医学部の学生たちが人体のホログラムを解剖する、といったことも可能になる。

図表6-4 | MRプラットフォーム「Microsoft Mesh」

画像提供：日本マイクロソフト

この製品が発表されたカンファレンス「Microsoft Ignite 2021」では、リモート参加したゲストが3Dキャプチャー技術により実物（本人）と同じイメージを映し出す「ホロポーテーション」で登壇してディスカッションを交わしている。「ホロポーテーション」により本人に近い姿が投影できれば、ほぼ「テレポーテーション（瞬間移動）」の現実化といえるのではないだろうか。

③人間との共進化を目指す――サポートAI

人間のような先入観を持たず、大量のデータを高速に処理でき、働き続けても疲れない。そんな特性を活かして、AIはすでにさまざまな領域で人間のパートナーとして活躍している。

たとえば「学び」だ。学校や塾で広く使われているICT教材「すらら」（すららネット）には、先生役のAIサポーターがついている。そして、一人ひとりの学習状況に合わせて、励ましたり、認めたり、ほめたりといった多彩な声がけで子どもたちのモチベーションアップを図る。いつでもどこでも学べる半面、本人のやる気がなければ継続が難しいオンライン教材の「動機づけの弱さ」をAIが補っているのだ。

金融業界では、資産運用をサポートするAIアドバイザーがさまざまに商品化されている。たとえば、「THEO《テオ》」（お金のデザイン）という資産運用サービスには「ＡＩアシスト」が実装されており、膨大な市場データから株価下落の兆候をＡＩがキャッチすると、資産ポートフォリオの最適化を提案してくれる。

医療分野でＡＩが得意とするのは画像診断の分野だ。エックス線やＣＴ、ＭＲＩ、内視鏡、眼底カメラなどで得られた患者の検査画像から異常を検出し、総合的な診断を得意とする人間の医師をサポートするという位置づけだ。最近の事例では、大腸の内視鏡検査画像をリアルタイムに解析してポリープやがんを検出する「EndoBRAIN-EYE」（オリンパス）が、２０２０年に病変検出用ＡＩとして国内で初めて医薬品、医療機器等の品質、有効性及び安全性の確保等に関する法律で承認されている。

とはいえ、現在はまだＡＩの活用は黎明期だ。前述したサポートＡＩによりＡＩが真に人間に寄り添うパートナーとなる未来を実現するためには、精度や機能の向上とは別に、「ＡＩとの信頼関係をいかに構築するか」が重要なテーマになっていく。

日本では２０２０年度の「科学技術振興機構の戦略事業の戦略目標」に「信頼されるＡＩ」が掲げられ、国が主導して信頼に足る高品質なＡＩを実現するための研究が進められている。その研究テーマは、脳科学や認知科学、説明可能なＡＩ、フェイク対策など多様だ。人間とＡＩが真に信頼関係を構築するには、技術の向上だけでなく、私たち人間がＡ

Iをどう受容していくかという観点も重要だ。人間同士の信頼関係と同様に、互いに歩み寄りながら、AIとの相互理解や共進化を志向していかなければならない。

1 John Maynard Keynes,Essays in Persuasion. W.W.Norton & Company,1963.（邦訳『ケインズ説得論集』、日本経済新聞出版社、2010）

第7章

「現実×仮想」で安全安心を最適化する

進展する現実と仮想の融合

2020年に拡大した新型コロナウイルス感染症のパンデミックは、社会に大きな影響をもたらした。日本国内では1月に感染者が確認され、3月には感染拡大を防ぐための「3密（密閉、密集、密接）」の回避、不要不急の外出の自粛、在宅勤務や時差通勤などの呼びかけが本格化し、小学校から高校までの全国一斉休校が実施された。

対面コミュニケーションが大きく制限されるなか、リモートワーク、インターネットを活用したイベントや会議のオンライン開催、遠隔教育など、さまざまな業界でICTを活用した業務の継続が模索され、デジタルシフトがいっきに進んだ。医療や行政サービスといった公共性の強い分野でも、オンライン診療や行政のデジタル化が拡大。位置情報や行動履歴データを活用した感染状況の把握も試みられている。

感染症の流行拡大や自然災害などの非常事態に見舞われて現実空間が機能不全に陥った時、仮想空間は、現実空間を代替し、リスクを回避するために大きな役割を果たす。長期にわたって現実空間での活動が大きく制限されたコロナ禍で、私たちは否応なくそれを学ぶことになった。

ただし、解決すべき課題はまだまだ多い。リモートワークや遠隔教育では、各自がプライベートな空間、ネットワーク環境からPCやスマートフォン、アプリケーションやウェブ会議システムなどを介して業務用、あるいは公共のシステムにアクセスすることになり、セキュリティ面での脆弱性が懸念された。実際にコロナ禍に乗じたサイバー攻撃は増えている。

また、リモートワークがどれだけ広がっても、現場での作業が必須となる製造業や物流業、人とのリアルな接触が不可欠なサービス業など、オンライン化が難しい業種に従事している人々は、感染リスクを可能な限り抑えつつ現実空間で活動せざるをえない。

世界的に国や自治体による個人情報の利用が大きく進んだが、感染拡大の防止という目的はあるにせよ、国や自治体が個人の行動履歴などの個人情報を利用することをどこまで許容すべきか、といったプライバシー問題にも明確な答えは出ていない。

今後、コロナ禍が終息したとしても、加速したデジタル化の流れが元に戻ることはないだろう。感染症や自然災害のリスクがますます増大するこれからの50年を見据え、多くの課題を解決しながら、現実空間と、拡大し続ける仮想空間の双方の安全安心をさらに高度に担保し、活動の場を支えていく必要がある。

現実空間の安全安心は、私たちの命や生活を守り、仮想空間の安全安心は、現実空間で発生する自然災害や感染症のリスクを軽減する。逆にいえば、仮想空間での安全安心が担保されなければ、現実空間の安全安心もおびやかされることになる。私たちは未来社会として、2つの空間を行き来しながらだれもが安心して活動でき、かつ実態としても安全なものを志向しなくてはならない。

自然災害や感染症と共生するレジリエントな現実空間

現実世界における自然災害や感染症のダメージをできるだけ少なくするには、まず、その発生を早期に予測できることが重要だ。そして、いざ災害や感染症が発生した場合は、人も社会もスムーズに非常時の対応にシフトし、命を守り、被害を最小限に抑える行動が自然に取れるようになることが望ましい。そして、社会機能を途切れさせずに維持しながら、迅速に復旧、復興に向かうことができるように備える必要がある。

ただし、リスク対応を優先するあまり、日常生活の効率性や利便性が損なわれてしまったら本末転倒だ。これまでは、防災にまつわる技術の未成熟や、縦割り行政に起因する総合的視点の欠如などから、平時の効率性や利便性と、緊急時の頑健性を両立するのは難しかったが、3Xの進展がそれを可能にする。

日本のように自然災害が多い国でも、大きな被害の発生直後に高まった防災意識や危機感を維持し続けるのは難しい。そして、大きな災害から時間が経つにつれ、対策のための十分な予算を確保するのが難しくなり、平時の効率性や利便性が優先された仕組みに戻ってしまう。予防保全だけを目的とする先行投資は目先のメリットを生まないため、財務的に評価しにくい。これも、予期せぬ災害や感染症対策が不十分になりがちな理由の一つである。

これからは、限りある予算や人的資源を有効活用し、リスク評価に基づいた対策を講じて持続的な防災を実践することが重要だ。また、実際に自然災害や感染症が発生した際には迅速かつ柔軟に対応できる、自然災害・感染症と共生するレジリエントな社会の構築を急がなくてはならない。

だれもが自由に活動できる信頼される仮想空間

これから迎える超高度デジタル化社会では、その基盤となる仮想空間に最大限の安全安心が求められる。仮想空間上の情報は、収集→蓄積→流通→利活用というプロセスを踏む。仮想空間での安全安心が得られる社会とは、具体的には①仮想・現実空間からの情報の収集→②仮想空間での情報の蓄積→③仮想空間でのさまざまな主体間での情報流通→④仮想・現実空間での利活用といったすべてのプロセスで、個人情報を含む情報が適切に取り扱われ、人々がそれを信頼できる社会、といえる。

さらに50年後には、情報だけでなく、デジタルコピーされた人格やアバター、AIも仮想空間で活動するようになるため、それらに対する信頼構築もカギとなる。

現実と仮想を最適化していくために、人と社会の2つの側面から未来像を描いてみよう。

3 Xと共領域で実現するパーソナル防災

現実空間と仮想空間の双方で、人の側面から安全安心を考えた時、必要とされるのは、徹底して個人に最適化した「パーソナル防災」だ。

自然災害でも、感染症対応でも、究極的な目標は死者ゼロである。避けられる死を可能な限り減らすために、一人ひとりが抱えるリスクを正確に評価し、さらに、リスクをどれだけ許容できるか、といった価値観も加味して、非常時に取るべき最適な行動へと誘導する仕組みを構築するのだ（図表7－1）。

その土台として、自然災害や感染症に関する、リアルタイムかつ高解像度の情報を分野横断的に集約して共有する仕組みを3Xの力で構築する必要がある。今後10年で、社会インフラのDXは大きく進み、あらゆる場所に高精度のセンサーが装備されるようになるだろう。災害や感染拡大が発生した場合、これらの膨大なセンサーから正確な情報を収集し、高度なAIシミュレーションを活用して被害がどのように拡大するかが精緻に予測できるようになる。

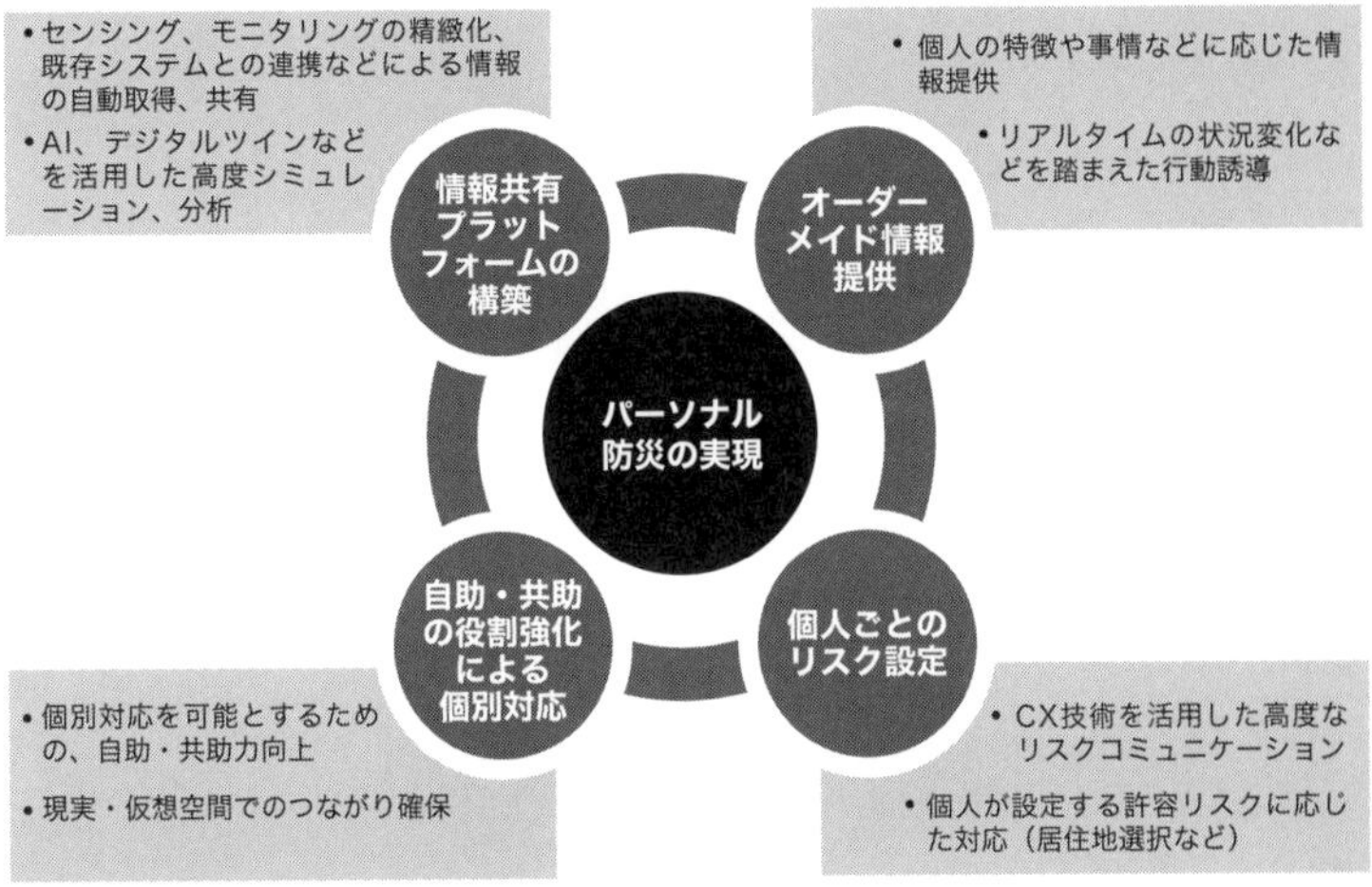
・センシング、モニタリングの精緻化、既存システムとの連携などによる情報の自動取得、共有
・AI、デジタルツインなどを活用した高度シミュレーション、分析
情報共有プラットフォームの構築
・個人の特徴や事情などに応じた情報提供
・リアルタイムの状況変化などを踏まえた行動誘導
オーダーメイド情報提供
パーソナル防災の実現
自助・共助の役割強化による個別対応
・個別対応を可能とするための、自助・共助力向上
・現実・仮想空間でのつながり確保
個人ごとのリスク設定
・CX技術を活用した高度なリスクコミュニケーション
・個人が設定する許容リスクに応じた対応（居住地選択など）

図表7-1 ｜ **パーソナル防災に必要な要素**

出所：三菱総合研究所

また、個人のリスクに関する情報（持病、運動能力、年齢、認知能力、アレルギー、過去の行動履歴など）は、個人ＩＤにひもづけられて、国や自治体に厳格な管理のうえで共有される。その実現のために、国や自治体の情報システムが共通化され、マイナンバー関連制度が拡充されるだろう。

これらのデータに基づき、刻々と移り変わる状況の変化を総合して、リアルタイムかつ正確なリスク評価の下、それを回避するための行動を提案していく。具体的には、避難のタイミング、避難ルート、避難の際の所持品、あるいは必要に応じた医療機関へのアクセスなどの情報をタイムリーかつ自動的に提供していくのだ。さらにＣＸを組み合わせれば、個人の状況に応じて最適化したリスクコミュニケーションが可能になり、よりリスク回避効果が高まる。これらのサポートにより、一人ひとりが特別に意識することなくリスク回避行動を取れるようにしていく。

ただし、公的な取り組みだけでパーソナル防災を実現するのは難しい。緊急性の高い支援を迅速に提供するには、まず地域の人が現地に駆けつけるといった現実空間での行動が不可欠だからだ。従来の公助に、こうした自助、共助の力をくわえていくためには、共領域を創出し、充実させていくアプローチが重要になる。

そのためには、２０３０年ごろまでに、企業や研究機関を中心にセンシングやモニタリングの精緻化と自動化を実現させ、国や行政機関が、集約した情報を提供するプラットフォームを整備したい。また、それらの情報から正確なリスク認知マップを作成し、リスクに対する社会の共通認識を形成する必要がある。そして、２０４０年ごろまでには、個人の行動分析を高度化し、非常時にオーダーメイドの情報を迅速に提供できる体制を整えていく。

非常時にもスムーズに機能するフェーズフリーな社会

平時にも非常時にも十分に機能を発揮できる社会を形づくるためには、効率性や生産性だけに偏らず、広い視野に立ったインフラ整備を進めていく必要がある。その際、重要なのは、日常、非日常を問わないこと（フェーズフリー）と、複数の問題を同時解決できること（マルチベネフィット）という2つの視点である。

自然災害や感染症の脅威は、ある日突然に私たちを襲う。その際、平時の効率性や利便性を損なうことなく、限りある財源と人的資源で対応できなくてはならない。非常時にしか使わない特別な仕組みを用意するのではなく、平時にも活用でき、いざという時には緊急モードにスムーズにシフトできる社会資本整備を進めることが重要なのだ。

たとえば、自動運転の実用化のために欠かせない情報インフラに、高精度3次元地図に交通や天候にまつわるリアルタイムデータを付加した「ダイナミックマップ」がある。これを作成するためには、精緻な3次元位置情報を収集しなければならないが、こうしたデータは、災害リスク調査や、被害予測シミュレーションにも大きな力を発揮し、非常時にも役に立つ。

また、緊急時に備えて、迅速な情報収集と配信が可能なネットワークシステムを整備しておけば、平時においても政府や関係機関が組織を超えて情報を共有するためのプラットフォームとして活用することができる。

デジタル化がさらに進展すれば、社会活動、経済活動はますます仮想空間で活発に行われるようになる。すると都市部への人の集中がやわらぎ、平時の効率性だけでなく、非常時に備えた空間のゾーニングや、災害リスクマネジメントに基づいた自律分散による土地利用の最適化も実施しやすくなるはずだ。このように、「平時にも、緊急時にも活用できる」という視点で社会資本を整備していくことが、今後ますます重要になる。

長期的には、現実空間と仮想空間を自由に行き来できる「デジタルツイン（仮想空間上の現実世界の再現）」を構築し、さまざまな分野で平時と緊急時で迅速にモードチェンジが

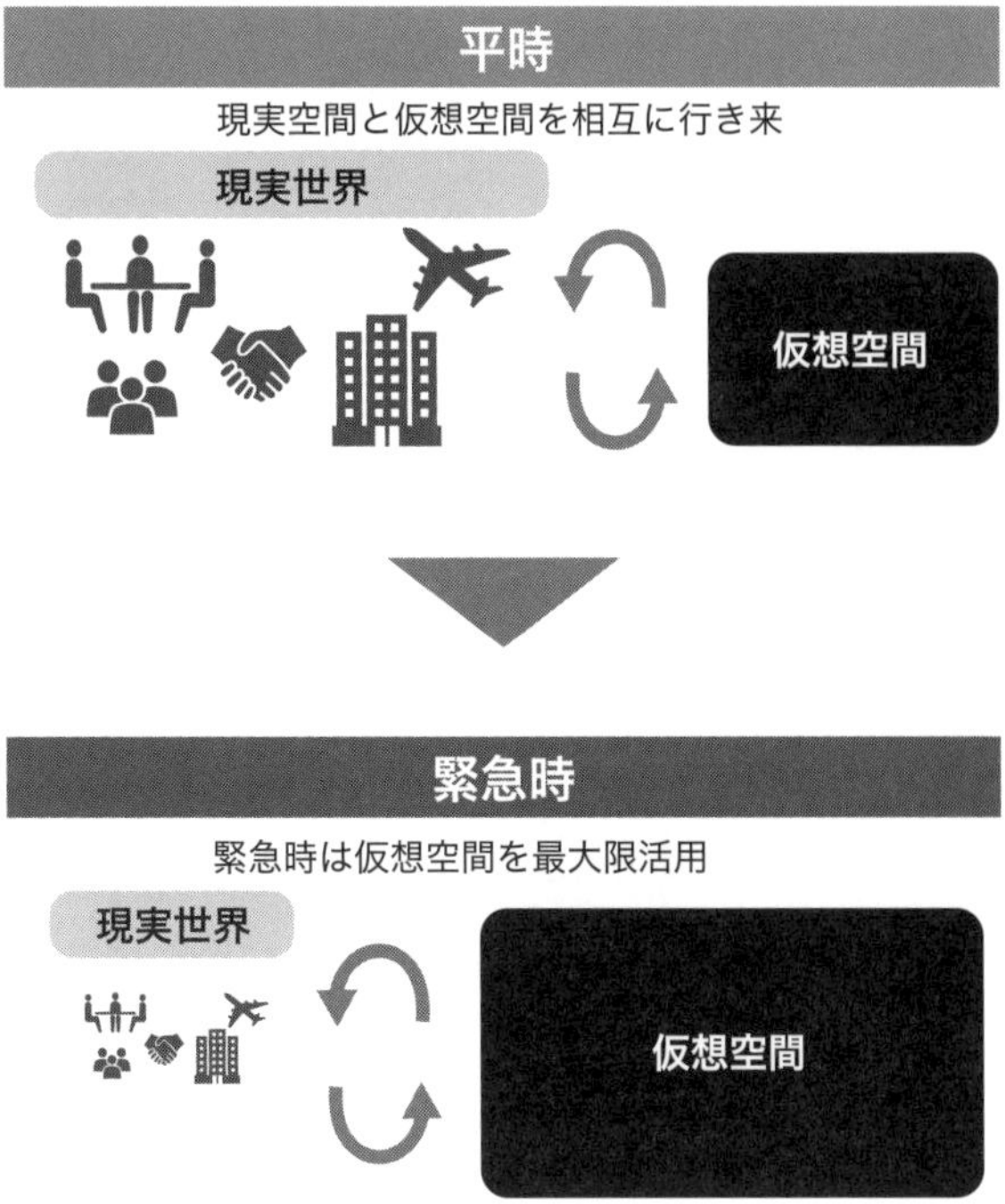

図表7-2｜平時と緊急時における仮想空間利用のモードチェンジ

出所：三菱総合研究所

できるようにし、被害の最小化を実現させていく（図表7－2）。

仮想空間の信頼形成を担うガバナンス体制の確立

これまで述べてきたように、仮想空間は、人と社会を支えるために大きな役割を担う。その信頼を確固たるものにするためには、技術、法制度、市場設計、社会規範を包括したガバナンスの枠組みを整備し、信頼を担保していくことがきわめて重要になる。立場や領域を超えて信頼形成を担う、言わば「メタ・トラストフレームワーク」である（図表7－3）。

こうしたガバナンスを実現する手順としては、大きく3つの段階が考えられる。

まず、2030年ごろまでに、電子商取引や電子申請がスムーズに運用できるよう、国などが主体になって、さまざまな制度を整備する。具体的には、仮想空間上の人格と現実空間上の法的な責任主体をひもづける考え方、プラットフォーマーの規制や、著作権や人格権といった無体物を対象とする権利保障などにおけるルールが定められることになるだろう。この時点では、やや中央集権的な枠組みになることが想定される。

２０４０年ごろには、仮想空間での取引をより活性化させ、個人情報をより安全に扱えるよう、企業などが中心となって制度の高度化が図られる。たとえば、適合性検証や脆弱性検証を精密かつ自動的、リアルタイムに行えるようにする、といったものだ。この段階で、枠組みが分権的なものへと進化していく。

そして２０５０年ごろには、ＡＩなどを活用したガバナンスやエンフォースメントの高度化、自動化、リアルタイム化を進め、双方の便益を両立させる分権的なガバナンスの枠組みを構築する。

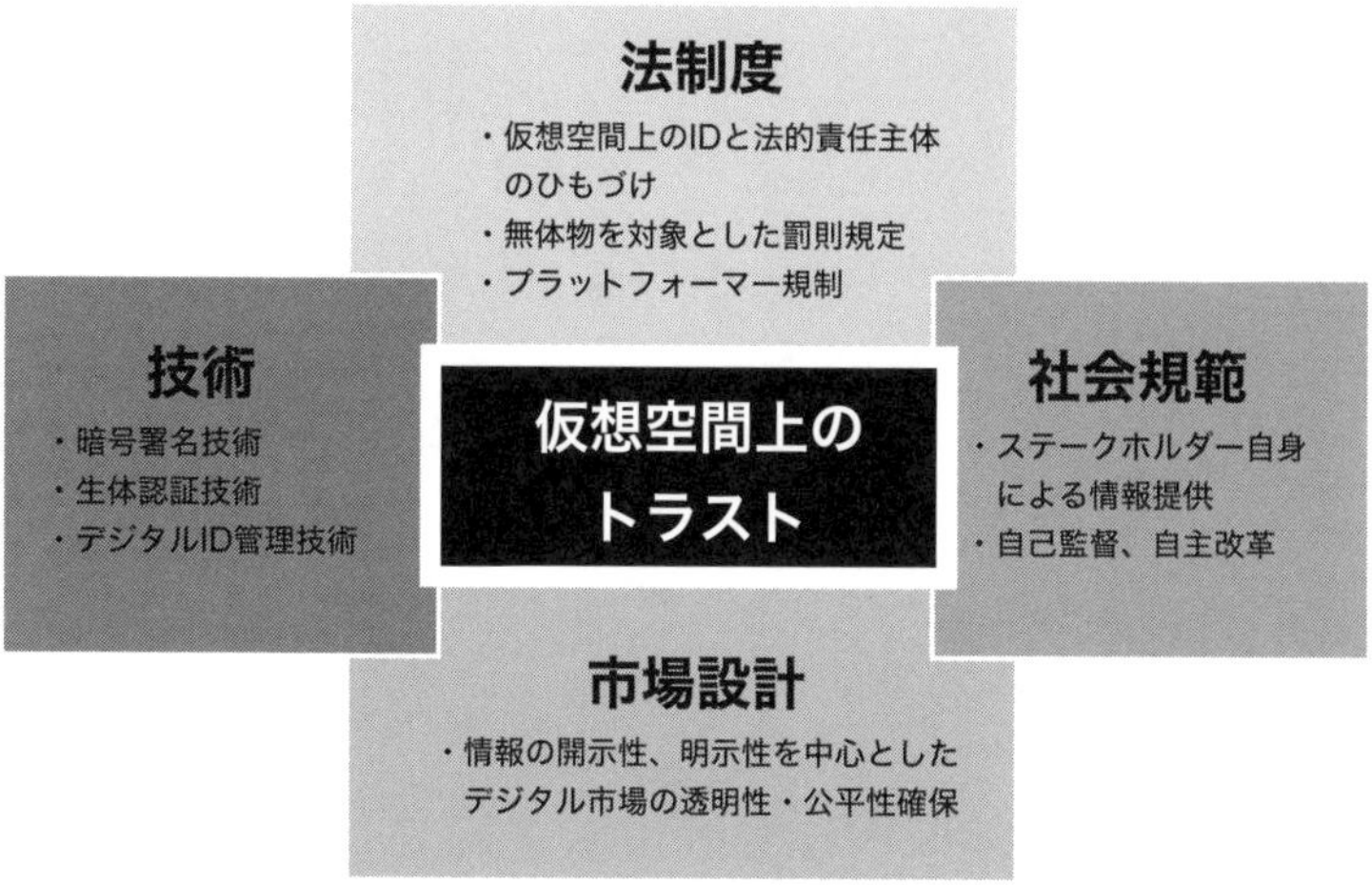

図表7-3 ｜ **メタ・トラストフレームワークの実現**

出所：三菱総合研究所

「安全安心」を高める３X

仮想と現実がダイナミックに融合されていく未来社会においては、自然災害や感染症といった現実のリスクに対する強靭性を高めるとともに、現実を補完する仮想空間における高度なセキュリティの担保も重要になる。両空間を緊密につなぎ、安全安心の実現につながる３Xの実例を紹介する。

●環境を高度にモニタリング——革新的センシング

現実空間のさまざまな情報をセンサーで捉え、デジタルデータに変えていく——。データ駆動型社会の価値の源泉として、きわめて重要な意味を持つのがセンシング技術だ。

すでに現在、光、音、温度、圧力、振動などを測る物理センサー、気体や液体の組成や成分を測定する化学センサーがさまざまな場所で活躍しているが、より多様で高精度なデータが分野横断的に集約され、分析、共有できるようになれば、自然災害や感染症のリスクに強い社会を構築するための基盤となる。

既存のデバイスならノイズと判断するような小さな動きや、分子レベルの微量成分を安定して検出する「超微小量センシング」はその一つだ。たとえば、NEDO（新エネルギー・産業技術総合開発機構）は、新サービス創出につながる超微小量センシングの研究として、2019年に4つの研究テーマを採択しているが、以下の2例は特に安全安心に関連が深い。

一つは、電柱や街灯といった身近な建造物に装着できるシート型の高感度マルチセンサーだ。地表のわずかな振動などから環境変化を感知し、平時には人や車の流れをモニターすることで人流や物流の最適化に活用できる。そして、いざ災害の予兆を検出すれば、迅速な状況把握や住民の避難などにデータを活かす。フェーズフリーかつマルチベネフィットな都市インフラだ。

もう一つは、わずかな生体分子を感知するバイオセンサーを使って、数滴の唾液から1分ほどでウイルスの有無を調べる「ウイルスゲートキーパー」だ。簡易で効果の高い感染症のスクリーニングの仕組みとして、実用化が進められている。

現在、病院などで感染症の発生状況の調査として行われる「感染症サーベイランス」は一般的に、患者から検体を採取し、専門機関で検査し、その結果を国に報告するというプロセスを踏む。しかし、このやり方では採取にも検査にも人手がかかり、結果を把握するまでには数時間から数日を要する。

しかし、生体分子を高感度に分析できるバイオチップや、個々の細胞プロファイルに着目し遺伝子発現やゲノムＤＮＡの状態を解析する1細胞解析技術が進展すれば、空気中に漂う病原菌やウイルスまで検知が可能になる。無症状のキャリア（保菌者）が外部から流入する可能性が高い空港や港、院内感染のリスクがある医療機関などで空気を常時バイオセンシングする仕組みを整えれば、水際で感染拡大を防げるようになるだろう。

長期的な気候変動や自然災害の発生を予測するには、マクロなセンシング技術も重要だ。遠隔地から環境を広範囲にわたって観測するリモートセンシングである。

リモートセンシングの観測機器は、地球を周回する人工衛星、航空機、ドローンなどに搭載される。センサーの種類は大きく分けると、太陽光の反射や地球の熱放射を利用した光学センサー、レーダーの反射から対象物の状況を把握するマイクロ波センサーがあり、それぞれの特性を活かしながら、気象予測、地震や台風、火山噴火などの被災状況や、さまざまな人為的活動の把握などに活用されている。また、土地被覆、海面温度等の地表面、大気等の長期変動など、地球環境の長期的なモニタリングをするうえでも重要だ。ドローンが高性能化することで高精細なデータを迅速に取得することが可能となるとともに、人工衛星も小型化、多数の衛星による群観測が進展しており、取得されるデータが世界じゅうで飛躍的に増加する。これらのデータとＡＩを用いた画像解析技術の組み合わせにより、新たに得られる情報にも期待できる。

●現実を拡張する――xＲ技術（ＶＲ／ＡＲ／ＭＲ／ＳＲ）

現実と仮想をさまざまな形で融合する技術の実用化が急速に進んでいる。

ＶＲ（Virtual Reality：仮想現実）は、人工的な仮想空間内にあたかも自分が存在しているかのように知覚させる技術で、すでにゲームなどに広く普及している。現実空間にＣＧなどをくわえるＡＲ（Augmented Reality：拡張現実）、仮想空間に現実の情報を反映させるＭＲ（Mixed Reality：複合現実）、さらには、現実の一部を過去の映像などに差し替えて「別の現実」を現出させるＳＲ（Substitutional Reality：代替現実）もある。

これらの技術の総称、現実と仮想を融合し新たな体験を生む広い概念を表す言葉がｘＲ（x Reality）である。

ｘＲがもたらすリアルな体験は、安全安心を得るうえでも有用だ。災害のリアルな疑似体験は絶好の防災教育になり、災害時に多くの人が陥る正常性バイアス（未知の事態を過小評価して適切な対応ができなくなる認知の歪み）も解消できる。減災を目的とするＡＲアプリとして、全国防災共助協会が普及を進める「みたチョ」など、実用化が進みつつある。災害が起きた時に、電波が届かない場所でもスマホを介して現実の風景に避難経路を表示して安全な場所へ誘導するというものだ。

xR技術が進化するためには、「表示デバイス」の進化が欠かせない。現在は、空間への没入体験を得るためにはゴーグルタイプのヘッドマウントディスプレイを要する場合が多いが、網膜に直接映像を投影するグラスウエアや、裸眼で仮想空間を認識して複数の人間が同一映像で体験共有できるような技術も開発されつつある。

xR技術を活かして、現実を拡張していくためには、効率よく仮想空間を構築する技術も求められる。現在、3DCGを作成するには被写物すべての3次元モデルをつくる必要があるが、2次元画像の情報からAIが自動的に3次元構造を類推して3DCGを生成する「ニューラルレンダリング」が実現すれば、目の前の現実を即座に仮想空間に構築できる。こうした技術の進化は、次に示す「デジタルツイン」の実現に大きく関わってくる。

●仮想空間のもう一つの都市——デジタルツイン

デジタルツインとは名前の通り、現実そっくりの「双子」を仮想空間に再現する技術だ。

ＩｏＴを介して、現実世界に存在するモノの状態に関するデータを集め、それを元に仮想世界にリアルに再現すれば、物理モデルを使わずにさまざまなシミュレーションが可能になる。デジタルツインは、産業界ではすでに製造業を中心に、製品の機能検証や動作シミュレーションに活発に活用されている。前述のセンシング技術やｘＲ技術が高度化し、多様かつ大量のデータがリアルタイムに収集できるようになれば、より高度で大規模な現実が再現できるようになるだろう。

特に期待されているのが安全安心な都市づくりへの活用だ。現実の都市がまるごとデジタルツイン化できれば、自然災害や感染症の発生に備えて、現実には不可能なシミュレーションが幾通りにも可能になり、精緻な予測に基づいた防災計画を立てることができる。実際に発災した場合にも、被災状況をリアルタイムに把握しながら、適切な避難指示の発信や、救助活動、効率のよい復旧が可能だ。さらには、将来的に現実とデジタルツインを自由に行き来できるようになれば、非常時にもシームレスに経済活動を続けることができる。

国土をまるごとデジタルツイン化した例としては、シンガポール政府による「バーチャル・シンガポール」が有名だが、日本においても取り組みは進みつつある。その基盤となるのが、国土交通省が２０２０年４月に公開した「国土交通データプラットフォーム」だ。

まずはデジタル3D地図「AW3D®」や、高精度3次元地図データに、国や地方自治体が管理するインフラ情報や地盤情報などを盛り込んだ状態からスタートし、2022年度末までには、経済活動や気象など、広範なデータを連携する。さまざまなデータが産業横断的に活用されることで、防災計画やインフラ管理の高度化も進み、現実空間の安全安心が強固なものになっていく。

●絶対に盗まれないカギ——量子暗号技術

デジタル社会の安全安心を支える重要なテクノロジーの一つが「暗号」だ。機密情報を含むあらゆるデータが世界じゅうで大量にやりとりされるのが当たり前になれば、利便性と引き換えに、万一情報が漏洩した場合の社会的、経済的な損失もきわめて大きくなり、セキュリティの果たす役割がますます重大になる。

暗号技術はこれまで、カギに用いる数式の桁数を増やし、大量の計算をしなければ解読できないものにすることで安全性を高めてきた。最新のスーパーコンピュータを使っても、ひとすべてのパターンを計算し尽くすのに年単位の時間がかかる暗号を設定することで、ひとまず安全と考えてきたのだ。しかし、膨大な組み合わせを瞬時に計算してしまう量子コンピュータが、どんな複雑な暗号も解読できるようになれば、セキュリティの概念は覆る。これからは量子コンピュータ時代にも耐えうる暗号技術が求められるのだ。

そこで、「理論的に破られない」次世代型暗号として注目されているのが量子暗号技術だ。量子暗号の肝は、量子の一種である光子を「暗号情報の乗り物」として使う点にある。ナノレベルの極小のエネルギー単位である量子は、通常の物理法則ではなく、量子力学に沿った振る舞いをする。なかでも重要な性質は「観測されると状態が変わる」というものだ。そのため、暗号情報を乗せた光子は、サイバー攻撃で情報が盗聴されると状態が変わる。つまり、盗もうとすれば確実にバレるのだ。盗聴が確認された暗号キーは即座に無効にし、新たな暗号キーを発行するようにすれば、「解読に使うカギは絶対に盗聴されていない」ことが保証できる。

ただし、現在はまだ送受信装置が非常に高額であり、直接伝送できる距離もせいぜい100キロメートル程度しかない。長距離間でやりとりするには多数の中継点を設ける必要があり、そこにセキュリティの穴ができやすいことは大きな課題だ。また、通信中の盗聴を防ぐだけで完全にセキュリティが守れるわけではない。コンピュータ内のローカルデータの改竄を防いだり、災害やネットワーク障害などが発生した際もデータが保全できるように、秘密分散や電子署名に関連する技術もより高度化させる必要がある。

量子暗号技術は、NICT（情報通信研究機構）などの研究機関や企業が連携し、装置開発、実証、さらには世界的な標準化の動きが進んでおり、日本が世界を先導している分野だ。2020年に「量子技術イノベーション戦略」で、量子技術が初めて国家戦略に位置づけられたこともあり、今後ますます多くの産業を巻き込みながら発展していくことが期待される。

第8章

地球一個分の生活

地球サイズの生活を取り戻す

私たちにとって地球は小さくなりすぎた——。

これは、2018年に没した理論物理学者、スティーブン・ホーキングが生涯最後に著した『ビッグ・クエスチョン』（NHK出版、2019年）での言葉だ。続いて彼はこう語る。

物質的資源は恐ろしいほどのスピードで枯渇しつつある。私たちはこの惑星に、気候変動という壊滅的な問題を押しつけた。気温の上昇、極地における氷冠の減少、森林破壊、人口過剰、病気、戦争、飢饉、水不足、多くの動物種の絶滅。これらはみな解決可能な問題だが、これまでのところは解決されていない。

地球温暖化は、みなで引き起こしたことだ。私たちは車をほしがり、旅行をしたがり、生活水準を向上させたいと願う。問題は、人びとがいま起こりつつあることに気づいた時には、すでに手遅れかもしれないということだ。

「手遅れ」になる地点は確実に近づいている。

ストックホルム・レジリエンス・センター所長のヨハン・ロックストロームらは、2009年に初めて「地球の限界（プラネタリー・バウンダリー）」という概念を論文で発表して世界から注目を集めた。

約1万2000年前に氷河期が終わって以来、人類は気候が安定した地球環境を生存基盤として人口を増やし、文明を発展させてきた。しかし、産業革命以降の工業と農業の発展、さらには1950年代以降の経済活動の爆発的な増加で、人類が地球環境に与える影響は大幅に増大し加速した。そして、もはや環境に備わった自然な回復力の限界を超えようとしている、と警鐘を鳴らしたのだ。

その後、世界的な議論を経て出版された『小さな地球の大きな世界』（丸善出版、2018年）では、最新のデータに基づいて9項目のプラネタリー・バウンダリーがあらためて示されている。そして、特に気候変動や生物多様性、土地利用、窒素・リンによる汚染については、すでに限界を超えた危険値に達していると指摘する。

地球を持続可能な居住地として維持するためには、私たち人類は技術の力を最大限に活かし、新たな生活様式を実践していかなければならない。そして豊かさの概念をとらえ直し、地球サイズの生活を取り戻す必要がある。

成長を資源消費から切り離す

これまでの社会では、豊かさは経済成長とほぼイコールだった。豊かさを志向することはすなわち経済成長を指し、そのためには資源消費や、それに伴う環境負荷の増大が避けられなかった。目指すべき未来社会の豊かさとは人間らしい豊かさであり、それは一人ひとりのウェルビーイングとともに持続可能性を実現することによってもたらされる。そのためには、経済成長と資源消費や環境負荷を切り離す、いわゆる「デカップリング（分離）」が必須だ。

「地球一個分」の資源と環境の範囲内で、人類が生きていくための必要量を満たし、将来にわたって担保していく。

私たちはそのために、これからの50年で、大量生産、大量消費、大量廃棄を伴う豊かさから脱却しなければならない。そして、思うままに潜在能力が発揮できる健康や、刺激や共感、発見に満ちたつながり、みずからの経験やスキルから新たな価値を生み出す自己実現などからもたらされる人間らしい豊かさを追求するのだ。

持続可能性のために経済成長と資源消費をデカップリングするには、目的と手段を峻別し、手段については徹底的に効率化していくことが重要だ。

たとえば日本では、最終エネルギー消費の約4分の1を「移動」に費やしている。ここで着目すべきなのは、移動の大半は手段であり目的ではない、ということである。通勤の目的は職場での勤務であり、通学の目的は学校での勉強だ。車をショッピングモールに走らせるのも、買い物という目的があるからである。そこで、目的はきちんと果たしつつ、手段にかかるエネルギー消費をいかに抑えるかを考える必要がある。具体的なアプローチは次の3つだ。

第一のアプローチは、エネルギー効率をよくすることである。前述のような移動の場合、自動車の燃費向上がこれに当たる。

第二のアプローチは、使う資源の量を減らす方法にシフトすることである。移動の時に自家用車ではなく電車や自転車を選択するのがこれに当たる。また、移動そのものをやめて、リモートワークやオンライン授業に切り替えれば、移動のエネルギー消費はゼロになる。

第三のアプローチは、より環境負荷の低い資源を使うことである。ガソリン自動車から電気自動車に乗り換える、といった選択がこれに当たる。

生活のあらゆる場面で、このように①高効率化、②省資源、③資源代替という3つのアプローチを組み合わせ、目的は果たしつつ、手段にかかる資源消費を削減していく。つまり、豊かさと持続可能性を両立する方向で解決策を見出していくことが重要になる。

ただし、豊かさと資源消費をデカップリングするには、ある種の回帰も必要だ。それは、消費に供給を合わせるのではなく供給に消費を合わせる生活スタイルへの転換だ。

食を例に取ると、これまでは、消費者のニーズを満たすためなら、旬とかけ離れた季節に大量のエネルギーを消費する人工環境で野菜や果物を育てたり、わざわざ遠くの生産地から運んでくるといった供給方法が盛んに取られてきた。しかし、近隣で生産された旬の食材を楽しむ地産地消型のライフスタイルに回帰すれば、栄養に優れていて味もよい食材が楽しめるうえ、環境負荷も下がる。生産活動は、できるだけ環境本来の営みにフィットしたものへと回帰させ、消費のスタイルもそれに合わせた回帰を図る。それは不便さへの退行ではなく、むしろ新たな充足につながる進化であることを認識する必要がある。

そして、人間らしい豊かさに向かうなかで持続可能性の実現を目指すためには、3Xを活用した資源やエネルギー消費のあり方の革新と、共領域による企業や社会、そして私たち一人ひとりの意識と行動の変革が欠かせないのである。

多様なライフスタイルと持続可能性を両立する

持続可能性の実現という大きなテーマにおいて、変革を推し進める強力なドライバーとなるのが3Xだ。革新的なテクノロジーは、省エネ・省資源を実現する力と、生活を豊かにする力のどちらも備えており、これまで分かちがたく結びついていた経済成長による豊かさと資源消費をデカップリングする可能性を秘めている。

食生活を例に取れば、昔は狭い範囲の自給自足でまかなうのが当たり前だった。そこにあるものを食べ、ないものは食べない。こうしたシンプルなライフスタイルなら、地球の持続可能性は十分に担保できる。ただし、人間が手にする選択肢はきわめて少ない。

これに対して、20世紀の人類はいろいろなものを、いつでも、たくさん食べたいという欲望を、エネルギーと資源を投入することで次々にかなえてきた。ニーズにとことん応えるための大量生産と大量輸送、そして、欲望を満たすまで終わらない大量消費。私たちは現在、季節も時間も場所も問わず、バラエティに富んだ食が楽しめるようになっている。

しかし、このようなライフスタイルが持続性を欠くことはもはや自明だ。そこで、単純に過去に戻るのではなく、持続可能性を高める新しい方法を3Xで模索していくことが重要になる。

たとえばＤＸは、サプライチェーンを最適化してロスを減らし、製造工程を洗練させて高効率な生産を可能にする。農業にＤＸやＢＸをかけ合わせれば、廃棄を最小限に抑え、資源を循環させながら食料が生産できるようになる。さらに、ＣＸの進展は、こうした情報を消費者にさまざまな形で伝え、環境に配慮した文化を浸透させていく。

生産活動を支える電力を再生可能エネルギーでまかなうにしても、それを効率よく活用するには、発電、蓄電などを担う設備を連携させ、発電状況に合わせてきめ細かく送電をコントロールする必要がある。効率のよいエネルギー需給の仕組みを確保するにはＤＸを駆使したデジタルプラットフォームが必要不可欠だ。

３Ｘによる変革のポイントは、環境負荷の低減だけを主眼にするのではなく、高効率化や資源循環、再生可能エネルギーの最大限の活用などを通じて、環境負荷の低減と便利で快適な生活を両立させ、現在よりもむしろ個人の選択肢を増やしていくことにある。

そして、２０７０年には、すべての人にエコな選択肢が保証され、ロスを前提とした大量生産ではなく、パーソナライズ・最適化された供給によって、持続可能性を実現するだろう。

共領域で価値観と行動をアップデート

社会全体で環境負荷を下げるには、消費者一人ひとりの意識変容も重要だ。そして、イメージだけでなく、本当に環境負荷の少ない選択を一人ひとりができるようにならなければならない。

日本には古くから「もったいない」という文化がある。しかしそれは往々にして、まだ使えるのに捨てるのはもったいない、電気をつけっぱなしにするのはもったいない、食事を残すのはもったいないといった直感的なものであり、必ずしもすべてが環境負荷の低減につながるわけではない。古い家電製品はエネルギー消費効率のよい新製品に買い替えたほうが省エネになることが多いし、電力需要が少なく再生可能エネルギーの発電量が多い時間帯では、積極的に電気を消費したほうが有効利用につながる。

リサイクル技術をはじめとしたテクノロジーの進化に、私たちの価値観はしばしば追いついておらず、直感的な「もったいない」と、実際の無駄がズレていることが多い。このズレを解消し、消費者の意識と行動を真に環境に優しいものにするにはどうすべきだろうか。

精神論や我慢ではなく、環境負荷を低減しながら多様な選択肢を増やすために、私たちは「しん・もったいない」を提案したい。それは、生産、供給、資源循環などに関わる技術と社会システムの進化、それに合わせた価値観と行動のアップデートを組み合わせて、科学的知見やデータに基づいて持続可能性を実現しようという考え方だ。「しん」には、技術や社会システム、価値観や行動を新たにすることで（新）、真の結果を出していこう（真）という意味を込めている（図表8－1）。

「しん・もったいない」を浸透させるために必要なのは、一人ひとりの行動や消費に関わる環境情報の可視化と指標化、環境価値を交換・流通できる仕組みの構築である。

現在でも、製品のライフサイクルや、個人の活動にかかるCO_2排出量を算出するサービスはあるが、生活に浸透しているとは言いがたい。消費者に明確な気づきと動機をもたらすためには、DXで生産から消費に至るすべての情報をつなぎ、一人ひとりの生活と、地球環境がどう関わっているかを明確に示す必要がある。

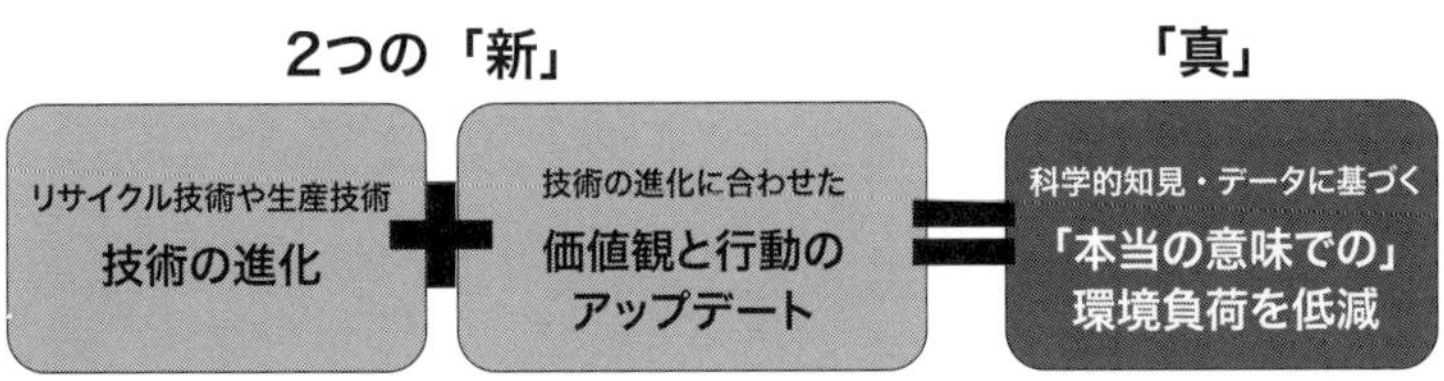

図表8-1 ｜ 「しん・もったいない」の概念

出所：三菱総合研究所

そのために、2030年ごろまでに商品・サービスの環境負荷を正確に算定する手法の確立と、ブロックチェーン技術などを活用した生産者情報と製品のひもづけを目指す。2040年ごろまでには、環境負荷情報のプラットフォームを整備する。

環境価値を創出・交換・流通させる機能を持つ共領域を生み出していくことも重要だ（図表8－2）。

DXやBXの進展によって、環境負荷の少ない商品やサービスの選択肢は大きく増える。たとえば、代替肉や培養肉や、微細藻類などのバイオ燃料、シェアリングサービスなどが日常に浸透し、普通の選択肢になっていく。さらにCXを活用

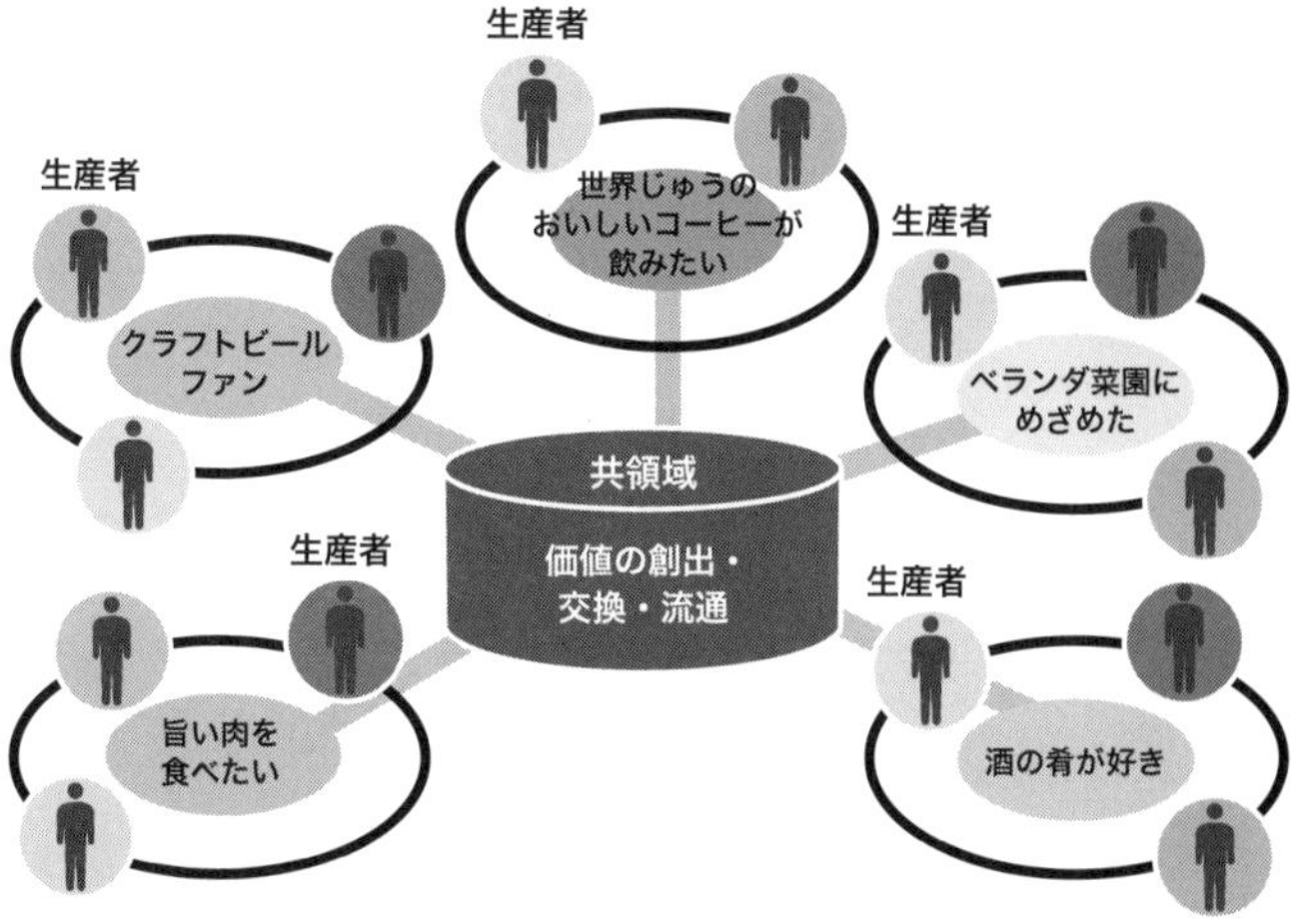

図表8-2｜「しん・もったいない」が形成する共領域（食の例）

出所：三菱総合研究所

して、一人ひとりの行動が環境配慮への度合いによって評価される仕組みの実現も可能だ。そこで、環境価値の交換や流通を活性化させ、前述の情報プラットフォームを共領域に進化させるのだ。

3Xと共領域を活用すれば、生産が分散化され、生産者と消費者の情報のやりとりが活性化する。それにより、サプライチェーンは大幅に短縮できる。単に物理的な距離やプロセスが縮むだけでなく、互いの顔が見えることで精神的な距離まで縮み、消費者が生産現場に思いを馳せたり、生産者を介して消費者同士がつながることで、よりよい選択ができるようになることがポイントだ。

持続可能性を確保するという目的を掲げて消費を変革していくことが重要であることは言うまでもないが、それだけで多くの人を動かして成果を生み出していくのは難しい。革新技術を活用しながら、環境によい商品やサービスを、満足できる形で提供することが社会実装のキーポイントになる。そのためには、それが新しく、楽しく、興味をそそり、人々がつながりながら取り組みやすいものでなければならない。

2040年ごろには供給に消費を合わせるライフスタイルが浸透することで環境配慮につながる消費形態が普及する。そして、2050年ごろまでには消費における環境負荷が完全に可視化され、AIによる自動選択・最適化などを通じて一人ひとりの行動が自然に環境に配慮したものになる仕組みが構築されるだろう。

以下では、そうした未来に向けて特に日本において重点的に取り組むべき方策を、食やエネルギーを例に取り、消費側、供給側の両面から紹介したい。

資源を無駄遣いしない消費の実践

①環境の恵みをとことん活かす──食料廃棄ゼロ

2016年度の農林水産省データによると、1年間で市場に出回った食料品は8088万トンで、食品廃棄物は事業系が1970万トン、家庭系が789万トンと合計2759万トンに上る。このうち、焼却や埋め立てなどで最終処分されているのは、供給量の13・3%に当たる1076万トンである。サプライチェーンの最適化を進めて流通ロスを減らすとともに、生産や再資源化技術を発展させることで、最終処分量をゼロにすることを目指す。

②一人分を豊かに食べる——食生活の最適化

家畜肉は穀物に比べて環境負荷の指標であるエコロジカルフットプリントが高い。そこで、フットプリント改善のために、代替肉を選択肢として活用していく。現在、日本人は一人1日当たり16・6グラムのたんぱく質を肉類から摂取しているが、このうち3割を代替肉に移行することを目指す。

日本人一人1日当たりのエネルギー摂取量は2666・5キロカロリーであり、理想とされる基準を超えている。AIを活用した栄養管理などを駆使し、一人ひとりの健康状態や嗜好に応じた適正量の食事の提供が望まれる。

③所有や移動からの脱却——消費行動変革など

シェアリングエコノミーの拡大やデジタル化による物質中心主義からの脱却、テレイグジスタンスによる従来型の移動手段からの脱却などの消費行動変革は、フットプリントを大きく改善する可能性を秘めている。たとえば日本の乗用車の稼働率は約4%だが、カーシェアリングの普及などでこれを20%まで引き上げることができれば、車の台数はいまの5分の1で済む。同様に、服や家電など生活用品のシェアリングを拡大するとともに、DXで製造・流通ロスを削減し、それらに起因するフットプリントを3割改善させる。

テレイグジスタンスによる移動の半減、デジタルシフトによるペーパーレス化で、新聞、本、郵便などに必要とされる紙資源の9割減を目指す。

脱炭素を前提とした供給への変革

①農業、漁業をインテリジェントに――食料生産性向上

食料生産の大幅な効率化に向けて、ＡＩやＩｏＴ技術を活用した肥料、農薬、水などの資源配分や環境制御の精密化を実現する。また、気象や病虫害発生情報、圃場《ほじょう》データ（生育状況、環境状況）、自然災害の前兆など、生産管理に関わるあらゆるデータを、生産者がリアルタイムで把握できるようにし、そのデータを圃場の機器や環境制御機器と連動させる。これらの取り組みにより、家畜生産、穀物生産については現状から60％、養殖についでは20％の生産性向上を図る。

②電源構成の大変革――国内脱炭素化

日本のエコロジカルフットプリントを生産側から見ると、実に約4分の3をCO_2が占めている。つまり脱炭素が、フットプリント改善の最大のカギとなる。電力を生み出すエネルギーの主力を再生可能エネルギーとし、ＣＣＳ（ＣＯ$_2$回収・隔離技術）や水素発電などの安定した非化石電源を組み合わせて電源を脱炭素化する。また、産業部門や運輸部門などの非電力需要でも低炭素化を進め、２０５０年までに森林吸収源も含めた国内のＣＯ$_2$排出量を実質ゼロにする。

　電力分野の１００％脱炭素化をシミュレートすると、再生可能エネルギーのみで達成しようとした場合、電源の予備力や調整力確保のために多くの蓄電設備が必要になってしまう。再生可能エネルギーを主力電源としつつ安定した非化石電

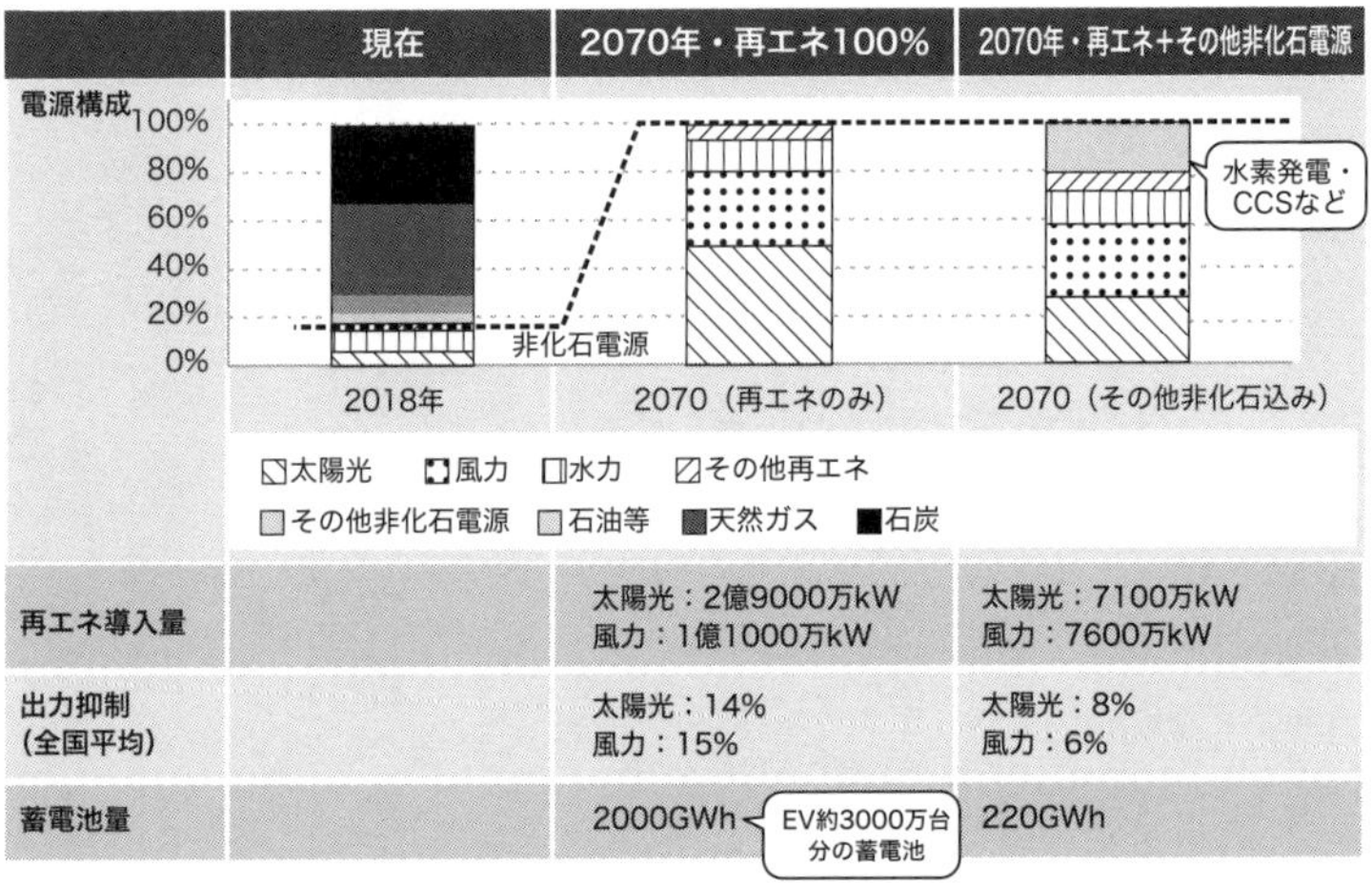

図表８-３｜電力分野での１００％脱炭素化のシミュレーション

出所：三菱総合研究所

源を組み合わせるのが現実的な解といえる（図表8－3）。蓄電設備として、これから普及が進む電気自動車を活用するなど、効率的なインフラ利用も進めていく。

③省エネ技術をグローバルに活かす——輸入製品由来のCO_2削減

日本のカーボンフットプリントの約4分の1は海外からの輸入製品によるものだ。そのため、海外でCO_2削減が進めば、日本のエコロジカルフットプリントも改善することになる。現在、海外で行っている技術移転や経済協力を通じたCO_2削減の取り組みにこれからも引き続き力を入れていくことが重要といえる。

「持続可能性」を確保する3X

資源消費を「地球一個分」に抑えながら、新時代の「豊かさ」を志向するには、革新的な技術の活用で高効率化を図りつつ、環境に配慮した選択肢を増やし、消費そのものの構造を変革していかなければならない。

豊かさと資源消費のデカップリングにつながる現在進行中の3Xの実例を紹介する。

●農業をスマートにアップデート――農業DX

世界人口が100億人に達する時代に向けて、限られた資源と温室効果ガス排出許容量の範囲内で、需要が増大していく食料を持続的に供給していくためには、3Xをフル活用して農業の生産性を大幅に高めなければならない。労働集約型の農業から、テクノロジーを駆使したスマート農業へシフトするのだ。

農林水産省は現在、ロボットやICTによる農作業の超省力化と、データを活用した農産物の高品質化、経営の効率化を軸とした農業の変革「農業DX」を推進しており、「2025年度までに農業の担い手のほぼすべてがデータを活用した農業を実践」することを目標に掲げている。

2019年に発表された「農業新技術の現場実装推進プログラム」には、遠隔操作可能なロボットトラクターでの整地、ドローンによる農地管理や農薬散布、圃場への自動給水システム、自動収穫機や家畜の搾乳ロボットといったさまざまなテクノロジーが導入された農業経営の将来像が提示されており、翌2020年には、その実現を支援する政策をまとめた「スマート農業推進総合パッケージ」も公表されている。

これらの施策の主眼は、作業時間の削減や収量アップといった高効率化と高付加価値化だ。とはいえ、勘と経験に頼っていた従来の方法をデータ駆動型にアップデートすることで農作業が最適化され、肥料や農薬の使用量、エネルギー消費量、廃棄量が減り、結果的に環境負荷を下げる効果も大きい。

テクノロジーの力で農作業の負荷を軽減し、収益構造を改善することは、次世代の担い手を引きつけるうえでも重要だ。農業DXには、農業従事者の高齢化や労働力不足を解消し、産業としての持続性を高める意義もあるといえる。

●環境負荷の低いたんぱく質――培養肉

牛肉や豚肉は身近な食品だが、食肉生産には持続性の観点からさまざまな課題も指摘されている。畜産は広大な畜舎、飼料、水資源などを必要とし、野菜や果物の生産に比べて環境負荷が高い。たとえば畜肉1キログラムを生産するための穀物飼料は、牛肉で11キログラム、豚肉で7キログラム、鶏肉で4キログラムにも及ぶ。[1]水資源も、牛肉で20・6トン、豚肉で5・9トン、鶏肉で4・5トンも必要だ。[2]また、家畜のげっぷや糞尿から排出される温室効果ガスが環境に与える影響も無視できない。さらに近年では、家畜の食肉処理を、動物福祉の観点から避けるべきとする人も増えている。

そこで、環境負荷を抑えつつ、人口増加に伴う需要増に対応するために、食肉に代わる新たなたんぱく源がさまざまに模索されている。たとえば「大豆ミート」のような植物由来の代替肉は、すでにさまざまな商品が市場に流通している。近年では昆虫も環境負荷の低いたんぱく源として注目されており、日本ではまだ事例が少ないものの、欧米では粉体を利用した加工食品がかなり普及しつつある。

そして、より本格的な代替肉として活発に研究されているのが、家畜の幹細胞を培養してつくる「培養肉」だ。農産物を原料とする植物性の代替肉より生産にかかる期間が短く、需要地に近い場所に工場を建てて計画的に生産できるため、畜産に伴う食品ロスも大幅に削減できる。

流通させるための課題としては、まず、大量かつ安定的に細胞培養できる方法がまだ確立されていないことがある。そして、ただ細胞を培養しただけでは筋組織は育たないため、肉特有のかみ応えや食感が再現できず、食味の面での魅力が乏しい。また、細胞培養には牛などの胎児から採取した「成長因子」を培地にくわえる必要があるが、大量に入手するのが難しく価格も高いことがボトルネックになっている。

こうした課題に対しては、現在、多くの食品メーカーやバイオベンチャーが研究開発を進めており、成長因子を使わない培養方法や、筋組織を有する培養肉の作成技術などは実用化に向かいつつある。しかし、今後さらに新産業として発展させていくには、培養のノウハウを持つ医薬品・化学関連産業や、大量生産技術を持つ製造業など、多様な領域のプレーヤーの参画が待たれる。

新しいジャンルの食べ物である培養肉に対する抵抗感を払拭し、いかに社会に受容させていくかも大きな課題だ。2020年12月には、国家としては世界で初めてシンガポールが培養肉の販売を認可し、細胞から培養された鶏肉の販売が始まったことが話題になった。日本では、2020年10月に農林水産省が事務局となって「フードテック官民協議会」を発足させ、普及のためのルールづくりが進められている。

●マルチな用途の天然資源——微細藻類

海や川、水田などで繁殖する緑色の微生物たち。微細藻類とは、葉緑素を持ち、植物のようにCO_2を取り込んで光合成を行う、大きさ1ミリ未満の水中微生物の総称だ。

微細藻類は、日光と水、そしてCO_2や微量のミネラルだけで増殖でき、季節を問わず収穫できる。栄養価も高いことから、日本ではクロレラ、スピルリナ、デュナリエラなどが健康食品として親しまれてきたが、いま、注目されているのはバイオマスとしてのポテンシャルだ。

微細藻類が光合成によって生み出す有機化合物は多岐にわたるが、なかでも脂質の蓄積能力が高く、種類によっては、乾燥重量の70％以上を脂質が占める。大量に培養して脂質を抽出できれば、次世代バイオ燃料として化石燃料を代替できる可能性がある。生成する脂質の種類も豊富で、医薬品や化粧品などさまざまな用途への活用の道がある。

実用化に向けての課題は、いかに低コストで大量に培養できる技術を確立するかだ。また、脂質収率の向上、雑菌への耐性向上、また、効率よく脂質を生成する微細藻類の発見や品種改良なども重要なポイントになる。

●エコで豊かなものづくり——3Dプリンター

3次元データから立体物を造形する3Dプリンターの登場と発展は、ものづくりに大きな変革をもたらした。

切削や研磨、鋳造といった従来の造形方法の制約から解放され、純粋に機能や美を追求した複雑なデザインを、オンデマンド（必要に応じて）、かつオンサイト（その場）で形にすることを可能にしたのだ。金型不要で、装置と材料さえあればどこでも生産できるため、材料のロスも、生産や輸送にかかるエネルギーも大幅に減らすことができる。

３Ｄプリンターそのものは１９８０年代から存在したが、２０００年代に特許が切れ、コストが大幅に下がったことが普及の契機となった。２０１２年には、アメリカ『ワイアード』誌の編集長だったクリス・アンダーソンが『MAKERS』（ＮＨＫ出版）で、３Ｄプリンターによる新たな産業革命の幕開けを宣言し、２０１３年にオバマ大統領が一般教書演説で３Ｄプリンターを戦略分野に位置づけたことでいっきに認知が広がった。

ひと口に３Ｄプリンターといっても造形方式はさまざまだ。アメリカの標準化団体ＡＳＡＭの規格では、光硬化性の樹脂をレーザーなどで部分的に硬化させながら積層する「液槽光重合」、温めて溶かした樹脂をノズルから押し出して形をつくる「材料押出」、粉末の材料にレーザー光線を照射して焼結する「粉末床溶解結合」、粉末材料に液状の結合剤を吹きつけて固める「結合剤噴射」など、７種の方式に分類されている。

材料として扱える素材も多様化しており、活用分野も工業製品に留まらない。

医療用では、３Ｄプリンターで造形されたインプラントや人工骨、精度の高い臓器モデルなどが臨床現場ですでに活用されている。さらに、生きた細胞を材料にして生体組織を造形する3Dバイオプリンターで人工血管や肝組織も作成されており、移植用の臓器が自分の細胞からまるごと造形できるようになる日も遠くないだろう。

カートリッジに詰めた食材から立体的な料理をアウトプットする3Dフードプリンターも登場している。いまのところ、凝ったデザインのお菓子などの嗜好品が中心だが、将来的には、一人ひとりの健康状態に合わせた栄養バランスのよい料理を、家庭のキッチンで簡単に出力できるようになる可能性もある。

巨大な建設用3Dプリンターで住宅や橋梁などをつくる試みも世界的に広がっている。従来の工法では不可能だった構造や、曲線を多用したデザインも、型枠不要、省資源かつ短工期で建設できる。今後は災害時の仮設住宅などにも応用されていくだろう。

最小限の資源とエネルギーで、あらゆるプロダクトをパーソナライズできる3Dプリンターは、豊かさの向上と持続性確保の両立に大きな力を発揮する技術といえる。

●再エネのパワーを最大化——電力DX

脱炭素社会の実現に向けては、太陽光発電や風力発電をはじめとする再生可能エネルギーを最大限に活用することが前提となる。しかし、再エネによる発電は出力が気象条件などに左右されやすいため、電力の安定供給のためには、火力発電などで調整しなければならないというジレンマがあった。そこで、再エネの活用の最大化に大きな役割を果たしていくのが電力ＤＸだ。

そもそも再エネ電源の比率が増えれば、分散型かつ小規模な発電所の数も増えていく。従来のように、安定供給を最優先して大規模な発電所を太い送電線でつなぐスタイルの送電網ではどうしてもロスが出る。分散化した電源を効率よく使うために、需要側の機器を遠隔コントロールして電力の消費パターンを変化させ、全体を最適化するＤＲ（ディマンドリスポンス）という手法や、各地に散らばる再エネ発電機器や蓄電池を遠隔制御し、大きな一つの発電所のように振る舞うＶＰＰ（バーチャルパワープラント）といった方法で、安定供給と効率性を両立させる取り組みが進みつつある。さらに、ＡＩやビッグデータを活用した需給予測に基づいたきめ細かいコントロールも進んでいる。

電力ＤＸは、電力インフラの災害レジリエンス（回復力）も高める。地震や台風などの災害でネットワーク上のどこかに障害や停電が生じたら、その程度や場所が速やかに特定され、早期復旧が可能になるのはもちろん、需給が逼迫しそうだという予測が立てば、すぐさま需要側に節電を要請したり、必要に応じて出力を下げることもできる。すると、大災害でインフラがダメージを受けても、全体最適化によって広域の計画停電を回避し、経済活動を維持できる可能性が高くなる。

こうした電力DXでは、需要ポイントごとに設置されたスマートメーターから細かいデータが取得できることも非常に大きな意味を持っている。電気の使用量や使用時間、使用パターンなどのデータが自動収集され「電力ビッグデータ」が常に生成されるのだ。

このビッグデータは、アイデア次第で電力安定化や効率化以外にも広く使える。たとえば、運輸業界のロジスティクスデータをかけ合わせて、エネルギー効率のよい配送ルートを導き出したり、行政データをかけ合わせて、地域の行動特性に合わせた防災計画の策定に活かしたりするなど、異種のデータと連携させて、社会全体の持続性を向上できる可能性があるのだ。

●正しい情報で食品ロスを減らす——食品情報プラットフォーム

これまでの食品流通においては、供給不足が起きないように、予測される需要量より多めに供給するのが当たり前だった。しかし、こうした方法は過剰在庫や流通ロスを発生させる原因となり、持続可能性を低下させてしまう。

流通ロスを最小化するためには、3つの視点が必要になる。第一に、供給側の分散化と域内資源循環を進めること、第二に、需要側のニーズに応じたパーソナライズ化とオンデマンド化に対応すること、第三に、それら全体のプロセスを最適化することだ。こうした複雑なコントロールを可能にし、需給のバランスを最適化する仕組みとして、多数のプレーヤーで共有できる情報プラットフォームを構築するサービスが世界じゅうに生まれている。

そもそも食品は、産地から消費者の手に届くまでに、国境をまたいだ複雑な経路をたどることが多い。流通過程が長くなればなるほど食品ロスが生じるリスクも高まるが、複雑なバリューチェーン全体の無駄をなくして最適化するのはこれまでは難しかった。しかし、DXがそれを可能にする。

情報プラットフォーム上では、ビッグデータと高度なAIの活用によって精度の高い需要予測に基づいてものの動きが最適化される。その際、肝となるのは、分散型ネットワークで情報共有をする際、データの信頼性と安全性の担保に大きな力を発揮するブロックチェーン技術だ。ブロックチェーンを活用すれば、ネットワーク内で発生した取引記録はひとかたまりのブロックにまとまり、チェーンのように時系列でつながれる。特定の管理者がデータの権限を持っているわけではないので、改竄が非常に難しい。そのため信頼性が高く、強いトレーサビリティが確保できる。そして、農家、加工業者、物流業者など、プラットフォームに参加する多様なプレーヤーが情報を瞬時に共有できるので、エコシステム全体の最適化が進み、食品ロスも最小限に留めることができる。

今後は、需給情報だけでなく、それをだれがどのようにつくったかという生産者情報や、生産過程でどれだけ環境負荷をかけているか、あるいは削減されているかという情報を充実させていくことも重要だ。そして、消費者がプラットフォームに参加し、それらの情報が確認できるようにすれば、より自律的に持続性の高い商品を選択できるようになり、「共領域」として発展していくだろう。

1　農林水産省「知ってる?日本の食料事情」
https://www.maff.go.jp/j/keikaku/zenkoku_setsumei_27/pdf/anpozen.pdf

2　環境省「バーチャルウォーター量自動計算」
https://www.env.go.jp/water/virtual_water/kyouzai.html

終 章

技術・コミュニティの未来への実装

50年後までのマイルストーン

これからの50年で、人類は地球環境と調和しながら、一人ひとりがウェルビーイングの高い人生を謳歌できるようになる——。そんな未来は、どのようなステップを踏んで実現に至るだろうか。主に技術の観点から、以下にざっとマイルストーンを示してみよう。

まず、短期（～2030年）には、いまある技術を活用した課題解決を進める。

健康については、オンライン診療やAIによる健康づくり支援が広がり、がんは超早期発見が可能になっていく。拡張が進む仮想空間では、より現実感のある活動が可能になる。コロナ禍で拡大したリモートワークを多様な職種に拡大させることで、多くの人が時間や場所にとらわれない自由な働き方ができるようにする。暗号署名、生体認証、ID管理など、セキュリティにまつわる技術を進化させることで、現実空間と仮想空間をまたいで個人のアイデンティティがひもづけられ、仮想空間の信頼性も向上する。

環境を多面的にモニタリングするセンシング技術の進化により、自然災害や感染症などのリスク情報がきめ細かく提供されるようになる。気候変動に対する危機意識が高まり環境配慮行動が市民社会に定着。経済活動におけるサプライチェーンも最適化され、環境負荷を徐々に低減していく。

中期（〜２０４０年）には、いま萌芽段階の次世代革新技術の活用を本格化する。

遠隔治療が普及するとともに、医療・介護保険制度のパーソナル化を進めることで、健康格差を解消する。孤立を防ぐ「つながり支援」を公的に提供し、孤立や孤独のリスクを減らしていく。

仮想空間は、働く場、あるいは活動する場として現実空間と同じ比重を占めるようになり、仮想空間上でのサービスや娯楽市場を大きく拡大する。そのカウンターとして、リアルな活動を求める動きも広がる。ＡＩやロボットが担う労働範囲が広がり、人間の労働は人間ならではの創造性が発揮できる分野へのシフトを進める。一方、機械による労働代替が加速することによる、生涯を通じた学びと労働の循環（超リカレント教育）、格差是正のためのセーフティネットを拡充する。

自然災害のリスクが精緻に可視化できるようになり、住む場所やライフスタイル、行動などの選択に活かすのが当たり前になる。いざ災害やパンデミックが発生した場合は、個人に最適化したオーダーメイドの避難情報や防疫情報を提供し、現実空間の活動の多くは必要に応じて速やかに仮想空間に退避が可能とする。また、環境に配慮した製品やサービスをメインストリーム化し、社会全体の低環境負荷化を進める。

長期（〜２０５０年）では、人とＡＩが共存する「自律分散・協調」型社会を実現する。生活のさまざまな場面でＡＩやロボットのサポートが受けられるようになり、健康管理、コミュニケーション、労働、余暇など、あらゆる局面が充実していく。仮想空間における分身（仮想アバター）や、現実空間における分身（物理アバター）が普及し、代替労働、共同作業、あるいは他者との経験共有なども可能になる。社会システム全般を、ＡＩやロボティクスなどの技術と人の協調、共創を前提としたものへと転換していく。

環境面ではカーボンニュートラルを実現し、電源の脱炭素化の達成や、商品やサービスの環境負荷が極限まで低下させるとともに、個人〜グローバルレベルの環境負荷情報を完全に可視化できるようにし、循環型の供給システムに移行する。

超長期（〜２０７０年）では、22世紀を見据えた持続可能社会を実現させる。場所を問わない生き方が可能になり、人々はそれぞれの価値観と目的に応じて分散して暮らし、都市か地方かの二者択一ではなく、どこにいても十分な生活基盤が得られるようになる。

汎用ＡＩの時代を迎え、身体能力の自由な拡張、ロボットと融合した意識の拡張、個人のライフログデータに基づく健康と衣食住のサポートなどが一般化する。他者と経験や感覚を共有したり、ロボット、他の生物（動物や植物）に同化したりといった体験すら可能となる。義務的な労働はほぼ機械が代替し、社会への貢献に対して一定の生活を保障する。自然災害や感染症の流行が高い精度で予測できるようになり、被害が極小化。現実と仮想を包摂したルール整備やガバナンスを進めることで、社会の信頼性も高まる。環境面では、食料生産を完全に循環型とし、資源消費や環境汚染物質の排出が地球の再生産能力でまかなえる範囲内に収まる「地球一個分」の社会を実現する。

いま、人間に求められるアップデート

駆け足で50年後までの未来への道筋をたどってみたが、このような未来像を一読して、どのような感想を持たれただろうか。楽観的にすぎる、と思われただろうか。

しかし、ここに挙げた技術の数々は、いずれも現時点においてすでに実用化を見据えた研究が進んでいるものか、その萌芽が存在するものであり、実現の蓋然性はかなり高い。全世界がコロナ禍という非連続的な変化を経験したことで、技術の進化も、それを受容する社会の変化も加速していることを踏まえれば、描いた未来像の到来が大幅に前倒しされる可能性も大いにありえるだろう。

もちろん、革新的な技術の進化を唯々諾々と受け入れていけば、社会課題が夢のように解決していくと言いたいわけではない。本書でも繰り返し述べてきたように、どんな技術も宿命的に功罪の両面を合わせ持つ。第1章で触れたように、人間の「未来への意志」なくして技術だけが暴走すれば、人間らしい豊かさが損なわれた「なりゆきの未来」の出現を許すことになるだろう。つまり、3Xを望ましい方向にドライブさせたいならば、アップデートを求められているのは、ほかでもない私たち自身なのだ。

はるか19万年前、獲物を求めて広い大地を大移動しながら生き延びてきた私たちの祖先が、野生の植物や動物たちを技術とコミュニティの力で飼いならし、繰り返される四季のリズムと調和しながら特定の土地と深く結びついたように。

村落や大家族などの共同体を基盤として自給自足していた18世紀までの人類が、生産技術の爆発的な進化を受けて、エネルギー、物資、マンパワーといったあらゆる資源を集約し、大量生産に適したコミュニティを次々に生み出して産業を大きく発展させたように。

私たちはいま、人類が初めて直面する大変革の時代のとば口に立っている。

その先に、よりよい未来を創造しようとするならば、技術の奴隷になる、あるいはコミュニティの歯車になるのは明らかな間違いだ。私たち人間、一人ひとりが主体となって、技術とコミュニティを手段として使いこなすことが求められている。

では、具体的に、人間と技術、人間とコミュニティの関係をいかに取り結んでいくべきだろうか。いくつかヒントを提示して本書の締めくくりとしたい。

人と技術が共進化する

まず、人間と技術との関係を考えてみよう。

技術発展のスピードが加速度的に増すなか、技術が人間の生活や生き方に与える影響は、今後ますます大きくなっていく。しかし、人間は生物学的には20万年前からほぼ進化していない。社会の仕組みも産業革命以降、大きく変わっていない。このままでは法制度や慣習、既存インフラなど社会の仕組みが技術進化のスピードについていけなくなるだろう。

このギャップを埋め、人間が主体となって技術を賢く使うために重要なのは、「学び合い」によって人と技術が「共進化」することではないだろうか。

特に、技術そのものが自律性を持って人間の活動を代替していく未来において、人間と技術が学び合うことをやめてしまえば、技術はごく一部の人のためだけとなるか、求めていない方向に能力を伸ばしていくことになりかねない。

人間と技術が「学び合う」関係性を具体的にイメージするために、ＡＩが先駆的に導入された将棋の世界を参考にしてみよう。稀代の名棋士、羽生善治九段は２０２０年、ＡＩと棋士との関係について当社のインタビューに答えて、次のように語っている。[1]

　ＡＩが選んだ手をずっと真似して将棋を指していったら、人間は何のために将棋を指すのかという根本的な問題にぶつかります。ＡＩは人間にとって快適な世界を作ってくれるための存在であり、将棋においても、ＡＩを使ってどれだけ人間の能力を伸ばしていくかが大切です。

将棋ＡＩは、機械学習を導入したBonanza（ボナンザ・保木邦仁開発）が２００５年にオープンソース化されたことを一つの転機に、多くのプログラマーが開発に関わっていっきに進化した。いま、将棋ＡＩはこれまでに蓄積されてきた膨大な棋譜を学習し、目の前の局面における最善手を一瞬で弾き出せるようになっている。

最初はよちよち歩きだった将棋ＡＩが、学習を重ねてどんどん強くなっていくプロセスにおいては、プロ棋士と対局して「ＡＩが人間に勝った」というニュースが耳目を集めた。しかし、ＡＩと人間のどちらが強いかを明らかにすることに本質的な意味はない。そもそも「将棋を指す」という行為そのものが人間にしか意味がないからだ。

将棋ＡＩが人間のよき練習相手になったことで、これまでは先人からの暗黙知の継承か、棋譜を相手に黙々と研究すること以外に上達の術がなかった将棋の学習方法に改革がもたらされた。中学生でプロ棋士としてデビューし、将棋ブームを巻き起こした藤井聡太二冠もＡＩ世代だ。

いまでは、将棋の対局中継にＡＩが判定した局面ごとの形勢評価が表示されるのも当たり前になっている。これによって、プロが繰り広げる高度な対局の意味を観客がリアルタイムに楽しめるようになったことも、ＡＩが将棋にもたらした功績の一つだろう。

さらにＡＩは、将棋というゲームそのものの面白さにもイノベーションを起こした。膨大なデータの蓄積から最適解を選び出すことに長け、「勝利につながる可能性が最も高い一手」を示すことができる能力で「ＡＩ時代の新たな定跡」という新風を吹き込んだのだ。

ただし、将棋の強さや面白さは、「局面ごとの最善手」を指せるかどうかだけによるわけではない。もしそうなら、もはや人間は将棋など指さずに、ＡＩ同士の対局を眺めていればいいということになるが、それに同意する人はいないだろう。一人ひとり異なる感情と経験を持つ人間同士が対峙し、駆け引きを交わし、勝てる見込みはゼロではないがきわめて低い指し手にも勇気を持って賭け、時には想定外のミスをしつつも、それらが誘発する思いがけない展開を経て百局百様の結末に至る。そんなダイナミズムがあるからこそ、人は将棋に魅了されるのだ。

先述のインタビューで羽生は、ＡＩにはない人間らしい能力として「創造性」を挙げている。たしかに、あらゆる人間の営みの根源には創造の喜びがあり、上記のような将棋の面白さも人間の創造性に根ざしたものだ。人間はこれまで、技術を生み出し、技術から学ぶことでみずからの創造性を高めてきた。人間が創造をやめてＡＩを模倣するだけの存在になれば、もはや技術を進化させる意味すらなくなってしまう。だとすれば、これからの技術進化においては「人間の創造性の価値を、技術にいかに学ばせるか」が重要になる。人は技術に学び、技術は人間に学ぶ。相互の「学び合い」こそが、人と技術の共進化のカギなのだ。

人間の創造性は、それ自体を技術に対する学びに活かすこともできる。その一例が「ＳＦ思考学」だ。

当社では、筑波大学と共同で、ＳＦを未来創造に活かす「ＳＦ思考学」の研究に取り組んでいる。[2] ＳＦ（サイエンス・フィクション）とは、その名の通り、現実の科学技術をベースに、人間の想像力や空想力により物語化したフィクションである。ＳＦによって私たちは、目の前の現実には存在しない、しかしありうるかもしれない世界像を多くの人と共有することができる。そして、語られた時点では荒唐無稽でも、ＳＦから発想され、研究され、現実化した技術は少なくない。

古くは、アイザック・アシモフが未来を舞台にしたＳＦ小説のなかで開陳した「ロボット工学3原則」が、多くのロボット研究者に大きな影響を与えていることは有名だ。また、自動運転車に地底ハイウェイ、脳内チップに火星移住計画まで、あっと驚く技術開発に次々にチャレンジしている起業家のイーロン・マスクも、アシモフのＳＦ小説から影響を受けたことをみずから語っている。[3]

ＳＦ映画の金字塔『２００1年宇宙の旅』（１９６８年）の製作にスタンリー・キューブリックとともに携わったＳＦ作家アーサー・Ｃ・クラークは、１９４５年に「Extra-Terrestrial Relays（地球圏外の無線中継所）」という論文で、静止軌道に通信衛星を打ち上げるアイデアを世に出し、その後の実現に貢献している。

レイ・カーツワイルが、２００５年の著作『THE SINGULARITY IS NEAR（シンギュラリティは近い）』（邦訳は『ポスト・ヒューマン誕生』ＮＨＫ出版、２００７年）でいっきに世に広めたシンギュラリティ（技術的特異点）という概念は、ヴァーナー・ヴィンジのＳＦ小説『マイクロチップの魔術師』などを下敷きにしたものだ。また、２０１0年代のメーカームーブメントの火付け役となったクリス・アンダーソンの著作『MAKERS』（Ｎ

HK出版、2012年）も、コリイ・ドクトロウのSF小説『Makers』から着想されている。

フィクションのなかでなら、技術によって実現される理想のユートピアを夢想するのも、技術が暴走する暗黒のディストピアに鬱屈するのも自由だ。

日本の傑作SFアニメ映画『GHOST IN THE SHELL／攻殻機動隊』（士郎正宗原作・押井守監督、1995年）では、脳を除く全身が高性能な機械の身体に置き換えられたサイボーグが自己の「人間性」について思い悩み、ハリウッドの大作『レディ・プレイヤー1』（アーネスト・クライン原作、スティーブン・スピルバーグ監督、2018年）では、VRが現実以上のリッチなコンテンツになった未来社会で、スラムのように荒廃する現実世界が描かれている。

現在と非連続な未来を空想してフィクション化することは、光と影の間のあらゆる世界観のグラデーションを可視化することだ。それを喜んだり恐れたりすることを通じて、私たち人間は、技術とどう関係を取り結ぶべきか、そして、それを支える社会制度はどうあるべきかを、より深く、より自分に引きつけて考えることができるのだ。

技術に人間の価値観を学ばせる、という観点では、人間の生死に関わるような重大な局面において、機械が下す判断をどう導くかは、まだまだ答えの出ない難問だ。

倫理学におけるジレンマを扱った有名な思考実験に「トロッコ問題」がある。暴走するトロッコの軌道上に5人の作業員がおり、そのままでは確実に全員が轢死する。それを見ている自分は、手元のスイッチを押せばトロッコの進路を変えることができるが、切り替えた先の軌道上にも作業員が一人いて、いずれにしても人の死が避けられない。人間でも意見が分かれるこうしたジレンマに、技術はどう対処するべきだろうか。

マサチューセッツ工科大学の研究グループは、トロッコを自動運転車に置き換えて、人間がこのジレンマにどんな答えを出すかを調査している。[4]

設定はこうだ。ブレーキが壊れた自動運転車が、道路を横断する歩行者をいまにも轢きそうになっている。それを避けるには、車を何かにぶつけて停めるしかないが、そうすれば乗車している人が死んでしまう。こうした局面で自動運転車は、歩行者と乗車者、どちらを守るべきだろうか。

この調査では、歩行者、乗車者がそれぞれ一人だったり多数だったり、子どもだったり老人だったり、ペットを連れていたり、さらには、歩行者が信号を守っていたのか無視していたのかなど、さまざまなパターンが用意された。そして、世界じゅうから集まった回答を分析した調査結果が2018年10月に「ネイチャー」誌に掲載されている。[5] 結果を見ると、ペットより人間、一人より複数人の生存を優先するのは世界共通だが、それ以外に何を優先するかは地域や文化によってかなり幅があることが明らかになっている。

人命に関わるような技術を社会に導入していくためには、このような答えのない難問にも、学び合いによってコンセンサスを形成していく必要がある。

「個の発信」を起点に、コミュニティで社会を変える

コミュニティについてはどうだろう。

本書では、未来のコミュニティとして「共領域」の創出を提唱した。それは、本文中でも述べたように、価値共創と交換のプラットフォームであり、一人ひとりの自己実現のチャンスを広げるとともに、社会を変えるポテンシャルを持つ。3Xを駆使して、現実空間と仮想空間を横断して人と人をつなぐ新たなつながりの形だ。

こうした新たなコミュニティは、少子化、貧困や格差、地球温暖化、資源の枯渇など、多数の国や地域、さまざまな人や組織の利害関係が複雑に絡み合う現代社会の課題を解決するための大きな力となっていく。

協働の力で社会を変化させるアプローチとして、近年、ソーシャルイノベーションの分

野で注目されているのが、個人を含む多様なプレーヤーが協働して社会課題を解決していく「コレクティブ・インパクト」[6]という考え方だ。社会起業家の育成に長く取り組む慶應義塾大学の井上英之は、コレクティブ・インパクトの実践の書『社会変革のためのシステム思考実践ガイド』（デイヴィッド・ピーター・ストロー著、英治出版、2018年）の日本語版まえがきにこう記す。

「コレクティブ・インパクト」とは、個別の努力の限界を超えて、協働を通じて大きな変化を生み出そうという、新しいアプローチについた名前です。ずっと手がつけられなかった、大きな、もしくは根本的な課題に対して、いまこそ、多くの人たちの協力によって目に見える結果を出す必要がある、という差し迫った危機感が背景にあります。

これを個人の側から見れば、自分という「個」が、社会のなかでより大きな意味を持つことを意味する。井上はこうした個の重要性を、「DIAMONDハーバード・ビジネス・レビュー　2019年2月号」（ダイヤモンド社）の寄稿においてこう表現している。

ビジネスの手法では、「外部の問題を正す」という問題解決思考が基盤となるが、第2の系譜（※引用者注　社会課題解決に対するビジネスサイドからのアプローチに対する、個人サイドからのアプローチ）では、「社会と個人は複雑系のフラクタル（相似形）構造であり、社会の問題は自分の中にもある」と考える。

あらゆる「私」という存在は、社会というシステムの一部であり、その「私」が日常に感じていることは、何らかの社会の縮図である。満員電車にイライラする、という感情は、毎日、同じ場所に通勤するというワークスタイルや、都市への人口集中の問題などを反映した、システムの声でもある。

そして、「私」自身も満員電車をつくる一部であり、同じことを感じている人はたくさんいる。「私」という存在には、必ず、他のだれかと共有する代表性が潜んでおり、「私」が感じる困り事や心のさざ波は、世の中のニーズの一端であり、そこには市場性がある。もし状況を打開するよい方法やアイデアを見つけたら、世界は変わるかもしれない。

社会の多様性が高まると、民主主義の原則とされる「多数決」の論理だけでは少数派の意見がなかったものにされがちだ。すると、個人に芽生えた感情や意見のほとんどが、社会との結節点を持たないまま埋没してしまう。これでは多数派のための社会構造がいつまで経っても変わらない。

SDGsが謳う「だれ一人取り残さない世界」を実現するためには、個人単位の小さな「代表性」に着目することこそが重要だ。中央集権型の組織を起点とした活動より、むしろ小さな「個」から発想し、個人が声を上げ、個人を起点とする活動こそが、社会変革の原動力として求められるようになる。

とはいえ、いま「個人を起点に行動を起こそう」といっても、ハードルが高いと感じる人が大半だろう。しかし、こうした心理的なハードルすら、これまでの中央集権的な社会だけで成立するバイアスにすぎず、未来社会では消滅していくのではないだろうか。だれもがあらゆる情報にアクセスし発信することが可能な、個と個が自由につながる自律分散型の社会になれば、現在は自治体や政府が担っている「公」の活動や企業活動もまた分散し、より個人に近い場所で行われるようになるからだ。

そんな未来に向かういま、私たちはどのようにコミュニティに相対していくべきだろうか。スタートラインは、自分を「代表性を持つ存在」であると意識することだ。そして、もし社会に対する居心地の悪さや不全感があるなら、最も身近な「社会」に向けてアウトプットしていく――つまりは友人や同僚といった身近な他者との会話でそれを伝え合い、互いの困り事や夢を共有していくことだ。小さな一歩だが、個と個の感情の交換こそがコミュニティづくりの基本であり、あらゆるものがつながる世界では、どんなに小さなさざ波も、発生させれば必ずどこかに伝わっていく。世界のさまざまな場所で同時発生するさざ波は、いずれ大きな波となり、3Xが共領域を実現した未来でいっきに社会に接続されていくだろう。その際、私たちが留意すべきは、共領域を内向きで排他的なコミュニティにはしないということだ。新たなコミュニティは、それによって格差や分断を広げるものではなく、一人ひとりが代表性を持つことでさまざまな形でコミュニティ外部との接点を持ち、社会に正の影響を及ぼすものでなければならない。

すでにSNSなどを通じてニッチな課題意識を共有する仲間を見つけることは難しくなっている。こうした流れは、世の中にあふれる小粒で多様な「代表性」を可視化させていくだろう。さらに3Xが地理的、空間的、身体的な制約を超えた人や組織のつながりを強力に後押しするようになれば、連帯はより容易になり、コレクティブ・インパクトが誘発されていく。そして、その影響範囲も地域から国へ、国からグローバルへと拡張していく。自己実現はよりストレートに社会に接続され、多様な人とのつながりが生む共鳴が、そのインパクトを増大させていく。

光の粒一つひとつを独立した色の「点」で表現しつつ、風景としてすべてを調和させたジョルジュ・スーラの点描画のように、一人ひとりが個性と独立性を保ちながら社会全体と調和する大きな絵を描くこと。個人が全体に寄与し、全体が個人に寄与する世界を志向することがいま、求められているのではないだろうか。

共領域を「一人ひとりの自己実現」と「社会全体の豊かさと持続可能性」が両立する新たな器として育てていくことは、将来世代に向けたメッセージであり、私たち一人ひとりが果たすべき使命なのだ。

1 『フロネシス22号 13番目の人類』（三菱総合研究所編著、ダイヤモンド社、２０２０）
2 50周年記念研究第7回「SF思考学を用いた未来創造」
https://www.mri.co.jp/knowledge/mreview/202008-6.html
3 「Rolling Stone November 30 2017 Elon Musk: The Architect of Tomorrow」https://www.rollingstone.com/culture/culture-features/elon-musk-the-architect-of-tomorrow-120850/
4 MORAL MACHINE https://www.moralmachine.net/
（日本語版はhttps://www.moralmachine.net/hl/ja）
5 https://www.nature.com/articles/d41586-018-07135-0
6 ２０１１年、スタンフォード大学が発行する「Stanford Social Innovation Review」誌に社会課題解決専門のコンサルタント、ジョン・カニアとマーク・クラマーが発表した論文「Collective Impact」で示された考え方。「異なるセクターから集まった重要なプレーヤーたちのグループが、特定の複雑な社会課題の解決のために、共通のアジェンダに対して行うコミットメントである」と定義されている。

おわりに

SDGsやESGが共通語となり、グローバルな社会課題をいかに解決するか、そのなかで国、組織、個人がどのような貢献を果たすかが世界じゅうで議論されている。SDGsのように顕在化した社会課題の解決に叡智を結集することの重要性は論をまたないが、次の50年を考えた場合、それは必要条件であっても十分条件ではない。すなわち、真に豊かで持続可能な社会を実現するためには、あるべき未来社会像を描き、それを実現することによって、将来にわたって新たな社会課題を可能な限り生み出さないことが必要だ。まさしく未来を予測する最良の方法は未来を創ることにほかならない。

本書のベースとなった当社の50周年記念研究は、〝100億人・100歳時代〟に向けて「一人ひとりが豊かさを実感、実現し、かつ真に持続可能な社会とは?」という問いから始まった。これからの50年、世界的な人口増加とは逆に、日本は急激な人口減少とともに人生100年の超高齢化社会を世界に先駆けて迎える。課題「解決」先進国になると同時に、「目指す未来社会」を実現するフロントランナーとしての役割が求められている。失われた30年を超えて、いまこそ豊かで持続可能な自律分散・協調社会に向けて大きくかじを切る時である。豊かさと持続可能性が両立する社会。実現は容易ではないが、「3X」と「共領域」の2つの手段を懸命に使いこなすことで十分に実現可能である、と私たちは研究を通じて確信した。あとは、私たちがこの未来に向けて行動を始めるだけだ。

当社は、創業50周年を機に新たな経営理念を策定した。さまざまな社会課題を解決し、豊かで持続可能な未来を共創することを使命として、「あるべき未来を問い続け、変革を先駆ける」ことを宣言した。未来を共創するシンクタンクとして、「Think」から「Act」すなわち提言や構想に留まらず変革の当事者として新たな挑戦を続ける覚悟である。未来社会を語るだけではなく、本書をお読みいただいた皆様と豊かで持続可能な未来社会の共創に向けて新たな一歩を踏み出したいと考える。本書がそのきっかけになれば著者たちの望外の喜びである。


本研究の遂行・執筆に当たっては、多くの有識者の方々にアドバイスを頂戴した。

産業技術総合研究所人間拡張研究センター長の持丸正明氏及び小島一浩氏、渡辺健太郎氏、慶應義塾大学大学院メディアデザイン研究科の南澤孝太教授には、第2章及び第4章・第5章に関して、将来の人間拡張技術に関する知見やアドバイスをいただいた。自治医科大学医学部の高瀬堅吉教授には、心理学の専門家の立場から、第5章の「つながり」

に関してさまざまな示唆をいただいた。大阪大学大学院経済学研究科安田洋祐准教授には、第3章及び第5章・第6章を中心に、コミュニティのあり方に関して多数のアドバイスをいただいた。千葉大学大学院社会科学研究院の小林正弥教授、京都大学こころの未来研究センターの広井良典教授には、第3章、第6章を中心に、コミュニティ、ウェルビーイングに関する助言や詳細な分析結果に基づく知見を数多くいただいた。大阪芸術大学アートサイエンス学科の安藤英由樹教授には、日本型ウェルビーイングに関するアドバイスをいただくとともに全体レビューなどのご協力をいただいた。

東京大学未来ビジョン研究センターの菊池康紀准教授には、第8章や持続可能性に関して示唆に富んだ知見とアドバイスをいただいた。産業技術総合研究所の西尾匡弘氏、東京工業大学環境・社会理工学院融合理工学系の時松宏治准教授には鉱物資源の需給分析、グローバル・フットプリント・ネットワークのリサーチエコノミスト・アジア地域プロジェクト推進員の伊波克典氏にはグローバルフットプリントに関わる共同研究でご協力いただいた。南山大学総合政策学部総合政策学科の石川良文教授には、未来の地域モデルに関して、具体像の検討やシミュレーションにてご協力いただいた。筑波大学システム情報系の大澤博隆助教授、宮本道人研究員には、終章で言及したSF思考学に関するご協力や本研究全体像に関するアドバイスをいただいた。

また、ヒアリングや意見交換において本研究にご協力いただいた多くの皆様に、末筆ながら多大な感謝を申し上げる。

最後に、ダイヤモンド社の音洲省一郎氏には、本書の構成・編集において多くのアドバイスをいただいた。この場を借りて深く感謝いたします。

2021年4月

三菱総合研究所　シンクタンク部門長/常務研究理事　大石善啓

50周年記念研究チーム

『両利きの経営』C.A.オライリー、M.L.タッシュマン 著／入山章栄 訳　2019年 東洋経済新報社

『宇沢弘文の経済学　社会的共通資本の論理』宇沢 弘文 著　2015年 日本経済新聞出版社

『ラディカル・マーケット 脱・私有財産の世紀』エリック・A・ポズナー/E・グレン・ワイル 著／安田洋祐 監訳　2020年 東洋経済新報社

『A New City O/S』Stephen Goldsmith, Neil Kleiman 著　2017年 Brookings Institution Press

『NEXT GENERATION GOVERNMENT 次世代ガバメント　小さくて大きい政府の作り方』若林恵 著　2019年 黒鳥社

『新コモンズ論』細野助博、風見正三、保井美樹 著　2016年 中央大学出版部

『失われた場を探して』メアリー・C・ブリトン 著／池村千秋 訳　2008年 NTT出版

『文化的進化論』ロナルド・イングルハート 著／山崎聖子 訳　2019年 勁草書房

『地域社会圏主義 増補改訂版』山本 理顕, 上野 千鶴子, 金子 勝他 著　2013年 LIXIL出版

『純粋機械化経済』井上智洋 著　2019年 日本経済新聞出版社

7章

書籍　『一橋ビジネスレビュー　2019年冬号67巻3号』一橋大学イノベーション研究センター編　2019年 東洋経済新報社

Web　『令和2年版 科学技術白書』文部科学省
https://www.mext.go.jp/b_menu/hakusho/html/hpaa202001/1421221.html

『リスクに対応できる社会を目指して』日本学術会議　2010年
http://www.scj.go.jp/ja/info/kohyo/pdf/kohyo-21-tsoukai-10.pdf

『安全で安心な世界と社会の構築に向けて　－安全と安心をつなぐ－』日本学術会議 2005年 http://www.scj.go.jp/ja/info/kohyo/pdf/kohyo-19-t1030-4.pdf

8章

書籍　『ローマクラブ『成長の限界』から半世紀 Come On! 目を覚まそう!』エルンスト・フォン・ワイツゼッカー 著　2019年 明石書店

『CREATING A SUSTAINABLE FOOD FUTURE A Menu of Solutions to Feed Nearly 10 Billion People by 2050』World Resources Institute 著　2018年

『Transformations to Achieve the Sustainable Development Goals』The World in 2050 initiative 著　2018年

『A framework for shaping sustainable lifestyles』UNEP 著　2016年

『エコロジカル・フットプリント―地球環境持続のための実践プランニング・ツール』マティース・ワケナゲル 他 著　2004年 合同出版

『地球温暖化問題の探究』杉山 大志 著　2018年 デジタルパブリッシングサービス

『小さな地球の大きな世界』J.ロックストローム, M.クルム 著　2018年 丸善出版

『MAKERS―21世紀の産業革命が始まる』クリス・アンダーソン 著　2012年 NHK出版

終章

書籍　『ポスト・ヒューマン誕生』レイ・カーツワイル 著　2007年 NHK出版

『社会変革のためのシステム思考実践ガイド――共に解決策を見出し、コレクティブ・インパクトを創造する』デイヴィッド・ピーター・ストロー 著　2018年 英治出版

5章

書籍　『孤立の社会学』石田光規 著　2011年 勁草書房

『現代日本人の絆』亀岡 誠　著　2011年 日本経済新聞出版社

『信頼の構造』山岸俊男　著　1998年 東京大学出版会

『テクノロジーが変える、コミュニケーションの未来』中津 良平　著　2010年 オーム社

『未来をつくる言葉』ドミニク・チェン 著　2020年 新潮社

『社会疫学』イチロー・カワチ 他 編　2017年 大修館書店

『「つながり」と健康格差　なぜ夫と別れても妻は変わらず健康なのか』村山洋史 著　2018年 ポプラ社

『ビッグ・クエスチョン―〈人類の難問〉に答えよう』スティーヴン・ホーキンス 著　2019年 NHK出版

Web　『働き方改革実行計画』首相官邸　2017年
https://www.mhlw.go.jp/file/05-Shingikai-12602000-Seisakutoukatsukan-Sanjikanshitsu_Roudouseisakutantou/0000173130.pdf

「中高年世代と社会的孤立」八王子市中高年世代アンケート調査から
https://www.city.hachioji.tokyo.jp/shisei/001/001/010/p015521_d/fil/koureisyakai_06chapter3.pdf

「孤独感統制下における独自指向性と感情的ウェルビーイングの関連性の検討」豊島彩, 佐藤 眞一「心理学研究」
https://www.jstage.jst.go.jp/article/jjpsy/advpub/0/advpub_86.13234/_article/-char/ja/

OECD調査結果
https://read.oecd-ilibrary.org/social-issues-migration-health/society-at-a-glance-2005/social-cohesion-indicators_soc_glance-2005-8-en#page3

「近年のイギリスにおける孤独への取り組み」東洋大学「福祉社会開発研究」(2019-03)
https://core.ac.uk/download/pdf/291360063.pdf

「高齢者・障害者の感覚特性データベース」国立研究開発法人産業技術総合研究所
http://scdb.db.aist.go.jp/rule.html

「スマートグラス　オトングラス」社会福祉法人日本ライトハウス情報文化センター
http://www.lighthouse.or.jp/iccb/items/otonglass/

「自閉スペクトラム症へのオキシトシン経鼻スプレーの治療効果を検証しました」国立研究開発法人日本医療研究開発機構
https://www.amed.go.jp/news/release_20180629-02.html

「凸版印刷と日本体育大学、世界初 アスリート解析で最適指導」凸版印刷
https://www.toppan.co.jp/news/2019/09/newsrelease190909_2.html

「心療内科医が監修したハラスメント研修VR開発!ピースマインド・イープと業務提携」ジョリーグッド
https://jollygood.co.jp/news/1046

6章

論文　『雇用の未来』THE FUTURE OF EMPLOYMENT: HOW SUSCEPTIBLE ARE JOBS TO COMPUTERISATION?　Carl Benedikt Frey and Michael A. Osborne 2013年

書籍　『プログレッシブキャピタリズム』ジョセフ・E・スティグリッツ 著／山田美明 訳　2019年 東洋経済新報社

『完全なる経営』A.H.マズロー 著／金井壽宏 監訳　2017年 日本経済新聞出版社

2章

書籍　『歴史の起源と目標』カール・ヤスパース 著　1964年 理想社

『なぜ科学技術の規制が必要か—制度論的考察—』小林傳司 著　2003年「哲学」vol.54所収、日本哲学会

『オープンサイエンス革命』マイケル・ニールセン 著　2013年 紀伊國屋書店

『自在化身体論』稲見昌彦 他 著　2021年 株式会社エヌ・ティー・エス

『スーパーヒューマン誕生！　人間はSFを超える』稲見昌彦 著　2016年 NHK出版

『メカ屋のための脳科学入門』高橋宏知 著　2016年 日刊工業新聞社

『世界アルツハイマー病レポート2015』国際アルツハイマー病協会

『AI社会の歩き方』江間 有沙 著　2019年 化学同人

『人間の未来 AIの未来』山中 伸弥, 羽生 善治　著　2018年 講談社

『2100年の科学ライフ』ミチオ・カク 著　2012年 NHK出版

Web　「シチズン・サイエンス プロジェクト」公益財団法人日本心理学会
https://psych.or.jp/authorization/citizen/

「汎用AIは完成前の中間段階にも投資価値あり」MRIマンスリーレビュー2020年12月号
https://www.mri.co.jp/knowledge/mreview/202012-6.html

「e-Rubberをロボデックス展に出展」豊田合成
https://www.toyoda-gosei.co.jp/news/detail/?id=859

「感性アナライザ」電通サイエンスジャム
https://www.dentsusciencejam.com/kansei-analyzer/

三菱総合研究所 先端技術コラム
https://www.mri.co.jp/50th/columns/

3章

書籍　『コミュニティを問いなおす』広井良典 著　2009年 筑摩書房

『オードリータン・デジタルとAIの未来を語る』オードリー・タン 著　2020年 プレジデント社

『地域通貨・キームガウアーの仕組みと思想』林 公則 著　2020年 明治学院大学国際学部付属研究所研究所年報

『自由のこれから』平野啓一郎 著　2017年 ベストセラーズ

『誰が世界を変えるのか』フランシス・ウェストリーほか 著　2008年 英治出版

『共鳴する未来』宮田浩章 著　2020年　河出書房新社

Web　弘前大学COI
https://coi.hirosaki-u.ac.jp/

キームガウアー
https://www.chiemgauer.info/

4章

書籍　『LIFE SHIFT』リンダ グラットン, アンドリュー スコット 著　2016年 東洋経済新報社

『科学者の社会的責任』藤垣裕子 著　2018年 岩波書店

『健康の経済学』康永秀生 著　2018年 中央経済社

Web　EU, "Horizon2020 -　Responsible research & innovation , "
https://ec.europa.eu/programmes/horizon2020/en/h2020-section/responsible-research-innovation

参考文献

序章

書籍 『絶滅の人類史　なぜ「私たち」が生き延びたのか』更科功 著　2018年 NHK出版

『サピエンス全史　文明の構造と人類の幸福』ユヴァル・ノア・ハラリ 著　2016年 河出書房新社

『NHKスペシャル 人類誕生』NHKスペシャル「人類誕生」制作班 編　2018年 学研プラス

『サピエンス物語 (大英自然史博物館シリーズ 2) 』大英自然史博物館 ルイーズ・ハンフリー&クリス・ストリンガー 著　2018年 エクスナレッジ

『第三の波』アルビン・トフラー 著　1980年 日本放送出版協会

『テクノロジーの世界経済史』カール・B・フレイ 著　2020年 日経BP

『大分岐―中国、ヨーロッパ、そして近代世界経済の形成』K・ポメランツ 著　2015年 名古屋大学出版会

『第四次産業革命 ダボス会議が予測する未来』クラウス・シュワブ 著　2016年 日本経済新聞出版

『コミュニティ：社会学的研究 ： 社会生活の性質と基本法則に関する一試論』R.M.マッキーヴァー 著　2009年 ミネルヴァ書房

『コミュニティを問いなおす』広井良典 著　2009年 筑摩書房

『哲学する民主主義―伝統と改革の市民的構造』ロバート・D.パットナム 著　2001年 NTT出版

『孤独なボウリング』ロバート・D.パットナム 著　2006年 柏書房

1章

書籍 『定常型社会　新しい「豊かさ」の発想』広井良典 著　2017年 岩波書店

『ポジティブ心理学　科学的メンタル・ウェルネス入門』小林正弥 著　2021年 講談社

『これからの幸福について』内田由紀子 著　2020年 新曜社

『日本の「安心」はなぜ、消えたのか』山岸俊男 著　2008年 集英社インターナショナル

『わたしたちのウェルビーイングをつくりあうために その思想、実践、技術』渡邊淳司、ドミニク・チェン、安藤英由樹他　著　2020年 ビー・エヌ・エヌ新社

『International Differences in Well-Being』Ed Diener, Daniel Kahneman, John F. Helliwell 著　2010年 Oxford University Press

『ドーナツ経済学が世界を救う』ケイト・ラワース 著　2018年 河出書房新社

『成長の限界』ドネラ・H・メドウズ 著　1972年 ダイヤモンド社

『2052　今後40年のグローバル予測』ヨルゲン・ランダース 著　2013年 日経BP

『ホモ・デウス』ユヴァル・ノア・ハラリ 著　2018年 河出書房新社

『大不平等』ブランコ・ミラノヴィチ 著　2017年 みすず書房

『現代社会はどこに向かうのか』見田宗介 著　2018年 岩波書店

『豊かさとは何か』暉峻淑子 著　1989年 岩波書店

『人新世の「資本論」』斎藤幸平 著　2020年 集英社

『限界費用ゼロ社会』ジェレミー・リフキン 著　2015年 NHK出版

『無縁社会の正体 血縁・地縁・社縁はいかに崩壊したか』橘木俊詔 著　2010年 PHP研究所

山野 宏太郎（セーフティ＆インダストリー本部）
井上 剛（セーフティ＆インダストリー本部）
奥 元良（セーフティ＆インダストリー本部）
宮武 裕和（セーフティ＆インダストリー本部）
荒木 杏奈（セーフティ＆インダストリー本部）
松井 京子（スマート・リージョン本部）
松田 智生（経営イノベーション本部）
相引 梨沙（経営イノベーション本部）
竹村 毬乃（経営イノベーション本部）
堀 健一（イノベーション・サービス開発本部）
早川 玲理（イノベーション・サービス開発本部）
澤部 直太（デジタル・イノベーション本部）
川尻 傑（情報システム・DX推進部）
野口 康之（金融DX本部）
清水 浩行（DX技術本部）
武田 智博（DX技術本部）
柴垣 和広（DX技術本部）
中村 智志（DX技術本部）
勝山 裕輝（DX技術本部）
北田 貴義（営業本部）
石井 和（経営企画部）
中村 裕彦（先進技術センター）
武田 洋子（シンクタンク部門）
吉池 由美子（シンクタンク部門）
亀井 信一（研究理事）
森 義博（常勤顧問）
垣本 悠太（エム・アール・アイ リサーチアソシエイツ株式会社）

◉広報

小野 由理（広報部）
古明地 哲夫（広報部）
駅 義則（広報部）
三田 政志（広報部）
有賀 優子（広報部）

三菱総合研究所　研究員プロフィール
https://www.mri.co.jp/company/staff/index.html

執筆者一覧

◉監修　小宮山 宏（理事長）
大石 善啓（シンクタンク部門長　常務研究理事）

◉監修・執筆　関根 秀真（先進技術センター長）

◉執筆　【50周年記念研究チーム】

［テーマリーダー］
白戸 智（スマート・リージョン本部）
福田 桂（サステナビリティ本部）
藤本 敦也（経営イノベーション本部）

［メンバー］
加納 北都（スマート・リージョン本部）
滝澤 真理（ヘルスケア＆ウェルネス本部）
近藤 直樹（セーフティ＆インダストリー本部）
濱谷 櫻子（経営イノベーション本部）
山本 奈々絵（経営イノベーション本部）
河田 雄次（デジタル・イノベーション本部）
浜岡 誠（イノベーション・サービス開発本部）
吉永 京子（イノベーション・サービス開発本部）
奥村 隆一（キャリア・イノベーション本部）
藪本 沙織（キャリア・イノベーション本部）
川崎 祐史（先進技術センター）
由利 昌平（先進技術センター）
飯田 正仁（先進技術センター）
白井 優美（先進技術センター）
武田 康宏（先進技術センター）
金子 知世（エム・アール・アイリサーチアソシエイツ株式会社）

◉執筆協力　藤井 倫雅（ヘルスケア＆ウェルネス本部）
谷口 丈晃（ヘルスケア＆ウェルネス本部）
池田 佳代子（ヘルスケア＆ウェルネス本部）
折居 舞（ヘルスケア＆ウェルネス本部）
中村 弘輝（ヘルスケア＆ウェルネス本部）
山本 香弥子（ヘルスケア＆ウェルネス本部）
堤 一憲（セーフティ＆インダストリー本部）

[編著者]

三菱総合研究所

1970年設立の総合シンクタンク。シンクタンク・コンサルティング・ICTソリューションの「総合力」で企業や国・自治体のさまざまな課題を解決する。創業50周年を機に新経営理念「豊かで持続可能な未来の共創を使命として、世界とともに、あるべき未来を問い続け、社会課題を解決し、社会の変革を先駆ける」を発表。すべての事業の起点を社会課題、ゴールを課題解決・未来共創と位置づけ、次の50年に向けて未来社会の実現に貢献する。

スリーエックス

——革新的なテクノロジーとコミュニティがもたらす未来

2021年4月28日　第1刷発行

編著者——三菱総合研究所
発行所——ダイヤモンド社
〒150-8409　東京都渋谷区神宮前6-12-17
https://www.diamond.co.jp/
電話／03･5778･7220（編集）　03･5778･7240（販売）
装丁————遠藤陽一（DESIGN WORKSHOP JIN）
表紙イラスト——星野勝之
執筆協力——小林直美
編集協力——安藤柾樹（クロスロード）
校正————ディクション
製作進行——ダイヤモンド・グラフィック社
DTP　———インタラクティブ
印刷————信毎書籍印刷（本文）、新藤慶昌堂（カバー）
製本————ブックアート
担当————音浉省一郎

ISBN 978-4-478-11115-4